comment
RÉDUIRE
VOS IMPÔTS

Publications
TRANSCONTINENTAL inc.
Division des livres
1100, boul. René-Lévesque Ouest, 24ᵉ étage
Montréal (Québec)
H3B 4X9
Tél. : (514) 392-9000

Photographie de la couverture :
 Jean-Guy Paradis

Photocomposition et mise en pages :
 Ateliers de typographie Collette inc.

Dépôt légal – 4ᵉ trimestre 1992
 Bibliothèque nationale du Québec
 Bilbiothèque nationale du Canada

ISBN 2-921030-46-2

Samson Bélair
Deloitte &
Touche

comment
RÉDUIRE
VOS IMPÔTS

Cinquième édition

Publications
TRANSCONTINENTAL
inc.

Avant-propos

Les renseignements et analyses apparaissant dans ce livre ne doivent pas être substitués aux conseils professionnels d'un spécialiste en fiscalité. La planification fiscale et financière visant à diminuer vos impôts est un processus complexe qui nécessite une adaptation à vos besoins ou à ceux de votre entreprise. Cet ouvrage vous fera prendre connaissance des principales dispositions qui permettent de minimiser votre charge fiscale. Prenez soin de consulter un spécialiste en fiscalité avant de prendre toute décision à cet égard. Ce livre tient compte de la loi en vigueur et des modifications proposées en date du 1er novembre 1992.

Comment réduire vos impôts a été rédigé par une équipe de spécialistes de Samson Bélair/Deloitte & Touche et de Deloitte & Touche, au service des Canadiens depuis plus de 130 ans. Le cabinet est l'un des plus importants cabinets d'experts-comptables et de conseils en gestion comptant des effectifs de plus de 4 800 personnes, dont environ 650 associés et 3 000 professionnels dans 65 bureaux au Canada. Parmi sa clientèle de plus de 65 000 personnes et entreprises, le cabinet compte plus de 100 sociétés qui figurent parmi les 500 plus importantes sociétés industrielles selon la liste du *Financial Post*. De plus, à titre de membre de Deloitte Touche Tohmatsu International, le cabinet rend des services à des clients présents dans plus de 100 pays du monde.

| Rédacteurs : | John Stacey, Toronto |
| | Gilles Veillette, Montréal |

Collaborateurs :	Gisèle Archambault, Montréal
	Andy Bieber, Winnipeg
	Luc Blanchette, Montréal
	Marty Blatt, Edmonton
	Pat Bouwers, Toronto
	John Bowey, Kitchener
	Nancy Braun, Toronto
	John Budd, Toronto
	Peter Clayden, Vancouver
	John Hutson, Kitchener
	Mike Lavery, Calgary
	Anne Montgomery, Toronto
	Keith Pitzel, Winnipeg
	Michel Richer, Montréal
	Len Sakamoto, Toronto
	Bill Sherman, Toronto
	Linda Stillabower, Toronto
	Brian Taylor, Saskatoon
	Bill Vienneau, Halifax
	Earl Viner, Toronto

| Assistance à la production : | Junia Fulgence, Toronto |

Table des matières

13

CHAPITRE 1

Le processus de planification fiscale

Évaluez votre situation actuelle.

Quels sont vos besoins et objectifs financiers ?

Planifier pour minimiser et reporter les impôts.

La planification fiscale se réalise par :

le fractionnement du revenu ;

le déplacement du revenu ;

le choix de placements ;

le report de l'impôt ;

les abris fiscaux.

La planification fiscale ne doit pas être plus importante
que votre bien-être économique et financier.

Reporter l'impôt puisqu'un dollar aujourd'hui vaut plus
qu'un dollar dans le futur.

Nul ne devrait payer plus d'impôt que ne l'exige la loi. Il ne faut pas confondre planification fiscale et évasion fiscale. L'évasion désigne toute manœuvre dont le but est de réduire délibérément les revenus normalement assujettis à l'impôt. Ainsi, éviter sciemment de faire état de tous ses revenus d'intérêts est un exemple typique d'évasion fiscale. La planification fiscale consiste d'abord à identifier vos objectifs financiers et, ensuite, à les réaliser tout en payant le moins d'impôt possible en vous prévalant des règles fiscales qui vous permettront de réduire ou de reporter l'imposition du revenu, d'augmenter les déductions auxquelles vous avez droit et d'éviter les pièges fiscaux.

Échappatoires fiscales

Certains contribuables fortunés réussissent à payer peu ou pas d'impôt parce que, grâce à une planification minutieuse, ils recourent aux stimulants et autres dispositions permises par la législation fiscale pour réduire leur revenu imposable. Ces dispositions ne sont pas des échappatoires fiscales, ces dernières étant de malencontreuses erreurs dans la formulation et la structure législatives. Les stimulants fiscaux sont précisément adoptés pour favoriser certaines activités. En tirant parti de tels stimulants, vous agissez alors exactement selon les vœux du gouvernement.

▶ CONCEPTS CLÉS DE PLANIFICATION FISCALE

La planification fiscale s'appuie essentiellement sur cinq moyens principaux :

Fractionnement du revenu

Le transfert de revenu d'un contribuable se trouvant dans une tranche d'imposition élevée à un autre, se trouvant dans une tranche d'imposition moins élevée.

Déplacement du revenu

Le transfert de revenu d'une année où le taux d'imposition est élevé à une année où ce taux est moins élevé, ou encore le déplacement de déductions d'une année où le taux d'imposition est peu élevé à une année où ce taux est élevé.

Choix de placements

La transformation du revenu tiré d'une source qui en fait un revenu totalement imposable à une autre source, qui permet une exemption totale ou partielle.

Report de l'impôt

Le report de l'imposition d'un revenu.

Abris fiscaux

L'utilisation des stimulants fiscaux dans le but de profiter au maximum du plus grand nombre de déductions et de réduire le revenu imposable à son minimum.

Pour bien comprendre la planification fiscale, il est indispensable de saisir les deux notions suivantes. La première est celle de la valeur temporelle de l'argent, notion qui permet d'expliquer l'importance du report de l'impôt, et la seconde est celle des tranches d'imposition à taux progressifs.

Valeur temporelle de l'argent

Cette notion signifie essentiellement qu'un dollar gagné aujourd'hui vaut plus que le même dollar gagné ultérieurement. À titre d'exemple, imaginons que vous recevez un dollar aujourd'hui et que vous l'investissez pour gagner de l'intérêt. Au bout d'un an, vous disposerez d'un dollar plus l'intérêt. Si vous n'aviez pas reçu ce dollar au début de l'année, vous n'auriez pas eu la possibilité de réaliser cet intérêt. De même, le versement aujourd'hui d'un dollar en impôt vous coûte plus cher que s'il avait lieu ultérieurement puisque vous perdez l'intérêt que ce dollar aurait pu vous rapporter.

Report de l'impôt

Le fait de retarder le paiement de l'impôt correspond à la notion de *report de l'impôt*. L'un des principaux aspects de la planification fiscale consiste à reporter le plus possible le paiement de l'impôt. Plus vous pouvez reporter le paiement de l'impôt, plus vous disposez d'argent pour investir ou réaliser d'autres activités.

Tranches d'imposition à taux progressifs

L'augmentation du pourcentage d'impôt à verser sur le revenu imposable est directement proportionnelle à l'augmentation du revenu imposable. Les différents taux d'imposition applicables à divers niveaux de revenu constituent les tranches d'imposition qui vous indiquent le montant payable à l'État pour chaque dollar supplémentaire de revenu imposable que vous réalisez.

La notion des tranches d'imposition est un aspect clé de la planification du revenu familial, en particulier à l'égard du fractionnement du revenu. Par exemple, si votre revenu se situe dans la tranche d'imposition de 45 % et que vous pouvez en transférer une part à un membre de la famille dont le revenu se situe dans la tranche de 26 %, la famille économise alors 19 cents pour chaque dollar imposable ainsi transféré (jusqu'à ce que ce membre de la famille passe à la tranche d'imposition suivante).

Les tranches d'imposition vous indiquent aussi les sommes que vous pouvez épargner lorsque vous engagez des frais déductibles d'impôt. Si votre tranche d'imposition s'établit à 45 %, et que vous pouvez déduire 1 $ de votre revenu imposable, vous économisez 45 cents d'impôt ; cette économie de 45 cents signifie que le coût après impôt de vos dépenses pour chaque dollar déductible d'impôt est en fait de 55 cents. Il ne fait aucun doute que la notion de tranches d'imposition rend les frais déductibles d'impôt plus intéressants pour les contribuables à revenu élevé que pour ceux dont le revenu est faible.

Crédits d'impôt par rapport aux déductions du revenu

Une déduction diminue le revenu imposable et permet d'économiser l'impôt calculé selon le taux marginal d'impôt. Par contre, un crédit d'impôt réduit le montant d'impôt à payer. Il ne fait pas partie du calcul du revenu imposable. Par conséquent, un crédit d'impôt de 100 $ permet d'économiser 100 $ d'impôt, peu importe votre taux marginal d'impôt. À l'inverse, les frais de 100 $ déductibles dans le calcul de vos revenus vous permettent, si vous vous trouvez dans la tranche de 45 %, d'épargner 45 $ alors que la même déduction ne procure qu'une économie de 26 $ à la personne se situant dans la tranche de 26 %.

▶ OBJECTIFS DE LA PLANIFICATION FISCALE

Vous seul pouvez fixer vos objectifs de planification. Toutefois, votre premier objectif fiscal devrait en général consister à réaliser le revenu imposable résultant de toute opération au moment, et sous une forme, où il sera le moins imposé.

Un avertissement s'impose : votre principal objectif ne doit pas être la planification fiscale. Il est essentiel de bien comprendre que votre bien-être économique et financier doit occuper la première place. Il est peu probable qu'un stimulant fiscal particulier ou une méthode de planification fiscale transforme un placement peu rentable en un placement valable.

Prenons l'exemple d'un placement donnant droit à une déduction fiscale de 100 $. Le montant d'impôt réel que vous économisez grâce à cette déduction se chiffre à 51 $ environ. Si vous prévoyez perdre la totalité du montant investi, alors votre coût réel correspond à 49 % du placement, déduction faite de l'économie fiscale. Voilà de la planification fiscale qui n'est guère astucieuse et qui ne correspond pas à un « abri fiscal ». Il s'agit plutôt d'un très mauvais placement.

La vérification fiscale

À partir du moment où votre déclaration d'impôt fait l'objet d'une première cotisation, l'administration fiscale dispose de trois ans pour revoir votre déclaration et établir une nouvelle cotisation si elle le juge approprié. Bien qu'il soit peu probable que votre déclaration fasse l'objet d'une vérification, vous devez être en mesure d'expliquer l'information qui y figure si on vous le demande. Par conséquent, l'un des principaux aspects de votre planification fiscale et financière doit porter sur la tenue de registres adéquats. Vous devez posséder les pièces à l'appui de vos déclarations et de vos diverses activités financières et commerciales. Cette documentation vous aidera, plusieurs années plus tard, à vous souvenir avec précision de votre situation ou d'événements antérieurs. S'il arrivait que l'administration fiscale décide de soumettre votre déclaration à une vérification, cette documentation détaillée vous aidera également à fournir les preuves d'une planification soignée et sérieuse, aspect important dans de nombreux domaines du droit fiscal.

Il n'y à rien à craindre d'une vérification fiscale. Si votre planification est bien conçue et bien documentée conformément aux dispositions de la loi, il n'y a pas lieu de s'inquiéter. *Par contre, si vous avez présenté les faits de façon erronée, en raison de négligence, d'omission volontaire, ou encore de fraude, il y a tout lieu de vous inquiéter! Dans ces cas, la limite de trois ans ne s'applique pas!*

▶ ÉLABORATION DE VOTRE PLAN

Habituellement, la première étape à franchir en vue de planifier efficacement votre impôt consiste à évaluer votre situation actuelle. Nous vous présentons au chapitre 13 des tableaux résumant les taux d'imposition et différents crédits qui vous aideront à déterminer votre situation fiscale pour 1992. Il s'agit là d'un point de départ pour calculer l'incidence fiscale des divers éléments de planification mentionnés dans ce livre. Il existe d'autres facteurs dont vous devez tenir compte dans votre planification, notamment les taux d'intérêt, les taux d'inflation prévus, les règles actuelles de l'impôt sur le revenu et la possibilité de modifications ultérieures à la loi. Quand vous aurez examiné tous les facteurs pertinents à votre situation, vous serez en mesure de réaliser votre planification fiscale.

▶ AU TRAVAIL !

La planification fiscale est somme toute un processus simple qui repose sur certains éléments de base. Elle devrait faire partie intégrante de votre planification financière et de votre budget, puisqu'elle est pratiquée tout au long de l'année. Plus la fin de l'année approche, plus les possibilités de réduire votre impôt sont minces, sauf si vous avez entrepris une planification fiscale soignée dès le début de l'année. Cette planification sera plus efficace si vous vous y mettez DÈS MAINTENANT.

AU TRAVAIL !

23

CHAPITRE 2
L'ABC
du revenu

Pouvez-vous obtenir certains avantages non imposables
de votre employeur ?

■

L'octroi d'options d'achat d'actions peut être avantageux.

■

Si vous déménagez, obtenez un prêt à la réinstallation.

■

Les frais reliés à un bureau à domicile
peuvent être déductibles.

■

Choisissez une fin d'exercice pour optimiser
le report de l'impôt.

■

Les intérêts pour gagner un revenu
peuvent être déductibles.

■

N'oubliez pas l'exemption pour résidence principale.

■

Pension alimentaire : Utilisez la déduction.

■

Les dons et héritages reçus ne sont pas imposables.

vant de vouloir réduire l'impôt sur vos revenus, il vous faut d'abord connaître la nature exacte des sources de ces revenus. C'est important puisque le fisc ne gruge pas de la même façon les diverses sources de revenus. Les revenus imposables sont regroupés en trois grandes catégories : les revenus provenant d'un emploi, les revenus générés par une entreprise ainsi que les revenus tirés de biens, et les gains en capital. D'autres éléments de revenu sont assujettis ou non à l'impôt. Tout avantage provenant d'une activité sera vraisemblablement imposable. Par contre, les dépenses ne sont pas déductibles à moins qu'elles soient nécessaires pour générer une catégorie de revenu imposable.

▶ REVENU D'EMPLOI

Sur le plan de la planification fiscale, le revenu tiré d'un emploi est sans doute celui qui offre le moins de possibilités. Dans la plupart des cas, votre revenu d'emploi imposable comprend tous les avantages que vous tirez de cet emploi. En général, les montants en cause sont calculés par votre employeur et vous sont transmis chaque année, de même qu'au fisc, sur votre feuillet T4 ou relevé 1.

Avantages sociaux

Votre revenu d'emploi inclut des éléments tels l'utilisation, à des fins personnelles, d'une automobile dont l'employeur est propriétaire, certaines primes versées par ce dernier en vertu de régimes provinciaux d'hospitalisation et de soins médicaux, les récompenses et les primes de rendement, les conseils financiers et les

26

privilèges découlant de déplacements. Les avantages non imposables incluent les repas subventionnés, les uniformes ou vêtements spéciaux de travail, les aires de détente aménagées sur les lieux de travail, les remises sur les produits achetés à votre employeur pour usage personnel, les consultations en matière de retraite ou de réembauchage, les consultations en matière de santé mentale ou physique et les régimes d'assurance-maladie et de revenu garanti.

Bien que le revenu d'emploi offre relativement peu de possibilités de planification par rapport à d'autres sources de revenu, votre employeur peut mettre à votre disposition divers modes de rémunération ayant chacun des répercussions fiscales diverses.

Régimes d'options d'achat d'actions des employés

Si vous bénéficiez d'options d'achat d'actions et décidez de les exercer, faites attention aux règles énoncées ci-après. On distingue trois catégories d'options d'achat auxquelles s'appliquent des règles distinctes :

- Options de corporations privées dont le contrôle est canadien (CPCC) – offertes après le 31 mars 1977 (23 avril 1985 au Québec) aux employés de ces sociétés
- Nouvelles options – certaines options admissibles offertes après le 15 février 1984 (23 avril 1985 au Québec)
- Anciennes options – toutes les autres options

Anciennes règles touchant les options. Les anciennes règles s'appliquent aux « anciennes options » émises avant le 16 février 1984 (23 avril 1985 au Québec), aux options non admissibles émises après le 15 février 1984 (23 avril 1985 au Québec) et aux options offertes aux employés de CPCC avant le 23 avril 1985 au Québec (1er avril 1977 ailleurs au Canada).

L'octroi d'une option d'achat d'actions n'entraîne pas d'obligation fiscale. Toutefois, au moment de l'exercice ou de la cession de l'option, vous êtes présumé avoir reçu un revenu d'emploi imposable (avantage relié aux options d'achat d'actions) qui égale l'excédent de la juste valeur marchande des actions lors de l'exercice de l'option sur le prix de cette dernière. Autrement dit, vous devez inclure la totalité de l'augmentation de la valeur de l'action dans votre revenu au moment de la levée ou de la cession de l'option, et tout traitement de gain en capital vous est refusé. Toutefois, une déduction est permise dans le calcul du revenu imposable, sous réserve de certaines conditions.

Les actions acquises en vertu d'un accord d'option constituent des biens en immobilisations dont le prix de base égale la juste valeur marchande des actions au moment de l'acquisition. De ce fait, la plus-value future de ces actions pourrait être imposée à titre de gain en capital, tandis qu'une moins-value pourrait être traitée comme une perte en capital. Un tel gain serait admissible à l'exemption sur les gains en capital de 100 000 $. À titre d'exemple, supposons ce qui suit :

▓ En vertu de l'option, l'action peut être acquise à 4 $.

▓ La juste valeur marchande de l'action s'établit à 10 $ au moment de la levée de l'option.

▓ Le prix de vente ultérieur de l'action en 1992 est de 13 $.

L'avantage découlant de cette opération serait de 6 $ (10 $ – 4 $) et réalisé au moment où les actions sont acquises ; l'avantage serait imposé à titre de revenu d'emploi. Lors de la vente des actions en 1992, le gain en capital réalisé s'élève à 3 $ (13 $ – 10 $), les trois quarts de cette somme devant être inclus dans votre revenu imposable. Il faut soustraire de l'avantage autrement déterminé tout montant versé par l'employé pour l'acquisition d'une option d'achat d'actions, en plus du montant versé pour lesdites actions.

Il ne faut pas oublier que la vente d'une option à une personne avec laquelle vous n'avez pas de lien de dépendance est considérée comme un revenu d'emploi imposable. Par contre, si vous transférez l'option à une personne avec qui vous avez un lien de dépendance, vous serez alors imposé au moment de la levée de l'option par cette personne.

Options ultérieures au 15 février 1984 (23 avril 1985 au Québec). Les options admissibles accordées après le 15 février 1984 (23 avril 1985 au Québec) peuvent vous donner droit, lors de leur levée ou de leur cession (lors de la cession des actions au Québec), à une déduction dans le calcul du revenu imposable égale au quart de l'avantage qui est inclus dans le revenu. Selon l'exemple précédent, vous auriez droit à une déduction dans le calcul de votre revenu imposable de 1,50 $ (1/4 de 6 $) lors de la levée de l'option (lors de la cession des actions au Québec). En conséquence, l'augmentation de la valeur de l'action entre la date d'octroi de l'option et la date de la levée est soumise aux taux d'impôt applicables aux gains en capital, même si elle garde sa nature de revenu d'emploi et que, par conséquent, elle n'est pas admissible à l'exemption de 100 000 $ pour gains en capital.

Une option peut être traitée de cette façon lorsque son prix de levée est égal ou supérieur à la valeur marchande des actions au moment où elle a été accordée. En outre, l'employé ne doit pas avoir un lien de dépendance avec la société. En d'autres termes, l'employé ne doit pas être un actionnaire qui contrôle la société, ni faire partie d'un groupe qui détient le contrôle de la société, ou avoir un lien de dépendance avec de telles personnes. Les actions doivent satisfaire à certaines conditions qui assurent essentiellement qu'elles ont les attributs d'une action ordinaire.

Options pour les corporations privées dont le contrôle est canadien. Un traitement privilégié est accordé aux employés qui se sont vu octroyer des options d'achat d'actions après le 31 mars 1977 (23 avril 1985 au Québec), pourvu que soient réunies les conditions suivantes :

▓ L'employeur doit être une corporation privée dont le contrôle est canadien, et les actions doivent être émises par l'employeur ou une corporation privée dont le contrôle est canadien, qui possède un lien de dépendance avec l'employeur.

▓ L'employé ne doit pas avoir de lien de dépendance avec la société immédiatement après la levée de l'option. Un actionnaire majoritaire ainsi que les membres de sa famille en sont donc exclus.

▓ L'employé n'a pas disposé des actions à l'intérieur d'un délai de deux ans après les avoir acquises (autrement qu'en raison du décès).

Lorsque ces conditions sont respectées et que l'option a été levée après le 22 mai 1985, elle donne lieu, dans l'année où les actions sont effectivement vendues par l'employé, à un avantage d'emploi imposable correspondant à l'écart entre le prix de levée des actions et la juste valeur marchande des actions lors de la levée de l'option. Dans l'exemple ci-dessus, un avantage imposable de 6 $ (10 $ – 4 $) par action doit être inclus dans le revenu de l'employé pour l'année où les actions sont vendues 13 $. Le plein montant de l'avantage est inclus dans le revenu. Toutefois, si les actions sont détenues pendant au moins deux ans avant leur disposition, leur détenteur bénéficie d'une déduction correspondant au quart du gain réalisé (après 1989), et ce, même si le prix de levée de 4 $ est inférieur à la juste valeur marchande de l'action lors de l'octroi de l'option. Si la disposition résulte d'un décès, la déduction est accordée sans tenir compte de la durée de détention des actions. Le solde du gain, soit 3 $ (13 $ – 10 $), constitue un gain en capital admissible à l'exemption pour gains en capital.

Si les conditions décrites ci-dessus sont respectées et que l'employé dispose d'actions obtenues en vertu d'une option levée avant le 23 mai 1985, le gain en capital qui en découle lors de l'aliénation de ces actions correspond au produit reçu moins le prix de levée de l'option. Toutefois, le gain cumulé avant et après la levée de l'option est admissible à l'exemption pour gains en capital.

Puisque les actions de sociétés privées ne sont pas facilement négociables, l'acheteur éventuel devrait envisager d'opter pour une convention d'achat-vente. Cette convention est établie entre les actionnaires de la société ; un actionnaire qui prend sa retraite ou décède est assuré que ses actions seront achetées par les autres actionnaires ou par la société même. En pareil cas, le prix d'achat des actions est fixé d'avance dans la convention, ou le sera au moyen d'une formule stipulée dans la convention.

Les options d'achat d'actions de sociétés privées intégrées à une politique de rémunération pourraient se révéler moins intéressantes à l'avenir. Cette situation découle du fait que ces options ne sont pas facilement négociables et que les avantages fiscaux qui s'y rattachaient ont diminué. On peut songer à d'autres possibilités, par exemple la constitution de régimes d'achat d'actions « fantômes » avec votre employeur.

Dépenses en intérêts. Lorsque la levée des options est financée par un emprunt, les dépenses en intérêts peuvent être déduites du revenu imposable provenant de toutes sources. De tels frais font toutefois partie de votre perte nette cumulative sur placements (PNCP) aux fins du calcul de votre exemption pour gains en capital. (Le chapitre 7 aborde les règles concernant les pertes nettes cumulatives sur placements).

Prêts à des employés

L'expression «prêt à des employés» désigne généralement tout arrangement en vertu duquel un employé est imposé sur un bénéfice résultant de l'intérêt présumé sur le prêt consenti par l'employeur. Cette expression prête toutefois à confusion. En effet, en plus de s'appliquer aux prêts, ces règles touchent également toute autre dette engagée en vertu de la charge ou de l'emploi antérieur, présent ou futur d'un particulier. Pour que ces règles s'appliquent, il n'est pas nécessaire que l'employé soit le débiteur ni que l'employeur soit le créditeur. Par exemple, les règles concernant les intérêts présumés s'appliquent lorsque l'employeur accorde un prêt à l'enfant de l'employé dans le but de subvenir à ses besoins au cours de ses études universitaires, ou lorsqu'un employé obtient un emprunt bancaire à un taux d'intérêt inférieur à celui du marché en raison de l'intervention de l'employeur. Peu importe la personne qui est débitrice, tout avantage relié aux intérêts présumés est imposable entre les mains de l'employé.

Le montant de l'avantage imposable à inclure dans le revenu correspond généralement à la différence entre les intérêts payés dans l'année ou dans les 30 jours qui suivent la fin de l'année civile et les intérêts qui seraient payables si l'emprunt était contracté au taux prescrit qui est fixé par le gouvernement à chaque trimestre. Par exemple, lorsque vous empruntez 10 000 $ à votre employeur à 2 %, et que le taux prescrit s'élève à 8 % pour l'année, vous devez inclure 600 $ dans votre revenu à titre d'avantage imposable (8 % – 2 % de 10 000 $), si le prêt n'a pas été remboursé au cours de l'année entière.

Prêts consentis pour l'achat d'une maison. Un prêt consenti pour l'achat d'une maison permet à l'emprunteur ou à une personne liée d'acheter un logement qu'il habitera, ou de financer de nouveau l'hypothèque d'un tel logement. La définition englobe un prêt consenti pour l'acquisition d'une action dans une coopérative d'habitation constituée en compagnie, dans le but d'habiter une maison détenue par la compagnie.

L'avantage imposable concernant les prêts destinés à l'achat d'un logement est calculé en fonction du moindre du taux prescrit du trimestre en cours ou de celui qui était en vigueur au moment où le prêt a été consenti. (Les taux prescrits pour 1992 étaient de 9 % pour le premier trimestre, de 8 % pour le deuxième trimestre, de 7 % pour le troisième trimestre et de 6 % pour le quatrième trimestre). Tous ces prêts sont considérés avoir une durée qui ne dépasse pas cinq ans ; par conséquent, à chaque cinquième anniversaire du prêt, on présume qu'un nouveau prêt est consenti et le taux d'intérêt prescrit à cette date s'applique pour la prochaine période de cinq ans.

En raison du mode de calcul du taux prescrit, on connaît généralement d'avance le taux du trimestre suivant. Il est donc possible de planifier en conséquence. Un employé qui négocie un prêt avec son employeur en vue d'acquérir (ou de rembourser un prêt ayant servi à acquérir) un logement doit envisager de demander un prêt à court terme (c'est-à-dire moins de trois mois). Si le taux prescrit du trimestre suivant est moindre que le taux du trimestre en cours (ou égal à ce dernier), un autre prêt à court terme pourra être contracté. Par contre, si le taux prescrit est plus élevé, il devrait conclure un prêt à long terme (de cinq ans, par exemple).

Prêts à la réinstallation. Depuis le 23 mai 1985, lorsqu'un employé est transféré à un nouveau lieu de travail ou muté à un nouveau poste, lorsqu'il est admissible à la déduction des frais de déménagement et qu'il a obtenu un prêt portant peu ou pas d'intérêt, il peut soustraire un montant déterminé de l'avantage imposable tiré de ce prêt consenti pour l'achat d'une maison et inclus dans son revenu. Cette déduction correspond au moindre de l'avantage réel inclus dans son revenu et de l'avantage découlant d'un prêt sans intérêt de 25 000 $ reçu à titre d'employé. Cette déduction est offerte pendant le moindre de cinq ans et de la période au cours de laquelle le prêt (ou un prêt de remplacement) demeure impayé. En général, les frais de déménagement peuvent être déduits lorsque le nouveau logement de l'employé le rapproche de 40 kilomètres ou plus de son nouveau lieu de travail.

Règles concernant les prêts avec taux d'intérêt. Les règles concernant les avantages imposables ne s'appliquent pas si vous recevez un prêt à titre d'employé et que le taux d'intérêt est égal ou supérieur au taux accordé sur les prêts commerciaux au moment où le prêt est contracté, compte tenu des conditions du prêt. Toutefois, les règles s'appliquent aux prêts consentis par des tiers lorsque l'employeur en finance la totalité ou une partie.

Déductibilité des intérêts présumés. Il est possible pour les employés de demander une déduction compensatoire pour tous les intérêts imputés à leurs revenus au titre des avantages imposables, pourvu que ces intérêts aient été déductibles s'ils avaient effectivement été versés. Par exemple, les prêts à taux d'intérêt faible ou nul utilisés à des fins de placement (notamment pour l'achat d'actions de la société de l'employeur, ou en vue de l'achat d'une automobile ou d'un avion qui sera utilisé dans le cadre du travail) deviennent un « à-côté » fort intéressant en raison de la déductibilité des intérêts. De toute évidence, vous voudrez examiner les incidences fiscales de l'utilisation d'une voiture pour votre travail, lesquelles font l'objet du chapitre 9.

Notez toutefois que seul le débiteur peut se prévaloir de la déduction éventuelle, même si l'avantage imposable concernant les intérêts peut être inclus dans le revenu d'un autre contribuable (c'est-à-dire l'employé). Lorsque les intérêts sont déductibles, il est préférable que l'employé soit le débiteur ; sinon, il est imposé relativement à l'avantage sans bénéficier de la déduction compensatoire. Si, toutefois, le débiteur se situe dans une tranche d'imposition plus élevée, il peut être avantageux de se prévaloir de la déduction.

Avantages des prêts aux employés. Les prêts à taux d'intérêt faible ou nul peuvent se révéler fort avantageux même si des intérêts sont considérés comme des avantages imposables. Les taux d'intérêt présumés correspondent souvent à un taux inférieur à celui que l'employé devrait acquitter sur le marché. Supposons que vous empruntez à votre employeur une somme de 25 000 $ à 6 % au lieu d'emprunter ailleurs à 8 %. Vous pouvez ainsi réaliser chaque année une économie de 500 $ sur les intérêts débiteurs. Vous ne recevez aucun avantage imposable du fait que le taux d'intérêt que vous versez est plus élevé ou égal au taux prescrit (à condition que ce dernier ne dépasse pas 6 %). Remarquez que les intérêts doivent

33

être payés dans un délai de 30 jours après la fin de l'année ; autrement, ils ne peuvent servir à réduire l'avantage attribué.

Bien sûr, les avantages sont encore plus marqués si le prêt consenti à l'employé ne porte pas intérêt. Si votre taux d'imposition marginal s'élève à 44 % et que vous empruntez 25 000 $, le coût du prêt correspond à l'impôt payé sur l'avantage attribué de 1 500 $ (25 000 $ à 6 %), soit 660 $ (à supposer que le taux prescrit reste à 6 % et que le prêt ne soit pas remboursé avant un an). Les dépenses réelles en intérêts résultant de ces calculs totalisent 2,64 % et il en découle une économie de 1 340 $ par rapport au prêt à 8 % (2 000 $ moins 660 $). Lorsque le prêt sert à réaliser un revenu de placement, les intérêts présumés de 1 500 $ sont déductibles et le prêt n'entraîne aucun frais, alors que le coût après impôt relatif à un prêt ordinaire s'élèverait à 1 120 $ (2 000 $ moins une économie d'impôt de 44 %).

Prêts aux actionnaires. Des règles spéciales s'appliquent aux avances ou aux prêts obtenus de votre société lorsque vous êtes à la fois actionnaire et employé d'une entreprise. Bien que de nombreuses règles concernant les prêts à taux d'intérêt faible ou nul soient les mêmes, des incidences fiscales supplémentaires peuvent résulter de l'octroi de tels prêts. (Voir le chapitre 3).

Régimes de revenu différé. Les employeurs offrent souvent de nombreux régimes de ce type et plusieurs de ces régimes s'inscrivent dans le cadre d'une planification de la retraite. L'admissibilité au report de l'impôt sur votre revenu d'emploi dépend du genre de régime que vous avez. (Voir le chapitre 6).

Frais relatifs à un emploi

En règle générale, les employés ne peuvent demander des déductions à l'égard des frais qu'ils engagent dans le cadre de leur emploi, à moins que ces déductions ne soient explicitement permises en vertu de la Loi de l'impôt sur le revenu. Les frais relatifs à un emploi pouvant être déductibles sont les cotisations syndicales ou celles qui sont versées à une corporation professionnelle (sauf les frais d'adhésion), les frais d'automobile, les frais de déménagement et les frais judiciaires engagés pour percevoir un salaire ou un traitement dû par un employeur ou pour démontrer un droit à l'égard de ce salaire ou traitement. Des dispositions particulières sont prévues pour les membres du clergé, les représentants de commerce, les musiciens, les artistes, certains employés des entreprises de transport et de compagnies de chemin de fer. Si vous êtes admissible, assurez-vous de remplir les formulaires prescrits appropriés et de les faire signer par votre employeur.

Les frais judiciaires payés pour percevoir ou démontrer le droit à une allocation de retraite (incluant les indemnités pour congédiement injustifié) ou à une prestation de retraite sont déductibles. La déduction est limitée aux sommes reçues de ces sources qui ne sont pas transférées dans un REER ou RPA. Ces montants excédentaires peuvent être reportés au cours des sept prochaines années. Tout remboursement de ces frais doit être ajouté au calcul de votre revenu. Il est à noter que la déduction pour emploi de 500 $ a été abolie en ce qui concerne l'impôt fédéral. Toutefois, pour l'impôt du Québec, cette déduction continue de s'appliquer et elle est égale au moindre de 750 $ ou de 6 % du revenu d'emploi.

Un contribuable souffrant d'une déficience grave et prolongé peut déduire le coût des soins fournis par un aide à temps partiel autre que le conjoint du contribuable. La déduction est limitée aux deux tiers du revenu admissible jusqu'à concurrence de 5 000 $. Ce revenu admissible est constitué du revenu d'emploi ou d'entreprise, d'une allocation relative à la formation ou encore d'une subvention au titre de la recherche ou autre (déduction faite des frais). Cette déduction s'ajoute au montant de crédit d'impôt personnel qu'un contribuable peut réclamer, dans une telle situation. (Voir le chapitre 5).

Frais d'automobile

Si vous vous servez de votre voiture dans le cadre d'un emploi ou pour votre entreprise, vous pouvez vous prévaloir de la déduction pour frais d'automobile. (Voir le chapitre 9).

Frais de déménagement

Les frais de déménagement sont déductibles dans la mesure où ils ne sont pas remboursés par l'employeur, et si certaines conditions sont remplies. Les frais de déménagement doivent être engagés lorsqu'un contribuable se lance dans l'exploitation d'une entreprise, devient employé ou étudiant au niveau post-secondaire à plein temps dans un nouvel endroit. En outre, la distance entre son ancienne résidence et son nouveau lieu de travail ou d'études doit dépasser d'au moins 40 kilomètres la distance entre sa nouvelle résidence et son nouveau lieu de travail ou d'études.

Les frais admissibles comprennent notamment les frais de déménagement du contribuable et des membres de sa famille, y compris les dépenses pour repas et logement, les frais de la vente de son ancienne résidence, les frais de services juridiques à l'égard de l'achat de la nouvelle résidence, pourvu que vous ou votre conjoint avez vendu votre ancienne résidence, ainsi que les frais de transport et d'entreposage de ses meubles. Il existe différents plafonds fixant le montant total qui sera déductible, selon les conditions dans lesquelles surviendra le déménagement.

▶ REVENU D'ENTREPRISE

Revenu tiré d'une entreprise ou de biens

Si vous exercez une activité qui se qualifie comme entreprise, vous êtes en général tenu d'acquitter les impôts sur son « bénéfice ». Celui-ci correspond au revenu de l'entreprise moins les frais engagés pour réaliser le revenu. Si vous subissez une perte d'entreprise, celle-ci peut servir à réduire votre revenu tiré d'un emploi, d'un placement, ou d'autres activités. Dans certaines circonstances, des limites s'appliquent à l'utilisation des pertes agricoles à l'encontre d'autres types de revenu.

Si l'activité donne lieu à un revenu de biens, ce dernier sera ou bien inclus en entier dans votre revenu imposable, ou considéré à titre d'un gain en capital admissible à une exclusion partielle et à l'exemption pour gains en capital.

La réalité économique de l'activité détermine en principe son traitement fiscal. Dans ce domaine, il est cependant essentiel que vous disposiez de renseignements détaillés sur les activités que vous exercez. Si vous vous lancez dans une nouvelle entreprise tout en conservant votre emploi actuel, vous devez tenir des registres détaillés pour démontrer qu'il est raisonnable de considérer que vous réaliserez des bénéfices et que vous faites preuve d'une attitude professionnelle. Une telle attitude suppose que vous ferez appel, au besoin, aux conseils de professionnels, que vous saurez démontrer que vous possédez la compétence nécessaire dans le domaine ou que vous irez chercher de l'aide extérieure. **Si vous ne pouvez démontrer que vous vous attendez à réaliser des bénéfices et que votre démarche est professionnelle, il est possible que votre activité soit considérée comme un passe-temps.** S'il en est ainsi, vos déductions fiscales seront limitées au revenu provenant de l'activité. Si cette activité entraîne une perte, vous ne pourrez utiliser la perte d'entreprise pour réduire votre revenu d'autres sources. La tenue d'un tel registre est particulièrement importante dans le cas d'activités agricoles, qui sont souvent pratiquées à temps partiel. Si votre activité entraîne des pertes pendant un certain nombre d'années, le fisc pourrait fort bien considérer cette activité comme un passe-temps, et non comme une entreprise.

À l'inverse, si vous considérez l'activité comme un placement et espérez utiliser le bien acquis pour réaliser un revenu, il est tout aussi important de conserver les pièces justificatives de vos décisions et de fournir la preuve qu'il est raisonnable de s'attendre à ce que le bien donne lieu à un revenu de placement. À titre d'exemple, si vous achetez un terrain dans l'espoir d'y construire un immeuble à bureaux ou un autre bien générateur de revenu, ce terrain peut constituer un bien en immobilisations, admissible au traitement des gains en capital lors de son aliénation. Par contre, si un placement dans le terrain a été effectué dans le but de le conserver pour réaliser un revenu découlant de l'augmentation de sa valeur, il s'agira alors probablement d'une affaire de caractère commercial, ou d'une entreprise (selon le volume d'une activité semblable), et le revenu qui est en cause sera vraisemblablement imposable en totalité. Le fisc a plutôt tendance à considérer une augmentation de valeur comme un revenu ordinaire et une diminution de valeur comme étant une perte en capital, plutôt que de traiter une augmentation comme un gain en capital et une diminution comme une perte ordinaire.

Imposition du revenu d'entreprise

Les possibilités de planification fiscale sont généralement plus nombreuses si vous êtes considéré comme un travailleur indépendant ou si vous possédez ou dirigez une entreprise, que si vous êtes un employé. Des règles différentes s'appliquent au revenu tiré d'une entreprise. De plus, l'imposition du revenu d'entreprise diffère selon que cette entreprise est constituée en société ou non. (Veuillez consulter le chapitre 8 pour connaître les avantages et les inconvénients de la constitution en société, de même qu'un certain nombre d'aspects de planification fiscale liés aux petites entreprises.) Notez que vous pouvez transférer à une société de personnes, ou à une société par actions, des éléments d'actif d'une entreprise qui n'est pas constituée en société au moyen d'un mécanisme de roulement fiscal permettant de reporter l'impôt, sous réserve de certaines restrictions.

En règle générale, l'impôt porte sur le «bénéfice» de votre entreprise sans tenir compte des fonds que vous en avez retirés (en supposant que l'entreprise ne soit pas constituée en société). On obtient le bénéfice en déduisant du revenu brut de l'entreprise les diverses dépenses qui sont admises à titre de déduction. Ces dépenses doivent représenter un montant raisonnable et être engagées dans le but de produire un revenu. Les déductions courantes admissibles comprennent le coût des marchandises vendues, les salaires, les frais de location, les fournitures, la publicité, etc. Les frais engagés à l'égard des biens durables comme l'acquisition de meubles ou d'équipement ne sont pas déductibles. Par contre, vous pouvez réclamer une déduction pour amortissement à l'égard de ces acquisitions. Le bénéfice tiré de votre entreprise est inclus dans votre revenu imposable de l'année civile au cours de laquelle l'exercice financier de l'entreprise prend fin.

Frais de bureau à domicile

Si vous êtes un travailleur indépendant ou que vous exploitez une entreprise à l'extérieur du cadre de votre travail, et que vous avez aménagé un bureau dans votre maison, vous pouvez déduire certains frais s'y rattachant. Pour les exercices financiers commençant après 1987, *les frais de bureau à domicile peuvent être déductibles uniquement si le bureau constitue votre principal établissement d'affaires ou s'il est utilisé dans le but exclusif d'en tirer un revenu d'entreprise et si le bureau sert à rencontrer des clients ou des patients sur une base régulière et continue.* Le montant pouvant être déduit ne peut excéder le revenu tiré de l'entreprise pour l'exercice, après déduction de toutes les autres dépenses. Le montant excédentaire pourra être reporté afin d'être déduit ultérieurement au cours des exercices où l'entreprise produit un revenu. Ces règles ont été essentiellement élargies afin d'inclure les frais de bureau à domicile des employés, et ce pour les années d'imposition 1991 et suivantes.

Année d'imposition

Au cours de la première année d'exploitation, vous devez déterminer la fin de l'exercice financier de votre entreprise. Si vous vous attendez à une augmentation du revenu de l'entreprise, vous devriez choisir un exercice qui prend fin au début de l'année civile. Vous pourrez ainsi reporter une part du revenu d'entreprise réalisé à la fin de l'année civile, puisque ce revenu n'est pas assujetti à l'impôt avant l'année civile suivante.

À titre d'exemple, supposons que vous avez commencé vos activités le 1er juillet 1992 et que vous choisissez comme fin d'exercice le 31 décembre 1992, vous devez inclure dans votre revenu personnel le bénéfice de l'entreprise du 1er juillet au 31 décembre au moment de produire votre déclaration de 1992. Par contre, si vous choisissez comme fin d'exercice le 31 janvier 1993, vous n'aurez à inclure aucun revenu imposable jusqu'au moment de produire votre déclaration de 1993. Toutefois, si vous subissez une perte entre le 1er juillet et le 31 décembre 1992, vous choisirez peut-être comme fin d'exercice le 31 décembre afin d'utiliser la perte dans le but de réduire le revenu d'autres sources gagné en 1992. De même, si vous réalisez un bénéfice entre le 1er juillet et le 31 décembre 1992 et que vous subissez des pertes en janvier, février et mars 1993, vous songerez logiquement à choisir le 31 mars comme fin d'exercice.

Vous devez garder la fin d'exercice que vous avez choisie au départ, à moins que le fisc vous ait accordé une autorisation en vue de la modifier, et qui n'est accordée que dans le cas d'une raison valable concernant l'entreprise. La planification fiscale et l'épargne fiscale ne constituent pas des raisons valables. Par conséquent, le choix d'une fin d'exercice ne devrait pas être fixé uniquement en vue de réaliser des épargnes fiscales à court terme.

▶ REVENU TIRÉ DE BIENS ET GAINS EN CAPITAL

La troisième grande catégorie de revenu est celle du revenu tiré de biens qui comprend les revenus d'intérêts, de dividendes, ainsi que le revenu de location. Les gains en capital sont reliés au revenu de biens, mais ils sont assujettis à des règles spéciales, notamment quant à leur fraction imposable. (Voir le chapitre 7)

Les gains provenant de transferts de biens (ventes, cadeaux, etc.) sont généralement imposables, y compris les gains provenant de la vente de biens destinés à votre seul usage personnel. Les principales exceptions à cette règle concernent certains transferts entre conjoints pouvant être effectués selon la méthode du report d'impôt, certains transferts de propriétés agricoles aux enfants et un gain provenant de la vente d'une résidence principale. Les transferts entre conjoints et autres personnes sont traités dans le chapitre 4.

Intérêts déductibles

Si vous empruntez un montant d'argent et que ce montant est utilisé en vue de produire un revenu, toutes les dépenses en intérêts sont déductibles du revenu, sous réserve de certaines exceptions. Produire un revenu ne signifie pas nécessairement que vous devez en retirer un bénéfice immédiat. Il suffit simplement d'espérer réaliser un bénéfice dans une mesure raisonnable, et le fait de subir une perte n'entrave en rien la déductibilité des dépenses en intérêts. Toutefois, le fisc peut refuser la tranche des dépenses en intérêts qui dépasse le rendement de votre placement si, au moment de l'emprunt, il était raisonnablement prévisible que le taux d'intérêt excéderait celui du rendement.

Les dépenses en intérêts sont déductibles seulement si vous détenez le placement au cours de la période durant laquelle les fonds ont été empruntés. Si, par exemple, vous empruntez 1 000 $ afin d'acheter des actions et que vous les vendez deux mois plus tard, l'intérêt touchant la période suivant la cession des actions n'est pas déductible. Par contre, si vous vendez les actions 400 $ et achetez d'autres titres immédiatement après pour la même somme, une tranche des intérêts (400 $/1 000 $) sera alors déductible. En revanche, vous ne pourriez déduire la tranche des intérêts touchant la perte matérialisée sur la vente des actions.

Il ne vous est jamais permis de déduire l'intérêt sur les emprunts destinés à des dépenses personnelles, comme l'intérêt hypothécaire sur votre maison ou l'intérêt sur des fonds empruntés pour acquitter le coût de vos vacances.

Ainsi, vous devez viser à n'emprunter que dans le but d'effectuer des placements ou des affaires et régler vos dépenses personnelles à même vos économies. Cependant, vous pouvez déduire l'intérêt lorsque vous avez donné un bien personnel en nantissement, comme votre maison par exemple, pour obtenir un prêt en vue de financer un placement.

Résidence principale

Le gain réalisé sur la vente de votre résidence n'est pas imposable si vous respectez les règles de l'exemption concernant la résidence principale. À noter que la propriété d'une seule résidence peut être désignée relativement à une année donnée. Cette désignation ne peut porter que sur les années où vous êtes résident du Canada. De plus, en ce qui concerne les années d'imposition ultérieures à 1981, une seule résidence principale est permise par famille, et non par personne comme c'était le cas avant 1982.

Un logement désigne une maison, un appartement dans une habitation en copropriété, une maison mobile, une roulotte, une maison flottante ou une participation dans une coopérative d'habi-tation constituée en corporation. Vous pouvez posséder ces biens à part entière ou conjointement avec une ou plusieurs personnes. En outre, il n'est pas nécessaire que ce bien soit situé au Canada. (Au moment de sa vente, vous serez peut-être assujetti à l'impôt du pays dans lequel ce bien est situé.)

Pour que le logement soit admissible à titre de résidence prin-cipale, vous-même, votre conjoint ou l'un de vos enfants doit y

« habiter normalement » dans l'année de la désignation. Il s'agit habituellement du domicile familial, mais la résidence qui n'est occupée qu'une partie de l'année, comme un chalet d'été, est également admissible.

Un gain exempt d'impôt découlant de la disposition d'une résidence principale n'influe aucunement sur votre exemption à vie concernant les gains en capital.

Règles ultérieures à 1981 concernant la résidence principale. Depuis 1982, une famille, (c'est-à-dire les conjoints mariés tout au long de l'année et qui n'ont pas vécu séparés l'un de l'autre toute l'année, et leurs enfants célibataires de moins de 18 ans) ne peut désigner qu'un seul logement à titre de résidence principale au cours d'une année. En d'autres mots, les conjoints qui possèdent chacun une résidence sont, depuis le 1er janvier 1982, soumis à l'impôt relativement à une partie ou à la totalité du gain en capital cumulé relativement à l'un des logements. Un tel gain demeure admissible à l'exemption de 100 000 $. Si deux personnes se sont mariées après 1981 et que chacun des conjoints possédait une résidence, les deux logements sont admissibles à titre de résidence principale relativement à l'année du mariage et aux années antérieures pour chacun des conjoints, mais une seule résidence peut être admissible à l'exemption par la suite. *Il est à noter que le budget fédéral de 1992 propose de traiter les conjoints de fait de la même façon que les couples mariés pour les années d'imposition 1993 et suivantes.*

Calcul de la fraction imposable. La fraction imposable du gain découlant de la vente d'une résidence principale est déterminée en soustrayant la fraction de gain exemptée de l'impôt du gain total. Le solde, s'il y a lieu, est assujetti aux règles habituelles concernant un gain en capital (les trois quarts sont inclus dans le revenu après 1989 mais il est également admissible à l'exemption à vie pour les gains en capital).

La fraction de gain exemptée est établie d'après le nombre d'années où le bien est désigné à titre de résidence principale en regard du nombre d'années de propriété. Les règles précises régissant ce calcul sont techniques. Toutefois, s'il vous est possible de désigner le bien à titre de résidence principale pendant toute la période où vous en étiez le propriétaire, ou toutes les années à l'exception d'une, la totalité du gain est généralement exemptée.

Des règles transitoires spéciales s'appliquent lorsqu'une résidence détenue le 31 décembre 1981 est vendue après cette date. En vertu de ces règles, la fraction imposable du gain correspond au moindre de deux montants, tous deux calculés de la façon indiquée ci-dessus. Selon le premier calcul (la méthode normale), l'ensemble des années où l'on détient un bien ne constitue qu'une période alors que, selon l'autre calcul, on divise ces années en deux périodes, soit celle qui précède 1982 et celle qui suit 1981. Pour être en mesure d'effectuer ce dernier calcul, il convient de déterminer la juste valeur marchande du bien au 31 décembre 1981.

Ces règles ont été conçues en vue d'alléger temporairement le fardeau fiscal des familles ayant plus d'une résidence, mais elles s'appliquent également aux familles qui n'en possèdent qu'une. Elles peuvent être avantageuses lorsqu'une fraction du gain est imposable du fait que le bien en question ne peut être désigné à titre de résidence principale pour toute la période où le contribuable en a été le propriétaire (par exemple, s'il n'a pas bénéficié du statut de résident canadien pendant plusieurs années) et que la valeur de la résidence a diminué après le 31 décembre 1981 ou que la plus grande partie du gain résulte de la période antérieure à 1982.

Désignation à titre de résidence principale. Si vous aliénez au cours de l'année un bien que vous voulez réclamer à titre de résidence principale et si une fraction du gain est soumise à l'impôt, vous devez présenter un formulaire prescrit avec votre déclaration d'impôt dans lequel vous désignez le bien en question à titre de résidence principale pour le nombre d'années correspondant. Aucun formulaire n'est requis si le gain est entièrement exempt d'impôt.

Si vous possédez plus d'une résidence familiale, il peut être difficile de décider laquelle sera désignée et pour combien de temps. Vous devez songer à consulter un spécialiste avant de conclure la vente.

Planification. Si vous possédez déjà une deuxième résidence ou si vous avez l'intention d'en acquérir une, vous devez établir la liste de tous les coûts en capital qui s'y rapportent, tels que le creusage d'une piscine, la finition du sous-sol ou l'ajout d'une pièce. Sinon, il est possible que vous ayez à calculer tout gain subséquent en vous servant du prix d'achat initial comme prix de base du bien, lequel prix pourrait être nettement inférieur à votre investissement réel.

De plus, si la famille ne possède qu'une seule résidence, vous pouvez transférer le titre de propriété de la résidence à votre conjoint si son revenu est inférieur au vôtre. Voir le chapitre 4 intitulé « Fractionnement du revenu ».

Vendre ou ne pas vendre. Vous pouvez songer à conserver votre résidence si vous partez pour un temps défini ou non. Pendant votre absence, vous pouvez louer votre maison tout en conservant la possibilité de la désigner comme résidence principale relativement aux années où vous y avez vécu et, sous réserve de certaines conditions, jusqu'à quatre années par la suite. De plus, pendant les années de location de la maison, vous pouvez déduire divers frais. Si vous vendez cette maison plutôt que d'y retourner, le gain cumulé au cours des années où la maison était désignée comme résidence principale sera libre d'impôt. Le gain cumulé au cours des années où la résidence était louée pourrait ne pas être imposable si votre absence n'atteint pas cinq ans.

Des règles spéciales prolongeront la durée maximale de quatre ans dont il est question précédemment si la maison n'est pas occupée par suite d'une décision de votre employeur (ou de celui de votre conjoint) de vous réinstaller. Certaines conditions doivent être remplies afin de se prévaloir d'une prolongation.

D'autres règles spéciales s'appliquent lorsqu'une maison est achetée à titre de résidence principale et sert ensuite à produire un revenu de location ou un revenu d'entreprise de façon permanente (ou l'inverse). Ces règles permettent de reporter l'imposition sur le gain en capital jusqu'à ce que la maison soit vendue.

Frais de location

Lorsque vous détenez un bien de placement et tirez un revenu de location, vous pouvez déduire toutes les dépenses courantes que vous engagez à l'égard de votre bien de placement ainsi que la déduction pour amortissement (DPA) relativement à ce bien. Cependant, *vous ne pouvez vous prévaloir de la DPA dans le but de créer ou d'augmenter une perte à l'égard d'un bien de location.*

Les dépenses courantes comprennent les frais de publicité pour louer le bien, les frais de chauffage et d'électricité, l'impôt foncier, la taxe d'eau, le coût de l'assurance, les frais de la main-d'œuvre et les matériaux pour les réparations et l'entretien. Les dépenses en immobilisations comme les rénovations d'envergure ne sont pas déductibles; par contre, ces dépenses peuvent habituellement s'ajouter au coût en capital du bien de location et ensuite être réclamées de façon échelonnée au titre de la DPA.

Lorsque vous louez une partie de votre résidence principale, vous pouvez bénéficier des mêmes règles à l'égard des dépenses courantes. Les dépenses qui sont en totalité attribuables à la location peuvent être entièrement déductibles. Les frais généraux, tels que les frais de chauffage et d'électricité ainsi que les impôts fonciers, doivent être établis proportionnellement, de sorte que seule la partie des frais qui a trait à la location d'une partie de la résidence principale soit déduite du revenu de location. *Vous pouvez réclamer la DPA à l'égard de la partie de la maison qui est louée. Cependant, vous ne voudrez peut-être pas vous prévaloir de cette déduction, car vous diminuerez votre exemption pour résidence principale et vous serez assujetti à l'impôt quant au gain que vous réaliserez lors de la vente ultérieure de la maison.* Si vous désignez votre maison comme résidence principale pour les années durant lesquelles vous ne l'avez pas occupé, vous ne pouvez pas demander d'amortissement à l'égard de la maison pour les années en question.

▶ AUTRES REVENUS

Le revenu, qui ne provient pas d'un emploi, d'une entreprise ou de biens, est probablement imposable. Si vous avez le moindre doute au sujet de l'imposition d'un élément particulier, il serait préférable que vous consultiez un spécialiste.

Pensions alimentaires et allocations indemnitaires

Si vous êtes divorcé ou séparé, vous recevez (ou payez) peut-être des montants en vertu d'une entente de pension alimentaire ou d'allocation indemnitaire. En règle générale, de tels paiements doivent être inclus dans votre revenu imposable dans l'année où ils sont reçus (et déductibles, pour la personne qui les verse, dans la même année). Si le paiement constitue un revenu imposable, il s'agit aussi d'une déduction admissible pour l'autre personne. Si le revenu n'est pas imposable, le paiement n'est pas déductible.

Pour être admissibles à titre de pension alimentaire ou d'allocation indemnitaire, les paiements doivent:

- être périodiques;
- découler d'un arrêt, d'une ordonnance ou d'une entente écrite;
- être effectués pour subvenir aux besoins du bénéficiaire ou des enfants.

De plus, les parties visées par l'entente doivent vivre séparément en vertu d'une séparation judiciaire ou d'un accord écrit de séparation, à compter du moment où le paiement est effectué jusqu'à la fin de l'année. Les pensions alimentaires ou allocations indemnitaires comportent un bon nombre de difficultés, notamment celle de déterminer si les paiements sont périodiques ou s'ils pourraient être considérés comme des versements effectués à l'égard d'une somme forfaitaire. L'admissibilité des paiements versés à des tiers, par exemple au détenteur d'une hypothèque sur la maison, constitue une autre difficulté. À noter que les paiements supplémentaires volontaires qui ne font pas partie de l'entente ne sont pas admissibles. Il est prudent de faire appel à des conseillers juridiques et fiscaux compétents en matière d'entente de séparation ou de divorce.

Les ententes assorties de pensions alimentaires ou d'allocations indemnitaires se traduisent souvent par un déplacement de revenu d'un particulier dont le revenu est élevé à un autre dont le revenu est moins élevé. Par conséquent, il en résulte des avantages fiscaux parce que le particulier dont le revenu est élevé obtient une déduction d'impôt plus grande que l'augmentation d'impôt de celui qui bénéficie du paiement. Compte tenu du déplacement du revenu que ces paiements entraînent, beaucoup d'ententes de séparation ou de divorce sont négociées en fonction de chiffres après impôt.

Rentes

Une rente correspond à une entente de paiements périodiques pendant un temps précis. Elle peut être achetée avec des dollars versés avant ou après impôt. À titre d'exemple, vous achetez une rente avec des dollars avant impôt lorsque vous investissez les fonds d'un REER dans un contrat de rente. Par contre, si vous achetez simplement un contrat de rente avec vos économies, vous achetez alors une rente avec des dollars après impôt.

Lorsque vous encaissez une rente provenant d'un contrat acheté par l'entremise d'un régime ou d'un fonds exempt d'impôt, le plein montant de la rente doit être inclus dans votre revenu imposable pour l'année de l'encaissement. Les exemples les plus courants de tels paiements de rente comprennent les montants que vous recevez de régimes de retraite, de votre REER, etc.

Si vous avez acquis une rente à l'aide de vos fonds personnels plutôt que par l'entremise d'un régime exempt d'impôt, une partie de chaque paiement effectué en vertu du contrat peut être exclue de votre revenu imposable. Cette partie correspond à votre investissement initial dans le contrat, lequel a déjà été imposé.

Dons et héritages

Un don ou un héritage ne constitue pas un revenu imposable pour le bénéficiaire. Le cédant est considéré, sauf dans certains cas comme celui du transfert au conjoint, avoir vendu son bien à la juste valeur marchande à la date du transfert. Par conséquent, le cédant verra le gain accumulé inclus dans son revenu tandis que le bénéficiaire sera considéré comme ayant acquis le bien à la juste valeur marchande à la date du transfert.

Gains de loterie ou de paris, prix et autres récompenses

Les gains provenant d'activités qui offrent la possibilité de gagner un prix ne sont pas inclus dans le revenu si cette possibilité n'est que le résultat du hasard (par exemple, les jeux de loterie et les paris). Les prix ayant trait à votre emploi sont toutefois susceptibles d'être considérés comme des récompenses pour services rendus et, par conséquent, d'être imposables à titre de revenu d'emploi.

Autres déductions

En général, les dépenses personnelles ne sont pas déductibles d'impôt. Toutefois, vous pouvez réclamer la déduction de certains frais à caractère financier, tels les honoraires versés à un conseiller en placements, les frais pour un coffret de sûreté et les frais reliés à un REER autogéré.

Frais de garde d'enfants

Un contribuable peut se prévaloir de la déduction jusqu'à concurrence de 2 000 $ par enfant (2 300 $ pour l'impôt du Québec) n'ayant pas atteint l'âge de 14 ans au cours de l'année. Le montant de la déduction est haussé à 4 000 $ (4 600 $ au Québec) par enfant pour les enfants gravement handicapés et pour les enfants âgés de moins de sept ans à la fin de l'année. **Au fédéral, la déduction est restreinte aux deux tiers du revenu gagné et seul le conjoint ayant le revenu le moins élevé peut se prévaloir de cette déduction. Par contre, dans le régime fiscal du Québec, l'un ou l'autre des conjoints peut se prévaloir de la déduction et celle-ci est restreinte au plein montant du revenu gagné du conjoint ayant le revenu le moins élevé. (Le budget fédéral de 1992 propose d'augmenter de 1 000 $ les frais maximums de garde d'enfants qui peuvent être réclamés pour les années d'imposition 1993 et suivantes.**

CHAPITRE 3

Report
du revenu

Il est encore possible de déclarer les revenus d'intérêts
des placements acquis avant 1990 tous les trois ans.

■

Avez-vous investi dans des régimes de revenu différé,
tels un REER et un régime de pension ?

■

Avez-vous reçu une allocation de retraite ?

■

Toute rémunération gagnée par un employé
devrait être versée dans les 180 jours de la fin de l'année
afin d'être déductible dans l'année par l'employeur.

■

Les prêts aux actionnaires ont-ils été remboursés
à la fin de l'année suivante ?

■

Attention aux méthodes d'échelonnement
de la rémunération.

L'appellation « revenu reporté » désigne le revenu qui, pour usage fiscal, figurera sur les déclarations d'impôt d'années subséquentes. L'avantage d'un report du revenu réside dans le fait que le paiement des impôts qui en découlent est lui aussi retardé. Et l'impôt reporté n'est-il pas de l'impôt économisé ? Par exemple, si vous reportez d'un an le paiement d'impôts de 1 000 $ et que vous en retirez un intérêt de 10 % au cours de la même année, vous avez réalisé une économie de 100 $ (moins, naturellement, tout impôt à payer sur ces 100 $).

Depuis quelques années, les possibilités de report du revenu ont été sensiblement diminuées, notamment en ce qui a trait au revenu d'intérêt qui doit désormais être imposé annuellement et ce même s'il n'est pas encaissé. Ces règles s'appliquent à tous les contribuables, y compris les particuliers et les fiducies dont les bénéficiaires sont des particuliers. Cependant, le revenu gagné par l'intermédiaire des régimes de revenu différé n'est pas touché par ces modifications, notamment les régimes enregistrés d'épargne-retraite, les régimes de participation différée aux bénéfices et les régimes de pension agréés.

Règles de déclaration du revenu d'intérêt couru à tous les trois ans

Les règles antérieures de déclaration du revenu d'intérêt couru à tous les trois ans ne s'appliquent qu'aux placements effectués avant 1990 mais elles visent tous les titres d'emprunt, sauf les obligations et les débentures à intérêt conditionnel, les ententes d'échelonnement du traitement, les obligations pour la petite entreprise (OPE) et les obligations pour le développement de la petite entreprise (ODPE).

Si vous détenez un titre soumis aux règles de déclaration du revenu à tous les trois ans, vous devez incorporer dans votre revenu, à chaque troisième anniversaire du titre, les intérêts courus après le 31 décembre 1981 qui n'ont jamais fait l'objet d'une inclusion.

Le troisième anniversaire tombe le 31 décembre de la troisième année civile ultérieure à l'émission du titre et, par la suite, il survient tous les trois ans. Dans le cas des titres acquis avant 1982, on présume qu'ils ont été émis le 31 décembre 1988 et le « premier » troisième anniversaire est survenu en 1991.

Au moment de remplir votre déclaration d'impôt, vous pouvez choisir d'inclure dans votre revenu les intérêts courus jusqu'à la fin de l'année sur un titre d'emprunt qui n'avait pas fait l'objet d'une inclusion auparavant. Si vous procédez ainsi une fois, il faudra, à l'égard de ce titre, faire de même chaque année, tant que vous détiendrez le titre. Mieux vaut calculer avant d'agir. Si vous détenez encore des placements admissibles à la règle de déclaration à tous les trois ans et si l'utilisation de ces règles fait passer votre revenu à une tranche d'imposition supérieure, il serait peut être avantageux pour vous de déclarer ce revenu chaque année au lieu d'appliquer la règle du troisième anniversaire. Cette solution est valable si elle vous permet de demeurer au taux fédéral d'imposition de 17 % au lieu de vous faire passer à 26 % ou 29 %. Mais au moment de faire ce choix, n'oubliez pas d'évaluer l'économie fiscale par rapport au fait que vous paierez d'avance une partie de vos impôts au cours des années ultérieures.

Les règles de déclaration des intérêts s'appliquent aussi au particulier qui possède une police d'assurance sur la vie ou un contrat de rente. Par contre, elles ne s'appliquent pas dans le cas de « polices exemptées », ni dans celui de la plupart des polices et contrats acquis avant le 2 décembre 1982. Certains contrats de rente prescrits échappent aussi aux règles de déclaration du revenu.

Les intérêts d'un « titre d'emprunt prescrit » s'accumulent de la manière prescrite par les règlements. Les titres d'emprunt prescrits comprennent les obligations à coupon zéro, les obligations détenues sans les coupons d'intérêt connexes, ainsi que les coupons détachés de ces obligations.

Règles de déclaration annuelle du revenu couru

Pour les genres de placements décrits ci-dessus, des mesures du budget fédéral présenté en avril 1989 ont eu pour effet de remplacer les règles de déclaration du revenu à tous les trois ans par des règles prévoyant la déclaration annuelle des revenus courus. Ces règles s'appliquent à tous les contribuables ayant acquis de tels placements après 1989. Ces placements sont réputés acquis après 1989 si, à compter de 1990, la date d'échéance du placement est reportée ou si le placement subit une modification appréciable.

À la date du premier anniversaire du placement soumis aux nouvelles règles, le détenteur doit inclure dans son revenu le montant d'intérêt couru après le 31 décembre 1989 qui n'a pas déjà été inclus dans son revenu. Le premier anniversaire correspond au jour qui survient un an après le jour précédant immédiatement la date d'émission du placement, et chaque année par la suite.

Les émetteurs de placements soumis aux nouvelles règles, comme la Banque du Canada, doivent fournir aux détenteurs des feuillets de renseignements indiquant le montant des intérêts courus à chaque date anniversaire du placement.

Planification relative aux règles de déclaration du revenu couru

Avant d'investir dans des valeurs ou des rentes à revenus reportés, vous devez bien sûr tirer parti au maximum des régimes de revenus différés qui ne vous obligent pas à déclarer annuellement vos revenus courus, tels que les régimes enregistrés d'épargne-retraite (REER) et les régimes de pension agréés (RPA).

Le produit de ces régimes n'est pas imposé tant qu'on n'en retire pas les fonds. Les cotisations sont généralement déductibles des revenus de l'année en cours et le versement des prestations peut être retardé jusqu'au moment de la retraite. Comme un tel report est effectué à long terme, il est généralement bénéfique, peu importe votre taux d'imposition marginal lorsque vous retirerez les fonds du régime.

Par exemple, présumons que vous avez la possibilité de contribuer 5 000 $ dans un REER produisant un revenu de retraite que vous commencerez à toucher dans 20 ans. Votre taux d'imposition marginal s'élève actuellement à 40 % et on prévoit, dans le tableau ci-dessous, qu'il sera de 30 % ou de 40 % dans 20 ans. Pour simplifier nos calculs, nous présumons que vous retirerez, la vingtième année, le plein montant du REER et que vous paierez l'impôt sur ce montant au cours de cette même année, ce qui ne devrait pas se produire dans la réalité. Le REER porte intérêt à un taux de 10 % pendant 20 ans.

TAUX D'IMPOSITION MARGINAL	MONTANT DISPONIBLE APRÈS IMPÔT
30 %	23 546 $
40 %	20 182 $

Si vous n'aviez pas versé de cotisation à un REER et payé 40 % d'impôt sur les 5 000 $, il vous resterait 3 000 $ à investir. En supposant que votre rendement annuel après impôt s'élève à 6 % (compte tenu de l'impôt à 40 % sur des gains de 10 %), vous accumuleriez 9 621 $ en 20 ans, soit 10 561 $ de moins que si vous aviez cotisé à un REER et payé 40 % d'impôt après 20 ans.

Il en est ainsi parce que les montants investis dans un REER avant impôt portent intérêt en franchise d'impôt tandis que les revenus après impôt non inclus dans un REER sont imposés chaque année, ce qui laisse un montant moindre à réinvestir. De plus, grâce au montant cumulé dans votre REER, vous serez en mesure d'acquitter plus tard vos impôts avec des dollars de moindre valeur en raison de l'inflation.

Il est également possible de procéder à un report grâce à l'acquisition de biens en immobilisations. Les règles de déclaration du revenu couru ne s'appliquent pas aux gains en capital non matérialisés. Les actions privilégiées à rendement élevé peuvent très bien servir à ces fins puisqu'elles offrent un dividende intéressant et, éventuellement, des gains en capital. Détenir des biens en immobilisations est encore plus avantageux en raison de l'exemption à vie de 100 000 $ sur les gains en capital (500 000 $ à l'égard des biens agricoles admissibles et d'actions de corporations exploitant une petite entreprise).

Allégement fiscal applicable à l'épargne-retraite

La meilleure façon de reporter l'impôt à des années ultérieures est de verser des cotisations déductibles d'impôt dans un REER ou d'autres régimes de retraite enregistrés.

Pour obtenir une analyse plus détaillée des règles de l'épargne-retraite relatives aux REER, veuillez consulter le chapitre intitulé « Épargner pour la retraite ».

Allocation de retraite

D'une certaine façon, l'allocation de retraite peut constituer un mode de report du revenu. Il ne doit toutefois pas s'agir d'une rémunération différée, ce qui serait le cas, par exemple, lorsqu'un employé accepte un salaire peu élevé en contrepartie d'une allocation « dite de retraite » généreuse.

On appelle allocation de retraite le montant (autre qu'une prestation de retraite ou un montant touché à la suite de la mort de l'employé) qu'un employeur verse à un employé lors de sa mise à la retraite, en récompense de ses longues années de service. La somme versée à un particulier pour l'inciter à prendre une retraite anticipée peut également être considérée comme une allocation de retraite.

On applique aussi ce terme à tout montant remis au contribuable à la suite de la perte de son emploi, qu'il s'agisse ou non d'une indemnité de licenciement ou de dommages-intérêts relatifs à la perte d'un emploi. Bien que le plein montant de ces indemnités soit imposable, il est possible d'en reporter l'impôt en transférant les montants admissibles dans un REER.

Au décès du contribuable, une allocation de retraite est parfois versée à une personne à charge ou à un parent, ou encore à la succession. L'impôt peut alors en être reporté en transférant un montant admissible dans le REER du bénéficiaire.

Le montant maximal d'une allocation de retraite qui peut être transféré en franchise d'impôt à un RPA ou à un REER est de 3 500 $ pour chaque année d'emploi. Si l'employé cotisait à un régime de retraite ou à un régime de participation différée aux bénéfices (RPDB) de l'employeur, le montant maximal est alors de 2 000 $ par année pour laquelle la cotisation de l'employeur au régime est acquise à l'employé. Dans tous les cas, de tels transferts à un REER sont limités à 2 000 $ par année d'emploi postérieure à 1988.

Tout montant d'allocation de retraite non transféré dans un RPA ou un REER doit être ajouté aux revenus de l'année durant laquelle il est touché. Il est alors assujetti à l'impôt au taux marginal du contribuable. Si votre allocation de retraite est considérable par rapport aux autres sources de revenu et si vous la transférez dans un REER, l'impôt minimum de remplacement peut s'appliquer. Si un montant d'impôt minimum est versé, il peut être récupéré au cours des sept années suivantes, selon le niveau de revenu du particulier et en tenant compte des déductions réclamées au cours de ces années.

N'oubliez pas qu'une allocation de retraite ne peut être transférée dans le REER du conjoint.

Vous pouvez faire en sorte que votre employeur transfère directement les montants admissibles à votre REER ; dans ce cas, aucun montant d'impôt n'est retenu à la source. Si vous recevez le montant directement de votre employeur et que vous faites ensuite le transfert, votre employeur doit retenir le montant d'impôt approprié et vous pouvez ensuite réclamer un remboursement dans votre déclaration d'impôt.

Cotisations à un régime de participation différée aux bénéfices (RPDB)

Votre employeur peut verser pour vous les cotisations déductibles à un RPDB. Les cotisations maximales de l'employeur en 1992 correspondent au moindre de 18 % de la rémunération de l'employé ou de 6 250 $ moins toute cotisation versée par l'employeur à un RPA au nom de l'employé. Pour les années suivantes, le total de la cotisation patronale sera plafonné au moindre de 18 % du revenu de l'employé ou des montants suivants :

1993	6 750 $
1994	7 250 $
1995	7 750 $

Le montant maximal de 7 750 $ sera indexé en fonction de l'augmentation du salaire moyen à compter de 1996. Les RPDB doivent stipuler que la cotisation patronale est proportionnelle aux bénéfices de la société. Toutefois, de son côté, l'employeur n'est pas tenu de cotiser au cours d'une année pendant laquelle la société a subi une perte. De plus, il faut savoir qu'un RPDB ne permet aucune cotisation au titre des services passés.

Cotisations de l'employé

À la suite de la réforme des pensions, toute cotisation d'un employé à un RPDB est interdite depuis 1990.

Produit d'un RPDB

Les montants reçus par l'intermédiaire d'un RPDB doivent être inclus dans le revenu, sauf en ce qui concerne les montants en capital versés par l'employé. La plupart des régimes permettent au contribuable d'échelonner les paiements imposables sur une période maximale de 10 ans ou d'acheter, avant l'âge de 71 ans, une rente viagère. La durée garantie de cette dernière ne doit toutefois pas dépasser 15 ans. L'employé peut retirer ses cotisations en tout temps. Le produit d'un RPDB peut également être reporté grâce au transfert à un RPA, à un REER ou à tout autre RPDB admissible.

Rémunération non versée

Un employeur ne peut déduire la rémunération gagnée par un employé pendant l'année, lorsque le montant en cause n'est pas versé à ce dernier dans les 180 jours qui suivent la fin de l'exercice de l'employeur. Par conséquent, reporter la rémunération ne donne lieu qu'à un avantage limité. Si le délai de 180 jours n'est pas respecté, l'employeur obtient la déduction dans l'année où la rémunération est effectivement payée. Cette disposition s'applique, que l'employeur et l'employé aient ou non un lien de dépendance entre eux. La rémunération n'inclut pas les indemnités de vacances ou les montants reportés en vertu d'ententes d'échelonnement du traitement.

Les règles concernant les ententes d'échelonnement du traitement (voir ci-dessous) n'ont pas de répercussions sur les montants versés dans la limite de 180 jours. Par conséquent, pour l'année où la rémunération est gagnée mais non versée, les employés n'ont pas à inclure cette dernière dans leur revenu imposable.

Entente d'échelonnement du traitement

Les règles relatives aux ententes d'échelonnement du traitement ont été introduites afin de restreindre les abus qui persistaient dans les régimes de prestations aux employés.

Une entente d'échelonnement du traitement désigne un accord conclu entre un employeur et un employé, accord selon lequel ce dernier reporte l'encaissement de sa rémunération à une date ultérieure à la fin de l'année, lorsqu'il est raisonnable de supposer qu'un des principaux objets d'une telle mesure est de permettre à l'employé de reporter l'impôt de l'année en cours ou de l'année précédente relativement à la rémunération de ses services. La définition d'une telle entente exclut notamment les régimes de retraite enregistrés et les autres régimes enregistrés, certains autres régimes pour les employés comme les régimes collectifs d'assurance-maladie ou d'assurance-accidents, les ententes de report du traitement des athlètes professionnels, les accords servant à recueillir des fonds pour la formation des travailleurs et les ententes de congés autofinancés.

Dans certaines circonstances précises, les règles relatives aux ententes d'échelonnement du traitement ne s'appliquent pas aux régimes en vigueur le 26 février 1986.

En vertu des règles concernant les ententes d'échelonnement du traitement, un droit de recevoir des montants reportés se doit d'être comptabilisé pour usage fiscal selon la méthode de la comptabilité d'exercice et figurer dans le revenu de l'employé pendant l'année où les montants sont gagnés, même s'ils ne sont perçus qu'ultérieurement. L'employeur obtient une déduction sur ce montant pendant la même année. Par contre les intérêts, ou tout autre montant, versés par l'employeur relativement à la rémunération reportée sont considérés comme un revenu d'emploi touché durant l'année où ils sont perçus. Ils sont ainsi exclus des règles de déclaration des intérêts courus. Ces règles s'appliquent aussi lorsqu'une personne autre que l'employé est habilitée à recevoir la rémunération reportée.

Convention de retraite

Une convention de retraite comprend presque toute entente ou convention conclue après le 8 octobre 1986 selon laquelle des paiements sont versés à un dépositaire par un employeur ou un ancien employeur (ou une personne liée) d'un contribuable à l'égard de bénéfices qui seront fournis à ce dernier ou à d'autres personnes lors de sa retraite, d'une perte de charge ou d'emploi, etc. Certaines ententes sont spécifiquement exclues de la définition de conven-

58

tion de retraite ; il s'agit des régimes de pension agréés, des régimes de participation des employés aux bénéfices et des régimes de participation différée aux bénéfices, des régimes enregistrés d'épargne-retraite, des régimes collectifs d'assurance maladie et accident, de certains régimes pour les athlètes professionnels et des ententes d'échelonnement du traitement.

Les contributions à une convention de retraite sont déductibles par l'employeur au moment où elles sont versées, mais elles sont assujetties (sauf pour l'impôt du Québec) à une retenue d'impôt à la source remboursable, équivalant à 50 % du montant versé. L'impôt est remboursé lorsque des montants sont versés au bénéficiaire de la convention de retraite et deviennent imposables pour ce dernier. Le même mécanisme d'impôt remboursable s'applique à l'égard des revenus générés par les contributions effectuées en vertu de la convention de retraite. Aucun revenu provenant d'une convention de retraite n'est imposable pour le bénéficiaire avant qu'il ne l'ait effectivement reçu.

Régime de prestations aux employés

Dans les rares cas où un régime d'étalement ne correspond pas à la définition d'une entente d'échelonnement du traitement ou d'une convention de retraite, il est fort probable qu'il s'agisse d'un régime de prestations aux employés ; l'employeur ne bénéficie alors d'aucune déduction pour les montants reportés. Avant l'entrée en vigueur des règles relatives aux ententes d'échelonnement du traitement, les régimes de prestations aux employés ont servi en grande partie à reporter les salaires des employés qui œuvraient pour des employeurs non imposables, comme l'État ou une société qui subit des pertes.

En vertu d'un tel régime, une partie du salaire de l'employé est remise à un dépositaire. L'employeur n'obtient aucune déduction sur ces montants et l'employé ne paie pas d'impôt jusqu'au moment où il les touche. Le revenu de placement réalisé sur ces montants est imposé dans le cadre du régime ou inclus dans le revenu de l'employé ou de l'employeur. C'est le cas des ententes concernant les congés autofinancés, selon lesquelles un employé peut, pour une période de six ans, reporter chaque année jusqu'au tiers de son salaire annuel. Le montant reporté doit être inclus dans le revenu imposable de l'employé durant la septième année.

Prêts aux actionnaires

Lorsqu'une société ou une société liée consent un prêt à un actionnaire ou à une personne qui lui est liée et que le montant en cause
n'est pas remboursé à la fin de l'année d'imposition suivante du
prêteur, le montant du prêt doit être inclus dans le revenu du débiteur, dans l'année où le prêt lui a été accordé, ce qui peut entraîner
une modification de la déclaration d'impôt sur le revenu de l'année
en cause. Lorsque le montant est incorporé dans le revenu et est
remboursé à une date ultérieure, il est déductible du revenu pour
l'année où le remboursement a lieu. Toutefois, une série de prêts et
de remboursements consécutifs ne donnent pas droit à un traitement de ce genre.

Vous devriez vous assurer que votre revenu est suffisant pour
absorber toute déduction relative au remboursement d'un prêt. Il
existe quatre exceptions à la règle selon laquelle le prêt doit être
inclus dans le revenu :

- Le créancier prête de l'argent dans le cadre de ses activités
  normales.

- Les prêts sont consentis à des employés du créancier ou à
  leurs conjoints pour leur permettre d'acheter une habitation dont ils seront les occupants.

- Les prêts sont consentis à des employés du créancier pour
  leur permettre d'acheter une automobile qui servira à
  l'exercice de leurs fonctions.

- Les prêts sont consentis à des employés pour leur permettre d'acheter, de la société ou d'une société liée, de nouvelles actions entièrement libérées qu'ils détiendront pour
  leur propre bénéfice.

Cette dernière disposition ne permet pas à un employé d'acheter des actions d'un autre actionnaire ; elle prévoit plutôt que ces
actions doivent être achetées directement de la société.

Dans tous les cas, des accords de bonne foi doivent être préa-
lablement conclus concernant le remboursement des prêts dans un
délai raisonnable.

Les prêts aux actionnaires sont habituellement soumis aux
règles impliquant l'imposition d'un avantage imposable sous forme
d'intérêts présumés résultant de prêts à taux d'intérêt faible ou nul

destinés aux employés. Toutefois, les règles concernant l'achat d'une habitation ne s'appliquent pas aux prêts aux actionnaires, à moins que ces derniers soient aussi des employés et qu'ils aient obtenu le prêt à ce titre. Les avances consenties aux actionnaires pendant l'année sur les versements de dividendes sont considérées comme des dettes assujetties aux règles concernant l'avantage imposable.

La loi qui régit la formation d'une société peut comprendre des règles ayant trait aux prêts à des employés, des dirigeants, des administrateurs et des actionnaires ; par conséquent, il convient de la consulter avant d'autoriser de tels prêts.

Fractionnement du revenu

Diminuez l'impôt global en fractionnant votre revenu
avec les membres de votre famille.

■

Le gain en capital sur un bien transféré avant 1972
n'est pas sujet aux règles d'attribution.

■

Transférez à vos enfants (mineurs ou majeurs)
les biens susceptibles de générer un gain en capital.

■

Les intérêts d'un prêt entre personnes liées ont-ils été réglés
dans les 30 jours de la fin de l'année ?

■

Prévoyez-vous effectuer des dons ou prêts permettant
aux bénéficiaires de gagner un revenu d'entreprise ?

■

Avez-vous envisagé de payer l'impôt de votre conjoint
ou de lui verser un salaire ?

On parle de fractionnement du revenu lorsqu'un revenu, généralement attribué intégralement à un particulier, est réparti entre ce dernier et une autre personne dont le taux d'imposition marginal est inférieur au sien, par exemple son conjoint ou ses enfants. Si l'écart entre les taux d'impôt marginaux est de 20 %, l'épargne fiscale atteindra 200 $ pour chaque tranche de 1 000 $ transférée à un particulier dont le taux personnel est moins élevé (en supposant que le transfert n'entraîne pas une hausse de la tranche d'imposition du bénéficiaire du transfert).

La Loi de l'impôt sur le revenu renferme cependant des dispositions, appelées « règles d'attribution », visant à empêcher le fractionnement du revenu. Leur portée s'est considérablement accrue au cours des dernières années et elles ont pour effet d'attribuer le revenu au particulier même si, dans les faits, une partie de celui-ci a été transférée à des tiers. **Il est également à noter que des amendements à la loi rendront applicables aux conjoints de fait, à partir de l'année 1993, l'ensemble des mesures présentement applicables aux conjoints mariés. À titre d'exemple, les conjoints de fait seront dorénavant visés par les mesures relatives aux règles d'attribution et aux contributions au REER du conjoint.**

Transferts au conjoint ou à un enfant mineur

Les règles d'attribution s'appliquent à un particulier qui prête ou cède des biens à son conjoint (ou son futur conjoint), à certaines personnes mineures, à une fiducie en leur nom, ou qui effectue ces opérations en faveur de ces derniers. Ces règles s'appliquent aux mineurs ayant un lien de dépendance avec le particulier (enfant, petit-enfant, frère, sœur, beau-frère, belle-sœur, etc.) de même qu'à un neveu ou à une nièce. Sont considérés comme des biens : des espèces, des actions, des obligations, un droit quelconque, une maison, un terrain, etc.

Lors de l'application des règles d'attribution, le revenu tiré (ou la perte matérialisée) des biens prêtés ou transférés, ou des biens qui s'y substituent, n'est pas considéré comme un revenu imposable du conjoint ou de l'enfant mineur, du neveu ou de la nièce bénéficiaire du prêt ou du transfert, mais il est inclus dans le revenu de l'auteur du prêt ou du transfert. Dans la plupart des cas, l'attribution correspond au gain net ou à la perte nette qui découle du bien. Les règles d'attribution s'appliquent au revenu ou à la perte découlant de biens, mais elles ne touchent pas le revenu d'entreprise réalisé par l'entremise des biens prêtés ou transférés. Nous y reviendrons dans la rubrique « Revenu tiré d'une entreprise ».

Ces règles s'appliquent également aux gains et aux pertes en capital d'un conjoint découlant des biens prêtés ou transférés ou des biens qui s'y substituent. Les règles d'attribution ne s'appliquent pas aux gains ou aux pertes en capital d'un enfant mineur (n'ayant pas atteint l'âge de 18 ans au cours de l'année d'imposition), sauf dans certains cas touchant des biens agricoles qui ont déjà bénéficié d'un traitement fiscal privilégié.

Les gains en capital ne sont attribués qu'à l'auteur d'un transfert effectué après 1971 alors que le revenu, qui ne comprend pas les gains en capital, est attribuable peu importe le moment où le transfert a été effectué. Par conséquent, un gain en capital découlant d'un bien transféré avant 1972 n'est pas assujetti aux règles d'attribution, mais ces dernières s'appliquent à tout revenu réalisé sur ce bien, par exemple des dividendes. Quant aux biens prêtés, il y a attribution des gains en capital à l'égard des prêts contractés après le 22 mai 1985 et des dispositions effectuées après 1987, lorsque les prêts étaient en vigueur au 22 mai 1985.

En principe, l'attribution ne s'applique pas au revenu réalisé sur le revenu attribué, sauf lorsqu'il s'agit de dividendes en actions. Par ailleurs, bien que certains revenus ou gains soient attribués dans un but fiscal, ces montants appartiennent légalement au conjoint ou à l'enfant mineur.

Les règles d'attribution s'appliquent au transfert de biens. Le terme « transfert » a été interprété de façon très large. À titre d'exemple, il comprend un don et même une vente à la juste valeur marchande. Les règles s'appliquent aux biens prêtés ou transférés directement ou indirectement au conjoint ou à un enfant mineur apparenté, à une telle personne ou à son profit par l'entremise d'une fiducie ou par tout autre moyen. Ainsi, les règles s'appliquent lorsqu'un particulier prête ou transfère des biens à une fiducie dont son conjoint ou des enfants mineurs liés (voir plus loin) font partie des bénéficiaires. Des règles spéciales s'appliquent aussi lorsqu'un bien a été prêté ou transféré à une société.

Pour qu'il y ait attribution du revenu (ou d'une perte), le conjoint ou l'enfant mineur doit au départ disposer d'un revenu (sauf dans certains cas ayant trait à des sociétés). Ainsi, lorsque le bien est transféré à une fiducie en faveur d'enfants mineurs et que cette dernière acquitte l'impôt sur le revenu se rattachant au bien, il n'y a pas d'attribution du revenu. Il faut toutefois remarquer qu'une fiducie entre vifs est assujettie au taux d'imposition maximal applicable aux particuliers, et aucun avantage n'en résulte. Au Québec, l'impôt payable par une telle fiducie correspond au plus élevé de 20 % de son revenu imposable ou de l'impôt calculé selon les taux applicables aux particuliers. Lorsque le revenu de la fiducie est encaissé ou encaissable par les enfants et que, par conséquent, il constituerait un revenu pour eux, les règles d'attribution s'appliquent. Cependant, la perte nette d'une fiducie ne peut être transférée aux bénéficiaires et, par conséquent, elle ne peut jamais être attribuée.

Le revenu attribué conserve ses caractéristiques (sauf dans le cas d'attribution touchant une société). À titre d'exemple, lorsqu'un particulier prête des fonds à son conjoint qui les investit dans des actions privilégiées, les dividendes ou les gains en capital découlant de ces actions seront attribués au particulier qui les inclura dans son revenu à titre de dividendes (assujettis aux dispositions de majoration et de dégrèvement), de gains en capital (admissibles à l'exemption cumulative à vie concernant les gains en capital) ou de pertes en capital.

Lorsque le revenu attribué est réalisé par une fiducie, des règles spéciales servent à déterminer quelle part du revenu d'un bénéficiaire désigné (le conjoint, un enfant mineur, une nièce ou un neveu mineur) de la fiducie doit être attribuée. L'application de ces règles entraîne des résultats différents si la totalité ou une partie seulement du revenu de la fiducie provient de biens prêtés ou transférés ou si l'on compte plus d'un bénéficiaire désigné.

Si M. A et Mme A décident tous deux de verser des fonds dans une même fiducie en faveur de leur enfant mineur, le revenu de ce dernier devrait alors être attribué à la fois à M. A et à Mme A, ce qui entraînerait une double imposition. Toutefois, si chaque parent crée une fiducie distincte, seul le revenu de la fiducie dont il est l'auteur lui sera attribué.

Si vous avez créé une fiducie en faveur d'un enfant mineur ou du conjoint, et si vous avez ensuite prêté ou transféré des biens à cette fiducie, vous devriez procéder à un examen de votre situation pour vous assurer de ne pas avoir à faire face à des complications fiscales.

Biens substitués

Les règles d'attribution s'appliquent non seulement aux biens prêtés ou transférés, mais aussi aux biens qui sont substitués à ces derniers. À titre d'exemple, lorsqu'un particulier prête des fonds à son conjoint qui les utilise pour acheter des actions privilégiées, ces actions constituent un bien substitué et les revenus qu'il génère sont assujettis aux règles d'attribution. Si les actions privilégiées sont vendues en contrepartie d'un montant qui sert à acheter des obligations, ces dernières constituent à leur tour des biens substitués et les règles d'attribution s'y appliquent.

Selon la définition d'un bien substitué, un dividende en actions reçu sur des actions est considéré comme un bien se substituant à l'action. Par conséquent, les règles d'attribution s'appliquent à tout revenu réalisé (et, dans le cas du conjoint, à tout gain réalisé) sur un dividende en actions si ce dividende a lui-même été attribué à titre de revenu découlant d'un bien prêté, transféré ou substitué. Comme nous l'avons déjà noté, cette disposition est contraire à la règle générale selon laquelle le revenu attribué n'est pas à son tour assujetti à l'attribution du revenu puisque, en ce qui concerne l'impôt, les dividendes en actions sont habituellement considérés comme des dividendes en espèces.

Absence d'attribution

Dans le cas d'un enfant mineur, l'attribution du revenu ne s'applique généralement plus lorsque l'enfant atteint 18 ans ; nous vous suggérons toutefois, à cet égard, de lire la prochaine rubrique intitulée « Biens prêtés à des personnes liées ». À l'égard d'un conjoint, l'attribution cesse au moment d'un divorce, d'une séparation ou lorsque les conjoints ne vivent plus ensemble. Le conjoint ayant effectué le prêt ou le transfert doit signifier un choix à cet effet (et ce choix doit également être ratifié par la signature de l'autre conjoint) s'il ne tient pas à ce que les règles d'attribution relatives aux gains en capital s'appliquent après la rupture du mariage. Les règles d'attribution prennent également fin lorsque le prêteur ou l'auteur du transfert décède ou perd son statut de résident canadien.

De plus, les revenus provenant de transferts effectués à la juste valeur marchande (par exemple les ventes) ou générés par certains prêts ne sont pas soumis aux règles d'attribution.

Les règles d'attribution ne s'appliquent pas à un prêt si...

- le taux d'intérêt du prêt est raisonnable ou correspond au taux prescrit d'impôt sur le revenu au moment où le prêt a été accordé, et

- les intérêts de chaque année sont versés dans un délai de 30 jours après la fin de l'année.

Les règles d'attribution ne s'appliquent pas à un transfert si...

- la juste valeur marchande du bien transféré ne dépasse pas celle de la contrepartie reçue par le cédant lors du transfert,

- lorsque la contrepartie reçue comprend des titres d'emprunt, si les conditions énumérées ci-dessus relativement à un prêt exempté sont respectées, et

- lorsque le bien est transféré au conjoint, le cédant choisit de ne pas appliquer les dispositions de roulement permettant le report d'impôt.

Biens prêtés à des personnes liées

Les règles d'attribution s'appliquent lorsqu'un particulier prête un bien à un autre particulier avec qui il a un lien de dépendance, et qu'il est raisonnable de supposer que l'une des principales raisons du prêt vise à réduire ou à éliminer l'impôt sur le revenu applicable à ce bien (ou au bien substitué), de sorte que ce revenu figure dans le revenu de l'autre particulier.

Cette application des règles d'attribution vise les prêts entre particuliers liés par les liens du sang (ascendants et descendants), du mariage ou de l'adoption. Les parents, les conjoints et même les enfants majeurs y sont assujettis. Le transfert direct d'un bien à un particulier non lié n'est toutefois pas visé.

Cette mesure pourrait, à titre d'exemple, concerner un prêt à intérêt faible ou nul consenti à votre enfant majeur. Les prêts octroyés à un taux d'intérêt commercial ne sont pas visés. Cependant, si le taux d'intérêt est inférieur au taux d'intérêt prescrit de l'impôt sur le revenu (annoncé à chaque trimestre) ou au taux dont des personnes non liées auraient convenu, dans des circonstances semblables au moment de l'octroi du prêt, les règles d'attribution du revenu continuent de s'appliquer. Elles sont également en vigueur quand les intérêts du prêt ne sont pas réglés dans les 30 jours qui suivent la fin de chaque année. L'attribution ne s'applique pas si l'argent d'un prêt sert à autre chose qui n'a rien à voir avec des fins d'investissement (par exemple, le paiement de frais de scolarité).

Règles d'attribution relatives aux sociétés

Ces règles s'appliquent aux prêts et aux transferts effectués après le 27 octobre 1986 et les grandes lignes s'établissent comme suit. Lorsqu'un particulier prête ou transfère un bien à une société et qu'on peut raisonnablement considérer qu'un des objets principaux du prêt ou du transfert consiste à réduire le revenu du particulier et à avantager une « personne désignée » (le conjoint ou des enfants mineurs, s'ils détiennent au moins 10 % d'une catégorie quelconque d'actions de la société), le particulier doit réaliser, au minimum, un rendement annuel prescrit sur la créance ou sur les actions obtenues lors du prêt ou du transfert de biens ; sinon, des intérêts créditeurs sont présumés attribués au particulier.

Les règles d'attribution relatives aux sociétés ne s'appliquent à aucune période de l'année pendant laquelle une société est une société exploitant une petite entreprise. Une telle société est généralement définie comme une corporation privée dont le contrôle est canadien (CPCC) qui exploite principalement une entreprise active au Canada. En plus des sociétés publiques, les CPCC qui détiennent des portefeuilles de placement ou des biens immobiliers ne sont pas considérées comme des sociétés exploitant des petites entreprises.

Lorsqu'on se rappelle la définition du terme « transfert » (laquelle comprend une vente à la juste valeur marchande), on se rend compte que les règles ont une très large portée. Les commentaires suivants soulignent quelques problèmes éventuels.

■ Dans certaines circonstances, les règles d'attribution peuvent s'appliquer lorsqu'un des actionnaires d'une société à laquelle un particulier a prêté ou transféré des biens est le conjoint de ce dernier, ou un enfant mineur, ou encore une société de personnes ou une fiducie dont le conjoint ou l'enfant mineur est membre ou bénéficiaire.

■ Contrairement aux règles d'attribution habituelles, le conjoint ou l'enfant mineur n'a pas à recevoir un revenu pour que s'appliquent les règles d'attribution relatives aux prêts ou transferts à des sociétés.

Les règles d'attribution des sociétés ne s'appliquent pas dans le cas où les actions d'une société sont détenues dans une fiducie et qu'un particulier ne peut toucher, en vertu de la fiducie, aucun montant tiré du capital ou revenu provenant de la fiducie tant que ce particulier est une personne désignée (conjoint, enfant mineur, nièce ou neveu).

Comment éviter les règles d'attribution

À cause de la plus grande portée et de la complexité accrue des règles d'attribution, plusieurs anciennes méthodes (par exemple, le prêt au conjoint ou à une fiducie en faveur d'enfants mineurs) servant à fractionner rapidement un montant important de revenu sont devenues inutilisables. Cependant, de nouvelles possibilités (comme la vente à la juste valeur marchande) peuvent maintenant être envisagées.

Les articles suivants traitent de diverses possibilités de planification. En général, il est devenu difficile, voire impossible, de faire en sorte qu'en peu de temps, un revenu important soit imposé entre les mains de votre conjoint ou de vos enfants. Le fractionnement du revenu doit maintenant commencer le plus tôt possible, et être fréquemment mis à jour. Dans les commentaires qui suivent, nous supposons que votre revenu est plus élevé que celui de votre conjoint et que cette situation durera.

Revenu tiré d'une entreprise

Généralement, les règles d'attribution ne s'appliquent pas au revenu d'entreprise gagné par le conjoint au moyen de sommes transférées ou prêtées. Par conséquent, si vous faites un don à votre conjoint ou à un enfant pour financer une entreprise exploitée personnellement ou une société de personnes dont il est un membre actif, aucun revenu tiré de cette entreprise ne vous sera attribué; cependant, un gain en capital réalisé par votre conjoint sur l'aliénation de l'entreprise vous serait attribué. Il n'y a aucune attribution des gains en capital réalisés par votre enfant mineur, sauf lorsqu'il s'agit d'un bien agricole qui a fait l'objet d'un traitement fiscal privilégié. Les règles d'attribution ne devraient pas non plus s'appliquer si vous-même et votre conjoint exploitez une entreprise à titre d'associés.

Si vous prêtez ou transférez à une personne un bien qui est une participation dans une société de personnes, la quote-part de cette personne dans le revenu d'entreprise de la société de personnes peut être assimilée à un revenu tiré d'un bien (et non d'une entreprise) pour ce qui est des règles d'attribution et, par conséquent, vous être attribuée.

Cette mesure s'applique lorsque la personne est assimilée à un membre désigné de la société de personnes, c'est-à-dire si :

■ la personne était commanditaire de la société en commandite pendant l'exercice qui a donné lieu au revenu en cause ; ou

■ elle n'était pas engagée activement dans les activités de la société en commandite et elle n'exploitait pas une entreprise semblable à celle de la société (sauf à titre de membre de cette société de personnes), de façon régulière, continue et substantielle tout au long de l'exercice en cause.

À titre d'exemple, vous donnez ou prêtez 100 000 $ à votre conjoint qui utilise ce montant pour acquérir une participation dans une société en commandite. En vertu des règles d'attribution, si votre conjoint n'est qu'un investisseur passif et si sa quote-part dans le revenu de la société en commandite est de 10 000 $ en 1992, cette somme sera ajoutée à votre revenu de 1992 et non à celui de votre conjoint.

Intérêts composés

Les règles d'attribution ne signifient pas que vous devez renoncer à donner ou à prêter des fonds à votre conjoint ou à vos enfants pour leur permettre de réaliser des revenus de placement. Le fait que les intérêts sur les intérêts ne soient pas attribués peut se révéler avantageux à long terme. À titre d'exemple, si vous donnez 20 000 $ à votre conjoint et que cette somme est placée à 8 % d'intérêt par année sur 10 ans, y compris les intérêts versés chaque année et réinvestis au même taux, seuls les intérêts simples de 16 000 $ (8 % de 20 000 $ = 1 600 $, multiplié par 10 ans), vous sont attribués. Si les intérêts annuels de 1 600 $ sont réinvestis à 8 %, des intérêts composés de 7 178 $ seront réalisés au cours de la période de 10 ans et ils seront imposables pour votre conjoint et non pour vous.

Régime enregistré d'épargne-retraite du conjoint

Étant donné le reserrement des règles d'attribution, les contribuables devraient songer à établir un REER au nom du conjoint. Le chapitre 6, intitulé « Épargner pour la retraite », traite le sujet en profondeur.

En cotisant au REER de votre conjoint, vous bénéficiez de l'avantage de pouvoir fractionner vos revenus ultérieurs, puisque les règles d'attribution ne s'appliquent pas dans ce cas. Ainsi, la rente ou les prestations provenant d'un fonds enregistré de revenus de retraite (FERR) qui pourront découler du REER de votre conjoint seront imposables pour ce dernier et non pour vous.

Si vous devez retirer des fonds versés dans un REER dans un proche avenir, assurez-vous que toutes vos cotisations portées au REER de votre conjoint sont versées dans un régime distinct. En effet, toute somme retirée du REER du conjoint pourrait vous être attribuée si vous avez contribué au REER de votre conjoint dans l'année du retrait ou dans les deux années antérieures. De plus, les cotisations portées au REER d'un conjoint appartiennent à ce dernier, ne l'oubliez pas !

**Si vous cotisez au REER de votre conjoint,
vous devriez payer les primes directement au fiduciaire
et exiger un reçu, de manière à prouver que
vous avez effectué le paiement, si besoin est.**

Paiement de l'impôt du conjoint

**Si votre revenu est supérieur à celui de votre conjoint,
vous devriez songer à la possibilité de payer son impôt.
Le montant en cause est alors considéré comme
un don au conjoint. Il ne produit aucun revenu
puisqu'il sert à payer l'impôt et, par conséquent,
les règles d'attribution ne s'appliquent pas.
Votre conjoint peut ainsi investir les fonds
qu'il aurait autrement utilisés pour acquitter son impôt
et le revenu qu'il réalise alors ne vous est pas attribué.
Une telle entente ne peut se faire lorsque l'employeur
du conjoint déduit les impôts à la source.**

Paiement des dépenses familiales

**Lorsque les conjoints réalisent tous deux des revenus,
mais que le taux d'imposition de l'un est plus élevé
que celui de l'autre, le conjoint dont le revenu est
plus important peut acquitter toutes les dépenses familiales
tandis que l'autre investit la totalité de son revenu.
Le revenu généré par les sommes investies
sera ainsi imposé à un taux moins élevé.**

Salaire versé au conjoint ou à l'enfant

Vous pouvez payer un salaire à votre conjoint ou à votre enfant relativement à tout travail accompli dans *une entreprise non constituée en société par actions,* et déduire par la suite ce salaire de votre revenu d'entreprise. Le montant sera imposé entre les mains de votre conjoint ou de votre enfant. Le salaire ou le traitement en question doit être raisonnable par rapport aux tâches accomplies. Votre conjoint ou votre enfant sera ainsi en mesure de cotiser au Régime de pensions du Canada ou au Régime de rentes du Québec, selon le cas, de même qu'à un REER.

Conjoints associés dans une entreprise

Même si vous pouvez verser un salaire à votre conjoint, certaines raisons pourraient vous amener à prouver que l'entreprise est réellement une société de personnes, ce qui rend votre conjoint admissible à une participation aux bénéfices de la société. Cette situation est courante dans les exploitations agricoles, mais elle peut également s'appliquer à tous les autres types d'entreprise.

Il convient d'établir une convention de société de personnes en bonne et due forme qui expose en détail les arrangements concernant la répartition des bénéfices et des titres de propriété des biens de l'entreprise. Si la répartition des bénéfices de la société n'est pas raisonnable, de l'avis de l'administration fiscale, celle-ci fera les changements nécessaires dans les circonstances.

En général, il est plus avantageux de s'associer avec son conjoint dans une entreprise que de lui verser un salaire, lorsque le capital investi par le conjoint est passablement élevé. Cette association permet à ce dernier d'avoir droit à une plus grande part des bénéfices de l'entreprise que s'il recevait simplement un salaire raisonnable pour le travail accompli.

Si, par exemple, vous exploitez une entreprise secondaire offrant des possibilités de réaliser un bénéfice à moyen terme, il peut être avantageux de verser un salaire raisonnable à votre conjoint de façon à créer une perte d'entreprise dans une année donnée. Une telle solution est envisageable lorsque les pertes peuvent être déduites à l'encontre de vos autres revenus.

S'il vous est impossible de créer une société de personnes avec votre conjoint, vous devriez envisager de constituer une société par actions ; votre conjoint pourrait alors acquérir des actions en se servant de ses propres fonds.

Transferts à la juste valeur marchande

Un contribuable peut choisir de transférer des biens à son conjoint et toucher une contrepartie égale à la juste valeur marchande. À certaines conditions, les règles d'attribution ne s'appliquent pas au revenu ultérieur et les gains en capital seront imposables pour le conjoint. Dans le cas d'un bien en immobilisations, vous devez tenir compte des gains ou des pertes en capital cumulés au moment du transfert. Un tel gain en capital est admissible à l'exemption cumulative à vie concernant les gains en capital.

Lorsque le bien transféré à sa juste valeur marchande est assorti d'une perte non matérialisée, les règles concernant les pertes apparentes s'appliquent et vous ne pouvez déduire la perte en capital si le conjoint possède encore le bien 31 jours après le transfert.

Certains contribuables voudront sûrement tirer parti de ces transferts entre conjoints pour réaliser des gains admissibles à l'exemption des gains en capital. Le transfert à la juste valeur marchande de biens en immobilisations assortis de gains cumulés, d'un conjoint à l'autre conjoint, permet de réaliser des gains admissibles tout en conservant la propriété du bien dans la famille. En agissant de la sorte, aucune commission de courtier ne sera payée sur la vente de titres que l'on désire conserver.

Don au conjoint des frais d'intérêts

Les règles d'attribution ne s'appliquent que si les fonds transférés ou cédés au conjoint servent à réaliser un revenu de biens ou un gain en capital. Par conséquent, ces règles ne s'appliquent pas lorsqu'aucun revenu n'est réalisé sur les fonds transférés. Ainsi, lorsqu'un contribuable cède à son conjoint des fonds pour régler les intérêts sur un prêt qu'il lui a consenti, les règles d'attribution ne s'appliquent pas au montant donné ni au revenu net réalisé par le conjoint grâce aux fonds prêtés. Il doit s'agir d'un prêt de bonne foi qui porte intérêt au moindre du taux prescrit et du taux commercial, et ces intérêts doivent être payés dans les 30 jours qui suivent la fin de l'année.

Le contribuable doit inclure les intérêts versés par son conjoint dans son revenu imposable, mais ce procédé demeure avantageux puisque le revenu de placement du conjoint augmente beaucoup plus rapidement que si ce dernier devait assumer chaque année les intérêts sur le prêt.

Fonds cédés en vue d'un effet de levier

Le revenu ou les gains en capital réalisés à l'aide de fonds empruntés par votre conjoint dans un contexte commercial, sans votre garantie, ne vous sont pas attribués. Le contribuable qui songe à emprunter pour investir peut donc transférer des fonds à son conjoint, ce qui lui permettrait d'emprunter. Par exemple, vous pouvez donner 25 000 $ à votre conjoint qui emprunte alors 75 000 $. Ce dernier achète 100 000 $ de titres qui peuvent être donnés en nantissement auprès de l'établissement de crédit, à la place de votre garantie. Dans ce cas, seuls 25 % du revenu net ou des gains en capital réalisés (25 000 $ / 100 000 $) vous sont attribués.

Prêt au conjoint : maintien des intérêts au taux le moins élevé

Les prêts entre conjoints prévoient généralement un taux d'intérêt égal au taux prescrit (taux applicable au paiement en retard de l'impôt ou à un paiement excédentaire), lequel est habituellement inférieur au taux des prêts commerciaux. Le taux prescrit est fixé à chaque trimestre selon le rendement des bons du Trésor à 90 jours pour le premier mois du trimestre précédent. On connaît donc le taux d'un trimestre environ deux mois à l'avance.

**Avant de fixer le taux d'intérêt d'un prêt consenti au
conjoint pour plus de trois mois, il est préférable de vérifier
la tendance des taux d'intérêt pour le trimestre suivant.
On peut fixer les conditions du prêt sur une période
plus longue si une augmentation plutôt qu'une diminution
des taux est prévue. Dans le cas d'une baisse anticipée,
on devrait maintenir le prêt à un taux variable.**

Prêt au conjoint : paiement facultatif des intérêts

Les intérêts sur un prêt consenti par le conjoint n'ont pas à être réglés avant la date limite, soit 30 jours après la fin de l'année. Lorsqu'un montant d'intérêts correspondant au moins au montant minimum prescrit n'a pas encore été payé à cette date, les règles d'attribution s'appliquent. Vous pouvez donc envisager de prêter des fonds à votre conjoint au début de l'année. Selon le rendement obtenu sur les placements, vous pourrez décider, à la fin de janvier de l'année suivante, s'il faut ou non que les intérêts soient payés.

**Lorsque le rendement est bon, il est préférable
que le conjoint verse l'intérêt et conserve le prêt.
Dans le cas contraire, il vaut mieux ne pas payer
les intérêts. Ainsi, le montant attribué au prêteur
sera limité au rendement réel du placement.**

Cette méthode présente un inconvénient. En effet, si les intérêts ne sont pas payés sur le prêt, les règles d'attribution continuent de s'appliquer sur ce transfert de biens au cours des années subséquentes, même si le conjoint verse les intérêts en question au cours d'une année donnée. La seule solution consiste alors à vendre les placements pour rembourser le prêt et à recommencer le processus.

Sociétés de gestion

La popularité des sociétés de gestion provient du fait que les règles d'attribution ne s'appliquent pas aux sociétés exploitant une petite entreprise. De telles sociétés sont en général établies par des professionnels, comme les médecins et les dentistes, qui ne peuvent exercer leurs activités professionnelles dans une société par actions. La société, propriété du conjoint ou des enfants des personnes en cause, fournit des services aux professionnels qui lui versent des honoraires correspondant habituellement au coût des services plus 15 %. De tels services peuvent inclure la location du matériel et du bureau, l'embauche d'assistants, la tenue de livres, le secrétariat et autres services administratifs. Lors de la constitution d'une telle société, des conseils professionnels devraient être obtenus pour s'assurer que la société ne soit pas considérée comme une entreprise de service personnel, ce qui limiterait certaines des dépenses en plus de modifier le taux d'impôt que la société devra payer.

Une telle entreprise est considérée comme une corporation exploitant une petite entreprise, si elle est constituée en société. Les règles d'attribution ne s'appliquent pas lorsque les professionnels prêtent ou vendent des biens à une corporation exploitant une petite entreprise dont leur conjoint ou leurs enfants sont actionnaires. Lorsque l'entreprise de gestion n'est pas exploitée dans le cadre d'une société par actions, ce qui n'est généralement pas recommandé, les règles d'attribution ne s'appliquent pas si les biens sont transférés au conjoint et servent à réaliser un revenu d'entreprise. **Compte tenu de la nature des services qui seront rendus, il est possible que les honoraires facturés soient sujets à la TPS et à la TVQ.**

Émigration du Canada

Le revenu et les gains en capital réalisés par un des deux conjoints sur les biens que l'autre lui a prêtés ou transférés ne sont pas soumis aux règles d'attribution lorsque l'auteur du transfert ou le prêteur cesse d'être résident du Canada. Par conséquent, si vous prévoyez des gains importants sans pouvoir bénéficier à leur égard de l'exemption cumulative à vie de 100 000 $, si votre conjoint dispose encore de la totalité ou d'une partie de son exemption et que vous envisagez tous les deux de résider à l'extérieur du pays, vous pouvez structurer le transfert de biens à votre conjoint de façon à éviter l'attribution des gains en capital cumulés.

À titre d'exemple, supposons que vous et votre conjoint comptiez prendre votre retraite en Floride au début de 1993. Vous possédez des actions assorties de gains en capital imposables et non matérialisés de 50 000 $, mais vous avez déjà épuisé votre exemption concernant les gains en capital. Cependant, votre conjoint dispose encore d'une exemption de 80 000 $. Vers la fin de l'année 1992, vous pouvez transférer les actions à votre conjoint, au prix coûtant. Vous déménagez ensuite en Floride, le 31 décembre au plus tard. Votre conjoint demeure résident du Canada et vend les actions au début de janvier pour réaliser le gain. Peu de temps après, il quitte le pays et devient non-résident.

Le gain est réalisé par votre conjoint après que vous soyez devenu résident de la Floride; le gain en capital ne devrait donc pas vous être attribué. Malheureusement, il n'est pas facile de déterminer le moment précis où un contribuable abandonne son statut de résident dans un pays pour en adopter un autre. Revenu Canada pourrait soutenir que, dans un but fiscal, vous êtes demeuré résident du Canada jusqu'à ce que votre conjoint ait vendu les actions.

**Nombre de suggestions qui précèdent sont audacieuses ;
il se peut fort bien que l'administration fiscale n'apprécie
guère que les contribuables y aient recours.
Si vous songez à utiliser l'une de ces méthodes, nous
vous suggérons de vous adresser à votre conseiller
professionnel afin d'évaluer les problèmes éventuels.
Mais, dans bien des cas, même si votre planification
n'est plus valable d'une façon ou d'une autre, vous ne
serez pas dans une situation pire qu'au départ puisque,
de toute façon, l'impôt sur les revenus et
les gains en capital vous serait attribué.**

Transferts de biens à un mineur et règles d'attribution

Des règles analogues aux règles d'attribution au conjoint s'appliquent au revenu tiré de biens transmis ou prêtés à certains mineurs, qu'il s'agisse d'un neveu ou d'une nièce ou d'une personne liée, par exemple l'enfant, le petit-enfant, le frère ou la sœur du cédant. Des règles similaires s'appliquent également dans le cas d'un prêt à toute personne ayant un lien de dépendance, par exemple un enfant âgé de plus de 18 ans. Ces règles ne s'appliquent pas aux gains en capital réalisés par quiconque, autre que le conjoint. Toutefois, étant donné que la transmission de biens à une personne liée doit être effectuée à la juste valeur marchande, sauf si des exemptions particulières sont applicables, l'auteur du transfert peut être tenu de déclarer un gain en capital au moment du transfert.

Depuis l'introduction de l'exemption cumulative à vie sur les gains en capital, il est possible que le don de biens en immobilisations à des enfants intéresse beaucoup moins les contribuables. En effet, la renonciation à la propriété et au contrôle d'un bien offre peu d'avantages lorsqu'il n'en résulte pas une situation fiscale plus avantageuse. Un tel don peut toutefois permettre aux deux conjoints de mieux profiter de leur exemption respective si leurs enfants réalisent des gains en capital qui devraient autrement être inclus dans le revenu des parents.

Nombre de méthodes de planification dont il a été question ci-dessus relativement au fractionnement du revenu (surtout des intérêts et des dividendes) avec le conjoint s'appliquent également aux enfants. Dans le cas de prêts ou de ventes à un mineur, il vaut mieux avoir recours à une fiducie pour éviter d'éventuels problèmes juridiques. Au Québec, les fiducies dont des enfants mineurs sont bénéficiaires comportent des points juridiques à considérer.

Versement des allocations familiales

La façon la plus courante de créer un revenu imposable pour un enfant consiste à utiliser les chèques d'allocation familiale le concernant pour l'acquisition de placements qui lui appartiennent en propre, tels qu'un compte d'épargne, des obligations, des certificats de placement, etc. Aucun revenu généré par ces fonds ne vous sera attribué.

Le gouvernement fédéral a déposé des amendements à plusieurs lois, notamment à la Loi de l'impôt sur le revenu, dans le but d'introduire un nouveau régime applicable à partir du 1er janvier 1993 relativement à l'aide fiscale aux enfants. (Voir le chapitre 5 – nouvelles prestations pour enfants). Le nouveau régime prévoit le versement, à tous les mois, d'un paiement global non imposable qui remplacera les allocations familiales et certaines autres mesures fiscales. Ce paiement pourra être transféré à l'enfant pour qui il a été reçu et, s'il produit un revenu, celui-ci sera inclus au revenu de l'enfant et non à celui du parent.

Régime enregistré d'épargne-études (REEE)

Même si les régimes enregistrés d'épargne-études existent déjà depuis plusieurs années, ils n'ont jamais exercé beaucoup d'attrait sur les contribuables, puisque les cotisations à ces régimes ne sont pas déductibles d'impôt et que d'autres arrangements se sont révélés plus intéressants. Cependant, ils semblent susciter un nouvel intérêt, particulièrement pour les grands-parents qui y voient un véhicule pour financer l'éducation de leurs petits-enfants tout en conservant la souplesse nécessaire pour faire des retraits de capital au besoin.

Le but principal d'un REEE est de financer l'instruction post-secondaire d'un particulier (« le bénéficiaire ») au moyen de fonds qui s'accumuleront dans le régime en franchise d'impôt. Il suffit d'y déposer des fonds et de désigner un bénéficiaire. Les sommes investies dans un REEE ne peuvent en être retirées que pour financer les études du bénéficiaire ou pour rembourser le souscripteur. Si le bénéficiaire désigné ne poursuit pas d'études post-secondaires, le revenu réalisé sur les fonds placés dans le REEE est perdu.

Les conditions du régime peuvent toutefois permettre un changement de bénéficiaire ou permettre plusieurs bénéficiaires. Le revenu cumulé dans la fiducie créée pour le REEE n'est imposable ni pour le souscripteur ni pour la fiducie ; il se trouve inclus dans le revenu du bénéficiaire au moment du versement, et ce dernier peut réclamer le crédit d'impôt pour frais de scolarité afin de diminuer l'impôt sur le revenu.

À la suite des modifications apportées en 1991, les sommes pouvant être versées au profit d'un bénéficiaire d'un REEE sont limitées à 1 500 $ par année, sous réserve d'un plafond global de 31 500 $ (représentant 21 années de cotisations maximales au régime). Ces limites s'appliquent individuellement à chaque bénéficiaire, de sorte qu'il n'est pas possible de tirer avantage de la mise sur pied de plusieurs REEE au profit d'une même personne. Un impôt spécial égal à 1 % par mois est prévu à l'égard des contributions excédentaires versées après le 20 février 1990, soit la date d'entrée en vigueur des modifications.

Maintien du statut de personne à charge

Si votre enfant réalise un revenu admissible, vous pouvez envisager de cotiser à un REER en son nom. Cette mesure permet de diminuer le revenu de l'enfant et peut contribuer, au même titre que les frais de scolarité et les autres déductions ou crédits d'impôt, à le classer dans la catégorie des personnes à charge, ce qui permet au parent de réclamer l'enfant à titre de personne à charge ou d'utiliser une partie des crédits d'impôt de l'enfant relatifs au frais de scolarité et à l'éducation.

Planification successorale

Si vous avez des enfants adultes et des petits-enfants mineurs, il vous est possible de léguer des fonds par testament à une fiducie en faveur de vos petits-enfants plutôt qu'à vos enfants. Lors de votre décès, les fonds seront dévolus à la fiducie en faveur de vos petits-enfants mineurs et vos enfants en seront les fiduciaires. Les fonds ne seront pas attribués, puisque les règles d'attribution cessent de s'appliquer lors du décès de l'auteur du transfert. Vos petits-enfants réaliseront alors des revenus sur les fonds légués qui seront soumis à un taux d'imposition nettement moindre que si leurs parents (vos enfants) en avaient hérité. Les parents peuvent faire en sorte que les fonds et le revenu de la fiducie servent à l'instruction de vos petits-enfants.

Transferts de biens agricoles

À une exception près, les gains en capital doivent être comptabilisés au moment du transfert à un enfant. Le transfert d'un bien agricole effectué au cours de votre vie à un enfant, petit-enfant ou arrière-petit-enfant peut être effectué à n'importe quelle valeur se situant entre le prix de base rajusté du bien agricole et sa juste valeur marchande. L'enfant aura un coût de base équivalant à la valeur convenue lors du transfert, et tous les gains en capital résultant de toute aliénation du bien lui seront imposables. Toutefois, si l'enfant aliène le bien agricole, y compris les éléments d'actif, avant d'atteindre ses 18 ans, tout gain en capital vous sera attribué.

Un bien agricole se définit avant tout comme un bien dont la plupart des éléments d'actif sont utilisés à des fins agricoles. Le bien doit être utilisé dans une entreprise agricole par la personne qui le cède ou par sa famille, et ce, immédiatement avant le transfert ; de plus, l'enfant doit être résident canadien. Ces transferts avec report d'impôt peuvent aussi avoir lieu à l'égard d'une participation dans des sociétés agricoles admissibles ou d'actions de sociétés agricoles.

La totalité de l'exemption de 500 000 $ concernant les gains en capital s'applique aux aliénations de biens agricoles admissibles, c'est-à-dire votre exemption normale de 100 000 $ cumulative à vie, plus une exemption supplémentaire de 400 000 $.

À moins de prévoir épuiser autrement votre exemption, vos enfants seront plus avantagés (c'est-à-dire qu'ils réaliseront éventuellement un gain moins important) si vous transférez le bien à une valeur supérieure au prix coûtant et que vous réalisez vous-même la totalité ou une partie du gain obtenu, qui est alors exempté d'impôt en vertu de votre exemption cumulative.

Crédits d'impôt personnel

Avez-vous réclamé les frais médicaux pour une période de douze mois se terminant dans l'année ?

▪

Le crédit d'impôt pour frais de scolarité d'une personne à charge vous est-il transférable ?

▪

Vous avez droit à un crédit d'impôt si vous avez un revenu de pension admissible.

▪

Il est avantageux qu'un seul conjoint réclame les dons de charité.

▪

Vos contributions politiques devraient parfois être réparties sur deux ans.

Les éléments essentiels

C ontrairement aux déductions fiscales, les crédits d'impôt procurent le même avantage financier à chaque contribuable qui réclame un crédit particulier étant donné que le crédit est soustrait directement de l'impôt de ce particulier. Si, par contre, le particulier n'a pas d'impôt à payer à partir duquel il devrait déduire le crédit et que ce crédit n'est pas remboursable, il perd la valeur du crédit en question.

Du point de vue de la planification fiscale, vous seriez avisé de prendre connaissance des crédits d'impôt personnels qui vous sont offerts pour en tirer le meilleur parti possible. Vous devez également connaître les différences qui existent entre les divers crédits d'impôt. À noter que les valeurs monétaires indiquées ci-après correspondent aux crédits accordés au niveau fédéral et qu'on doit y ajouter les crédits d'impôt relatifs aux provinces. Le régime fiscal du Québec diffère de celui des autres provinces (voir le chapitre 12). Par conséquent, les crédits globaux ont une valeur supérieure aux valeurs financières relevant strictement de l'impôt fédéral qui sont indiquées ci-après.

Personne célibataire

Le crédit d'impôt fédéral de personne célibataire pour 1992 est de 1 098 $. Ce crédit est indexé chaque année en fonction de l'augmentation de l'indice des prix à la consommation supérieure à 3 %. À moins d'indication contraire, cette méthode d'indexation s'applique aux autres crédits décrits ci-après.

Personne mariée

En 1992, une personne qui est mariée à un certain moment de l'année et qui assure la subsistance de son conjoint dont le revenu net ne dépasse pas 538 $ peut réclamer un crédit d'impôt fédéral de personne mariée de 915 $. Ce crédit est réduit de 17 % de tout revenu net gagné par le conjoint qui dépasse 538 $. Par conséquent, aucun crédit n'est offert pour un conjoint dont le revenu net est de 5 918 $ ou plus. Si vous vivez séparé de votre conjoint à la fin de l'année en raison de l'échec de votre mariage, toute réduction du crédit de personne mariée est calculée en fonction du revenu de votre conjoint pour la période de l'année où vous étiez mariés et non séparés.

De plus, vous ne pouvez réclamer le crédit d'impôt de personne mariée que pour une seule personne. Si vous divorcez et vous vous remariez la même année, vous ne pourrez obtenir un double crédit d'impôt.

Équivalent de personne mariée

Un crédit d'impôt d'équivalent de personne mariée est accordé à un particulier qui n'est pas marié mais qui subvient aux besoins d'une personne entièrement à charge ou qui est marié mais qui ne subvient pas aux besoins de son conjoint et ne vit pas avec lui. Le crédit fédéral est de 915 $ en 1992, et il est réduit de 17 % du revenu de la personne à charge qui dépasse 538 $. Si le revenu de cette personne à charge est de 5 918 $ ou plus, le crédit d'équivalent de personne mariée est réduit à zéro.

Pour demander le crédit, vous devez, seul ou conjointement avec d'autres personnes, tenir un établissement domestique autonome où vous vivez et subvenez aux besoins de la personne à charge. Cette dernière doit vous être apparentée, être entièrement à votre charge (ou à votre charge et à celle d'autres personnes) et résider au Canada, à moins qu'il ne s'agisse de votre enfant. Sauf dans le cas d'un parent ou d'un grand-parent, la personne à charge doit avoir moins de 18 ans à n'importe quel moment de l'année ou être à votre charge en raison d'une infirmité mentale ou physique.

Un particulier peut réclamer le crédit d'équivalent de personne mariée relativement à une seule autre personne et un seul particulier peut demander le crédit pour la même personne ou le même établissement domestique autonome. Lorsque deux particuliers ou plus pourraient vraisemblablement demander le crédit pour la même personne à charge ou le même établissement domestique autonome, ils doivent convenir entre eux de la personne qui demandera le crédit. En l'absence d'une telle entente, le crédit risque fort de n'être attribué à aucun d'entre eux.

Si vous pouvez demander le crédit d'équivalent de personne mariée relativement à un particulier, ni vous ni quelqu'un d'autre ne pouvez demander de crédit pour personne à charge relativement à ce même particulier.

Personnes à charge

Personne de moins de 18 ans

En 1992, le crédit d'impôt fédéral pour une personne à charge de moins de 18 ans à un moment quelconque de l'année est de 71 $ pour chacune des deux premières personnes à charge et de 142 $ pour chaque personne supplémentaire, pourvu que le revenu de chacune de ces personnes à charge ne dépasse pas 2 690 $. Lorsque le revenu de la personne à charge dépasse 2 690 $ au cours de l'année, le crédit est réduit de 17 % de l'excédent. Le crédit est donc nul si le revenu de la personne à charge dépasse 3 107 $ (3 524 $ pour le 3e enfant et les suivants). L'expression «personne à charge» s'entend de votre enfant ou petit-enfant ou de celui de votre conjoint ou, si elle réside au Canada à un moment quelconque de l'année, d'une personne qui est par rapport à vous ou votre conjoint, un parent, un grand-parent, un frère, une sœur, un oncle, une tante, un neveu ou une nièce.

Infirmité mentale ou physique

Lorsqu'une personne est à votre charge en raison d'une infirmité mentale ou physique et a plus de 18 ans à un moment quelconque de l'année, vous pouvez réclamer un crédit d'impôt pour personne à charge de 269 $ en 1992, pourvu que le revenu de cette personne à charge ne dépasse pas 2 690 $. Le crédit diminue lorsque le revenu de la personne à charge dépasse 2 690 $ et il est réduit à zéro si le revenu de cette personne est de 4 273 $ ou plus. L'expression « personne à charge » a le même sens que celui qui vaut pour les personnes à charge de moins de 18 ans.

Une règle spéciale prévoit que vous ne pouvez demander un crédit d'impôt pour une personne à charge que dans la proportion de l'allocation familiale versée au cours de l'année pour cette personne à charge qui a été incluse dans le calcul de votre revenu de l'année. Le plus souvent, le conjoint ayant le revenu le plus élevé doit inclure les allocations familiales dans son revenu.

Lorsque plus d'un particulier est en droit de demander un crédit d'impôt pour personne à charge relativement à une même personne, le total demandé par ces particuliers ne doit pas dépasser le maximum permis si un seul particulier faisait la demande. L'administration fiscale peut répartir le crédit d'impôt entre les particuliers qui subviennent aux besoins de la personne s'ils ne peuvent s'entendre sur une répartition.

Personne âgée de plus de 65 ans

Tout contribuable qui a atteint l'âge de 65 ans avant la fin de 1992 peut demander un crédit d'impôt fédéral de 592 $. Ce crédit n'est pas réduit, peu importe le montant ou la nature de votre revenu. Si vous ne pouvez utiliser entièrement le crédit, la totalité ou une partie de celui-ci peut être transférée à votre conjoint.

Déficience mentale ou physique grave et prolongée

Les personnes ayant une déficience grave et prolongée qui ont obtenu une attestation d'un médecin ou d'un optométriste peuvent demander un crédit d'impôt fédéral de 720 $ en 1992. Toute fraction inutilisée du crédit peut être transférée au conjoint.

Revenu de pension

Si vous avez atteint l'âge de 65 ans avant la fin de 1992, vous pouvez demander un crédit d'impôt fédéral maximal de 170 $ relativement à votre revenu de pension, pourvu que ce revenu soit de 1 000 $ au moins. S'il est inférieur à 1 000 $, le crédit maximal correspond à 17 % de votre revenu de pension. Un crédit semblable est offert à titre de « revenu de pension admissible » aux contribuables qui ont moins de 65 ans à la fin de l'année, aux termes d'une modification proposée applicable à l'année d'imposition 1992 et aux années d'imposition subséquentes.

Si vous ne pouvez utiliser la totalité de votre crédit d'impôt pour revenu de pension, la fraction inutilisée peut être transférée à votre conjoint. Le crédit d'impôt pour revenu de retraite n'est pas admissible à l'indexation.

Cotisations au RPC ou au RRQ et primes d'assurance-chômage

Le crédit d'impôt fédéral pour cotisations au RPC ou au RRQ et pour primes d'assurance-chômage représente 17 % des montants versés. Ce sont à la fois les cotisations salariales et le montant qu'un travailleur autonome verse à titre de cotisation patronale au RPC ou au RRQ qui donnent droit à ce crédit.

En 1992, les contributions maximales à l'assurance-chômage sont de 1 550,64 $ pour les employeurs et de 1 107,60 $ pour les employés alors qu'elles sont de 696 $, à la fois pour les employeurs et les employés en ce qui concerne le RPC ou le RRQ.

Dons de charité

Le crédit d'impôt fédéral pour les dons de charité admissibles est de 17 % sur la première tranche de 250 $ et de 29 % sur les dons supérieurs à 250 $. Le crédit fédéral sur des dons de 1 000 $ sera donc en 1992 de 285 $ pour un particulier qui se trouve dans la tranche d'imposition la plus élevée :

Crédit fédéral @ 17 % sur la première tranche de 250 $ de dons	42,50 $
Crédit fédéral @ 29 % sur l'excédent, soit 750 $	217,50
Total des crédits fédéraux	260,00
Réduction de la surtaxe	24,70
Réduction d'impôt fédéral	284,70 $

Pour un résident du Québec, il faut aussi tenir compte du fait qu'un don de 1 000 $ entraîne une réduction de l'abattement d'impôt fédéral de 42,90 $, soit 16,5 % de 260 $. La réduction d'impôt fédéral serait donc de 241,80 $.

Le plafond annuel applicable aux dons admissibles consentis à des organismes de charité correspond à 20 % du revenu net. De plus, un don pour lequel aucun crédit d'impôt n'est demandé pendant une année peut être reporté prospectivement sur cinq ans. Cependant, dans l'année du report, le taux de 17 % s'applique à la première tranche de 250 $ de tous les dons pour lesquels un crédit est demandé, incluant les dons reportés prospectivement. Il peut en résulter un crédit d'impôt peu élevé si vous n'avez pas autrement donné 250 $ au cours de cette année.

La demande d'un crédit de 500 $ sur la déclaration d'un des conjoints (plutôt que la réclamation de 250 $ par chacun des deux conjoints) entraîne une économie d'impôt, puisque la moitié du don est admissible au taux fédéral de 29 % au lieu de 17 %.

Frais médicaux

Le crédit d'impôt fédéral pour 1992 relativement aux frais médicaux est de 17 % du montant calculé en soustrayant, du total de vos frais médicaux admissibles, le moindre des deux montants suivants : 1 614 $ ou 3 % de votre revenu net de l'année. Le montant de 1 614 $ est indexé annuellement en fonction de l'augmentation de l'indice des prix à la consommation qui dépasse 3 %.

Les reçus des frais médicaux doivent être soumis au moment de la demande du crédit d'impôt, et les frais ne doivent pas avoir déjà fait l'objet d'une demande. Si le contribuable décède au cours de l'année, les frais médicaux doivent avoir été réglés au cours d'une période de 24 mois comprenant le jour du décès. Dans les autres cas, ils doivent avoir été versés au cours d'une période de 12 mois se terminant dans l'année de la demande du crédit d'impôt. Il est important de bien choisir la période de 12 mois, étant donné qu'elle peut avoir une incidence sur le montant du crédit d'impôt. La Loi de l'impôt sur le revenu contient des dispositions détaillées sur la nature des dépenses admissibles au titre des frais médicaux.

Frais de scolarité

Le crédit d'impôt fédéral de 1992 pour frais de scolarité correspond à 17 % des frais de scolarité admissibles payés dans l'année à un établissement d'enseignement admissible pour des cours au niveau scolaire post-secondaire ou à un établissement certifié par le ministre de l'Emploi et de l'Immigration (pour des cours visant à offrir une formation professionnelle à un étudiant qui est âgé d'au moins

16 ans à la fin de l'année), pourvu que le total des frais versés dans l'année à cet établissement dépasse 100 $. Des règles spéciales permettent d'appliquer le crédit d'impôt à des frais de scolarité admissibles versés par un étudiant fréquentant à plein temps une université située à l'extérieur du Canada, ainsi qu'aux frais supérieurs à 100 $ versés par un résident du Canada qui suit des cours offerts dans un établissement d'enseignement post-secondaire situé aux États-Unis.

Le crédit pour frais de scolarité d'une année donnée est calculé en tenant compte uniquement des frais de scolarité payés à l'égard de cette année. Lorsque les frais de scolarité payés au cours d'une année donnée visent une session scolaire qui se prolonge au-delà de cette année, ils sont admissibles pour déterminer le crédit d'impôt pour l'année à laquelle ils se rapportent. Ainsi, dans le cas où les frais de scolarité couvrent la session qui commence en septembre d'une année et se termine en avril de l'année suivante, le crédit calculé pour chacune de ces années équivaut à la demie du total des frais de scolarité multiplié par 17 %.

Toute fraction inutilisée (jusqu'à concurrence de 680 $) du crédit d'impôt pour frais de scolarité et du crédit d'impôt pour études (voir ci-dessous) peut être transférée au conjoint de l'étudiant. Si le conjoint n'a pas déclaré l'étudiant à titre de personne à charge et n'a pas demandé les crédits d'impôt inutilisés de l'étudiant qui auraient pu lui être transférés, un des parents ou des grandsparents ayant l'étudiant à charge peut demander les crédits d'impôt pour études et pour frais de scolarité que l'étudiant n'a pas utilisés (jusqu'à concurrence de 680 $). Le parent ou le grandparent en question doit alors remplir une formule prescrite pour faire la demande.

Études

En 1992, le crédit d'impôt fédéral pour études correspond à 13,60 $ pour chaque mois de l'année où vous étiez étudiant à plein temps dans un programme admissible offert par un établissement d'enseignement désigné. Pour demander le crédit d'impôt, vous devez produire un certificat émis par l'établissement d'enseignement.

Crédit remboursable pour enfants

Ce crédit ne s'applique qu'à l'impôt fédéral et il n'a pas d'incidence sur l'impôt provincial. En 1992, le crédit pour enfants correspond au total de deux montants : 601 $ par enfant plus 213 $ relativement à chaque enfant admissible qui n'a pas atteint l'âge de sept ans à la fin de l'année. Les 213 $ sont réduits de 25 % du montant des frais de garde pour l'année, pour l'enfant de moins de sept ans. Les deux montants qui constituent le crédit d'impôt pour enfant sont indexés chaque année en fonction de l'augmentation de l'indice des prix à la consommation supérieure à 3 %.

Le crédit d'impôt remboursable pour enfants est réduit de 5 % du revenu familial qui dépasse 25 921 $ pour 1992. Si vous êtes admissible au crédit d'impôt remboursable pour enfants, ayez soin de remplir une déclaration de revenus afin de le demander, même si vous n'avez pas de revenu imposable à déclarer. Vous devez en effet remplir la déclaration pour réclamer le crédit ; ceci est très important.

Nouvelles prestations pour enfants

Les allocations familiales et les crédits d'impôt pour enfants seront remplacés en 1993 par un seul paiement payable mensuellement, habituellement à la mère. La prestation de base sera de 1 020 $ et elle sera augmentée de 75 $ à partir du 3e enfant et de 213 $ par enfant âgé de moins de sept ans lorsqu'aucune déduction au titre des frais de garde ne sera demandée. Un supplément pouvant aller jusqu'à 500 $ pourra également être accordé aux familles à revenu modeste. On prévoit une diminution graduelle des prestations versées aux familles dont le revenu excède certains paliers. Ainsi, un couple avec deux enfants à charge dont le revenu serait supérieur à environ 75 000 $ n'aurait droit à aucune prestation. Contrairement aux allocations familiales actuelles, la nouvelle prestation ne sera pas assujettie à l'impôt sur le revenu.

Contributions politiques

Un crédit d'impôt fédéral s'applique aux contributions que vous versez à un parti politique enregistré ou à un candidat officiel à une élection fédérale. Le crédit d'impôt fédéral est fondé sur le montant de votre contribution. Il est calculé selon une échelle de taux variables ; le crédit maximal permis est de 500 $, quelle que soit l'année d'imposition.

MONTANT DE LA CONTRIBUTION	CRÉDIT D'IMPOT
1 $ à 100 $	75 % de la contribution
100 $ à 550 $	75 $ plus 50 % de la contribution qui dépasse 100 $
550 $ à 1 150 $	300 $ plus le tiers de la contribution qui dépasse 550 $
Plus de 1 150 $	500 $

Des crédits d'impôt provinciaux sont aussi octroyés à l'égard des contributions politiques, sauf en Saskatchewan et à Terre-Neuve. Toutefois, le crédit est déduit de l'impôt provincial à payer et les contributions doivent être versées à des associations ou à des partis politiques provinciaux, ou encore à des candidats qui se présentent à une élection provinciale.

Au Québec, le crédit maximal d'impôt correspond à 50 % de la contribution n'excédant pas 280 $, soit 140 $. En Colombie-Britannique, au Manitoba, en Nouvelle-Écosse, au Nouveau-Brunswick, à l'Île-du-Prince-Édouard et au Yukon, le crédit d'impôt est calculé de la même manière que le crédit fédéral et est plafonné à 500 $. En Alberta et en Ontario, le crédit maximal s'élève à 750 $ et est calculé selon une échelle de taux variables, comme pour l'impôt fédéral. Dans les Territoires du Nord-Ouest, le crédit d'impôt correspond à 100 % de la première tranche de 100 $ et à 50 % de l'excédent de 100 $, jusqu'à concurrence d'un crédit maximum de 500 $.

Afin d'obtenir le crédit, vous devez annexer des reçus officiels à votre déclaration d'impôt. Les contributions politiques doivent en général être versées en espèces ou sous forme d'effets de commerce négociables (chèques, mandats, etc.). Cependant, dans quelques provinces, elles peuvent être offertes sous forme de biens et services, dans certaines circonstances.

Les contributions de plus de 1 150 $ (280 $ au Québec, 1 725 $ en Alberta, 1 700 $ en Ontario et 900 $ dans les Territoires du Nord-Ouest) consenties à des partis politiques au cours d'une année d'imposition ne donnent pas droit au crédit d'impôt. De plus, lorsque le crédit dépasse l'impôt fédéral ou provincial à payer, compte tenu de la déduction des autres crédits, vous ne pouvez réclamer de remboursement d'impôt ni reporter l'excédent du crédit sur une année d'imposition ultérieure.

Planification de vos contributions

Si le montant de votre contribution est élevé, il vaudrait mieux tenter de l'échelonner sur deux ans. Il est recommandé d'agir de cette façon, puisque vous pouvez de la sorte bénéficier de crédits plus élevés. À titre d'exemple, si votre contribution est de 1 000 $ pour une année, vous obtenez un crédit d'impôt fédéral de 450 $. Si vous versez une contribution de 500 $ cette année et de 500 $ l'an prochain, vous avez droit à un crédit total de 550 $, ce qui représente une économie d'impôt de 100 $. Le même procédé devrait être utilisé lorsque les deux conjoints gagnent des revenus imposables, sauf que l'échelonnement sur deux ans est remplacé par un fractionnement des contributions de l'année (c'est-à-dire que chaque conjoint devrait verser 500 $ au lieu qu'un seul verse 1 000 $). Le fractionnement des contributions est avantageux puisqu'il permet d'appliquer le pourcentage maximal de crédit à des contributions moindres.

Épargner pour
la retraite

Avez-vous effectué la contribution maximale à votre REER ?

Faites vos contributions dans une REER tôt dans l'année
et non au début de l'année suivante.

Avez-vous bien calculé le montant de votre revenu gagné
aux fins du REER ?

Les contributions excédentaires au REER ont-elles été retirées ?

Obtenez le meilleur rendement possible de votre REER.

Avez-vous pensé à un REER autogéré pour vos placements ?

Avez-vous planifié le retrait des sommes de votre REER,
soit à l'échéance du REER, à votre retraite,
ou lors d'une échéance hâtive ?

Est-il préférable de recevoir une rente provenant du REER
ou d'investir dans un FERR ?

Si vous prévoyez quitter le Canada à votre retraite,
avez-vous planifié le retrait des sommes dans votre REER ?

Contribuez au REER de votre conjoint.

L'aide fiscale à l'épargne-retraite repose sur un plafond global uniforme qui limite l'épargne ouvrant droit à une aide fiscale à 18 % du revenu d'un particulier, jusqu'à concurrence de maximums déterminés. Après une période de transition, le maximum annuel atteindra 15 500 $ en 1996. Par la suite, les plafonds de cotisations et de prestations seront majorés en fonction du « salaire moyen ».

La valeur cumulée des cotisations annuelles donnant droit à des prestations de retraite, dans le cadre de régimes de pension et de participation différée aux bénéfices établis par l'employeur, est déterminée pour chaque participant, et il n'est pas permis d'excéder les plafonds annuels. Les participants peuvent compléter le régime établi par l'employeur en versant des cotisations à un REER jusqu'à concurrence du plafond annuel uniforme. À compter de 1996, les contribuables qui ne participeront pas à un RPA ou un RPDB pourront cotiser à leur REER 18 % de leur revenu gagné l'année précédente, jusqu'à concurrence de 15 500 $.

▶ LES FAITS

Qu'est-ce qu'un REER ?

Un REER est simplement un mode de placement dans lequel vous investissez une partie de votre revenu avant impôt tiré d'un emploi ou d'un travail indépendant, sous réserve de certaines limites fixées. Aucun impôt n'est exigible sur le revenu gagné dans le REER. Il existe essentiellement deux types de REER. Dans un REER du type assurance, une société d'assurances convient de vous verser une rente d'une valeur donnée à compter d'une date donnée, si vous versez à votre REER une cotisation forfaitaire ou des cotisations annuelles d'un montant précis jusqu'à ce que vous commenciez à toucher la rente. L'autre type de REER, plus courant, s'apparente à un placement ordinaire. Vous pouvez ainsi déposer votre capital dans un compte enregistré à titre de placement admissible à un REER (REER du type dépôt) ou remettre votre capital à l'émetteur d'un REER, qui applique vos décisions quant au placement de cette somme (REER du type fiducie). Des restrictions bien précises s'appliquent à chacun des cas. Les sommes cumulées vous seront éventuellement remises sous forme de revenu de retraite encaissé périodiquement.

À titre de placement en vue de la retraite, les REER représentent le choix tout désigné pour la majorité des contribuables. Le REER peut également servir à épargner en vue de l'acquisition d'une résidence ou pour vous procurer les fonds nécessaires lors d'une année sabbatique.

Pourquoi investir dans un REER ?

Il existe quatre principaux motifs pour investir dans un REER :

1. Le REER élimine l'impôt

2. Le REER vous protège de l'inflation

3. Le REER : un moyen par excellence d'épargner en vue de votre retraite

4. Le REER : pratiquement aussi souple qu'un investissement hors REER

1. Le REER élimine l'impôt

Si l'on suppose que votre taux d'imposition reste le même au fil des ans, un REER élimine effectivement l'impôt sur votre placement net. Si vous cotisez 1 000 $ à un REER et que votre taux marginal d'impôt (c'est-à-dire le taux d'imposition sur le dernier dollar que vous gagnez au cours de l'année) est de 40 %, votre charge fiscale est réduite de 400 $ (soit 40 % de 1 000 $). En d'autres termes, la contribution de l'État à votre REER est de 400 $ et la vôtre de 600 $ (votre placement net) à même vos gains après impôt, pour un total de 1 000 $. Si vous ne versez pas 1 000 $ à votre REER, vous paierez 400 $ d'impôts additionnels et n'aurez que 600 $ à investir hors REER.

Afin de prouver que le REER élimine l'impôt, supposons que vous versez les 1 000 $ à un REER, c'est-à-dire le placement net de 600 $ plus votre remboursement d'impôt de 400 $. En 25 ans, les 1 000 $ investis dans le REER totaliseront environ 10 800 $ (6 500 $ résultant de votre placement net de 600 $ plus 4 300 $ provenant de votre remboursement d'impôt de 400 $) s'ils produisent un revenu d'intérêt au taux annuel composé de 10 %. Si vous payez l'impôt sur la somme globale, il vous restera environ 6 500 $ net d'impôt au terme des 25 ans (10 800 $ moins l'impôt de 4 300 $ dans l'hypothèse d'un taux d'imposition de 40 %). (La plupart des contribuables reportent davantage l'impôt en optant pour un revenu de retraite périodique et non pour un retrait unique). La part de l'État dans votre cotisation au REER (votre remboursement d'impôt) et le revenu gagné sur cette somme compensent l'impôt payable sur le montant total cumulé dans le REER et servent à l'acquitter.

Comparons cette situation avec un placement unique hors REER qui permet d'investir seulement la somme disponible après

◈ GRAPHIQUE 1 ◈

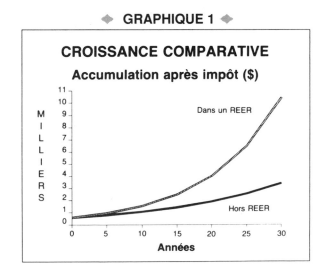

100

impôt (le placement net) de 600 $. Ce placement rapporte également des intérêts au taux annuel composé de 10 %, qui sont toutefois assujettis à l'impôt. Par conséquent, les intérêts sont gagnés au taux net de 6 % par an (10 % moins l'impôt calculé au taux de 40 %). Après 25 ans, vous accumulerez environ 2 600 $ hors REER, soit 3 900 $ de moins qu'avec le même montant investi dans un REER.

Plus la durée de votre placement dans le REER est longue, plus ce placement est avantageux par rapport à un placement hors REER. Le graphique ci-après montre la croissance après impôt d'un placement dans un REER et hors REER. Ce graphique repose sur les hypothèses suivantes :

- ▩ Votre taux marginal d'impôt est de 40 %.

- ▩ Vous versez une cotisation initiale de 1 000 $ au REER ; votre cotisation nette est donc de 600 $ (compte tenu de votre remboursement d'impôt de 400 $), c'est-à-dire le montant dont vous disposeriez pour investir hors REER après impôt.

- ▩ Chacun des placements a un rendement annuel composé de 10 %.

- ▩ Le produit annuel du placement hors REER et les sommes retirées du REER au moment de sa liquidation sont imposés au taux de 40 %.

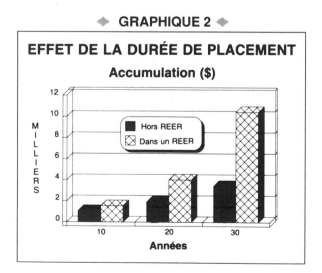

❖ **GRAPHIQUE 2** ❖

En outre, **plus le taux de rendement est élevé, plus il est avantageux d'investir dans un REER.** Le graphique qui suit montre la croissance après impôt d'un placement de 20 ans dans un REER ou hors REER selon trois taux de rendement. Les autres hypothèses sont les mêmes que celles de l'exemple précédent.

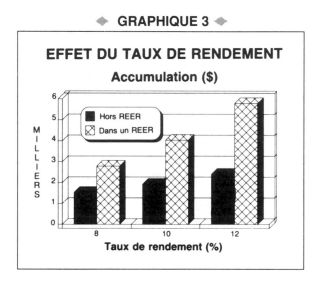

◆ **GRAPHIQUE 3** ◆

EFFET DU TAUX DE RENDEMENT
Accumulation ($)

Hors REER
Dans un REER

Taux de rendement (%)

2. Le REER vous protège de l'inflation

Le taux de rendement de votre placement étant beaucoup plus considérable dans un REER qu'à l'extérieur du REER (du fait que le REER élimine l'impôt sur le placement net), vous pouvez obtenir une protection efficace contre l'inflation en faisant appel à un REER pour épargner en vue de votre retraite.

Par exemple, si vous pouvez obtenir un taux de rendement annuel de 10 %, avec un taux marginal d'impôt de 40 % et un taux d'inflation s'élevant à 5 % par an, le rendement réel de votre investissement après impôt (c'est-à-dire compte tenu de l'impôt et de l'inflation) s'établit à 1 % seulement (soit 10 % moins l'impôt calculé au taux de 40 %, moins l'inflation de 5 %). Comparons cette situation avec celle d'un placement dans un REER. Puisque celui-ci élimine l'impôt sur votre placement net, l'inflation représente l'unique facteur à considérer pour calculer le rendement réel. Ainsi, en supposant que votre placement rapporte 10 %, le rendement réel de votre REER est de 5 % par an (10 % moins l'inflation de 5 %).

102

Le graphique suivant compare un investissement net de 1 000 $ dans un REER et hors REER, compte tenu des effets d'un taux d'inflation de 5 % et d'un taux d'imposition de 40 % sur les fonds retirés du REER. Le revenu gagné hors REER est, lui aussi, imposé au taux annuel de 40 %. Chacun des placements rapporte un rendement annuel composé de 10 %.

◆ **GRAPHIQUE 4** ◆

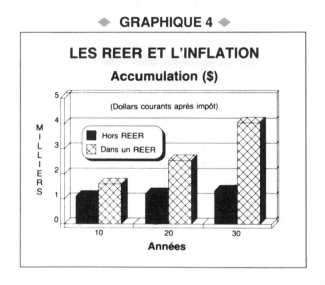

Le graphique de la page suivante présente l'effet de taux d'inflation annuels de 4 % et de 6 % sur un placement de 1 000 $, calculé pour diverses périodes. Par exemple, si le taux d'inflation moyen s'établit à 6 %, une somme de 1 000 $ aujourd'hui vaudra environ 560 $ dans 10 ans, en dollars courants. Autrement dit, les 1 000 $ d'aujourd'hui perdront 44 % de leur pouvoir d'achat si le taux d'inflation atteint 6 % en moyenne au cours des 10 prochaines années.

3. Le REER : moyen par excellence d'épargner en vue de votre retraite

Le REER élimine l'impôt sur votre placement net et constitue une protection efficace contre l'inflation ; il représente, selon toute vraisemblance, le moyen par excellence d'épargner en vue de votre retraite, surtout si vous ne participez pas à un régime de retraite offert par votre employeur.

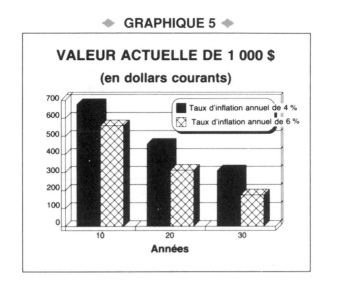

GRAPHIQUE 5

VALEUR ACTUELLE DE 1 000 $
(en dollars courants)

Taux d'inflation annuel de 4 %
Taux d'inflation annuel de 6 %

Années

Vous avez intérêt à contribuer à votre REER en début
de carrière, à verser le maximum de cotisation annuelle
et à le faire dès le début de l'année, car vous augmentez
ainsi le capital disponible dans votre REER
pour financer votre revenu de retraite.
Si vous négligez de contribuer ou de maximiser vos
cotisations le plus tôt possible, le montant de capital
disponible sera réduit de façon appréciable et
vous disposerez d'un revenu de retraite
moins important pour subvenir à vos besoins.

4. Le REER : pratiquement aussi souple qu'un investissement hors REER

Le REER est très souple. Vous pouvez retirer des fonds d'un REER
à tout moment, dans la mesure où les règles du régime autorisent
les retraits ; néanmoins, la somme retirée doit habituellement être
incluse dans le calcul de votre revenu imposable de l'année. Vous
pouvez mettre fin à votre REER à tout moment (sous réserve des

restrictions du régime) et toucher un revenu de retraite. Un REER peut être composé d'une grande diversité de placements canadiens et peut comprendre une certaine proportion de titres étrangers. La gamme des placements admissibles va des comptes d'épargne aux actions ordinaires et aux hypothèques (dont la vôtre, dans certaines circonstances très restrictives).

Comme il n'y a pas d'impôt sur votre placement net dans un REER, celui-ci se prête à d'autres investissements comme d'épargner en vue d'acheter une maison, de pourvoir à l'éducation de vos enfants, de parer à une situation urgente ou d'effectuer un voyage. *Les fonds d'un REER ne devraient servir à ces fins qu'en dernier recours, puisqu'on va à l'encontre de la principale raison d'être du REER, c'est-à-dire la création d'un revenu de retraite suffisant.* Une fois les fonds retirés d'un REER, vous ne pouvez toutefois les remplacer (à l'exception des fonds retirés en vertu du Régime d'accession à la propriété proposé dans le budget fédéral de 1992). Si vous décidez d'utiliser un REER à une fin autre que la retraite, vous avez toujours avantage à verser le maximum possible de cotisations.

▶ RÈGLES DE COTISATION ET MÉCANISME DU REER

Vous pouvez verser des cotisations à votre REER chaque année. Ces cotisations sont déductibles de votre revenu imposable, sous réserve de limites spécifiques, au cours de l'année où elles sont versées ou d'une année subséquente.

Les cotisations versées dans les 60 premiers jours de l'année peuvent être déduites de votre revenu de l'année en question ou de l'année précédente. À compter de 1991, si les cotisations versées sont inférieures aux plafonds autorisés, les déductions inutilisées peuvent être reportées aux années subséquentes. Le revenu et tout gain en capital réalisés au sein du REER ne sont pas immédiatement assujettis à l'impôt dans la mesure où le participant se conforme à certaines exigences. En effet, l'impôt n'est payable qu'au moment où vous retirez des fonds d'un REER ou que vous commencez à toucher un revenu de retraite du REER.

> **Les gains en capital et les dividendes perdent toutefois
> leurs caractéristiques spéciales pour usage fiscal
> lorsqu'ils sont réalisés dans un REER et
> ils sont pleinement imposés au moment du retrait.
> Il peut donc être souhaitable de les réaliser
> à l'extérieur du REER.**

Qui peut cotiser à un REER ?

Tout particulier qui dispose d'un « revenu gagné », selon la définition qui figure ci-dessous, peut cotiser à un REER. Par contre, comme vous devez toucher un revenu de retraite de votre REER au plus tard le 31 décembre de l'année de votre 71e anniversaire, vous ne pouvez plus y verser de cotisations après ce moment. Si vous avez 71 ans ou plus, vous pouvez cependant cotiser au REER de votre conjoint, si celui-ci a moins de 71 ans. Si vous n'avez pas atteint l'âge de 71 ans, mais que vous touchez un revenu de retraite d'un REER, vous pouvez continuer à verser des cotisations à votre propre REER.

Les enfants de moins de 18 ans peuvent cotiser à un REER, dans la mesure où ils disposent d'un « revenu gagné » et se conforment aux règles qui gouvernent les REER. En revanche, vous pourriez éprouver certaines difficultés à trouver un émetteur acceptant de contracter un REER avec un mineur. Certains contribuables à revenu très élevé versent des cotisations (pour lesquelles ils ne reçoivent aucune déduction) au REER de leur enfant dans le but de fractionner leur revenu avec l'enfant et de réduire le fardeau fiscal global de la famille. Selon la durée du placement des fonds dans le REER et le taux d'imposition de l'enfant au moment du retrait, l'avantage du report d'impôt peut suffire à compenser le coût fiscal résultant de l'imposition des sommes lors du retrait, même si celles-ci n'avaient procuré aucune déduction au moment du versement des cotisations. Toutefois, des pénalités fiscales s'appliquent, sauf si l'enfant a un solde de déductions inutilisées au titre d'un REER. Il n'y a pas de plafond de 8 000 $ pour « cotisations excédentaires », sauf si le titulaire du REER a atteint l'âge de 18 ans au cours d'une année précédente.

Plafonds de cotisation

Particuliers qui ne participent pas à un RPA ou à un RPDB.
Le plafond de cotisation à un REER pour les particuliers qui ne participent pas à un RPA ou un RPDB est fixé à 18 % du revenu gagné de l'année précédente, sous réserve d'un plafond absolu qui est instauré graduellement comme suit :

1991	11 500 $
1992	12 500 $
1993	12 500 $
1994	13 500 $
1995	14 500 $
1996	15 500 $

Par exemple, la cotisation maximale à un REER pour 1993 correspond à 18 % du revenu gagné en 1992 jusqu'à concurrence de 12 500 $. Autrement dit, pour contribuer 12 500 $ à votre REER pour 1993, il vous faut un revenu gagné d'au moins 64 444,44 $ en 1992.

Participants à un RPDB ou à un RPA à cotisations déterminées. Pour les particuliers qui participent à un RPDB ou à un RPA à cotisations déterminées (soit celui dans lequel les cotisations et les gains accumulés sont utilisés au moment de la retraite en vue d'obtenir le meilleur revenu de pension possible), le plafond de cotisation à un REER s'établit à 18 % du revenu gagné de l'année précédente jusqu'à concurrence du plafond absolu de l'année comme on le précise ci-dessus, moins un montant appelé « facteur d'équivalence » (FE). Pour ces particuliers, le FE représente simplement le total de toutes les cotisations de l'employé et de l'employeur versées ou réallouées au cours de l'année civile précédente à tous les RPDB et RPA à cotisations déterminées (les employés ne peuvent contribuer à un RPDB après 1990).

Supposons, par exemple, qu'en 1992 votre employeur verse 1 800 $ à votre RPA à cotisations déterminées et vous y versez 1 600 $. Si votre revenu gagné en 1992 se chiffre à 48 000 $, le plafond de votre cotisation à un REER pour 1993 s'établit à 8 640 $ (soit le moins élevé de 12 500 $ ou de 18 % de 48 000 $). De cette somme, vous devez déduire le FE de l'année précédente (1992),

107

soit 3 400 $ (cotisations de 1 800 $ et 1 600 $ au RPA). Ainsi, vous aurez le droit de verser 5 240 $ (8 640 $ moins 3 400 $) à votre REER en 1993.

Participants à un RPA à prestations déterminées. Pour ces particuliers qui sont assurés d'un revenu de retraite précis en vertu de leur RPA, le plafond de cotisation à un REER équivaut à 18 % du revenu gagné de l'année précédente jusqu'à concurrence du plafond absolu pour l'année en cours, tel qu'exposé ci-dessus, moins un facteur d'équivalence (FE) qui tient compte de la valeur des droits à la pension en vertu du RPA à l'égard de l'année précédente. Si le particulier participe également à un RPDB, le FE tiendra aussi compte du montant de la cotisation de l'employeur.

Facteur d'équivalence

Le FE a pour objectif d'assurer que les participants à des régimes de pension (ou RPDB) ayant droit à des prestations différentes aient le même accès à l'aide fiscale pour constituer un revenu de retraite, dans la mesure où ils ont un revenu comparable. Le FE d'une année civile sert à calculer le plafond de cotisation déductible au titre d'un REER pour l'année suivante.

Par exemple, le FE d'un contribuable qui participe à un régime de retraite versant des prestations généreuses sera relativement élevé et diminuera considérablement son plafond de cotisations à un REER. Ainsi, de nombreux participants à un régime non contributif à prestations déterminées ont constaté qu'ils se retrouvaient dès 1991 avec un plafond de cotisation à un REER limité à 1 000 $ par an. Lorsque le régime de retraite est moins généreux, le FE sera moins élevé et la cotisation maximale à un REER, plus importante.

Ampleur du FE. Selon les circonstances, il peut être très simple ou très difficile de calculer le FE. D'une part, le particulier dont le revenu de retraite est constitué uniquement par les REER aura un FE nul, et sa cotisation maximale déductible au titre d'un REER correspondra à 18 % de son revenu gagné au cours de l'année précédente, jusqu'à concurrence du plafond absolu fixé pour l'année concernée. D'autre part, le FE d'un particulier qui participe à un RPDB sera habituellement égal au total des cotisations de l'employeur au régime et des montants réalloués au participant pour l'année précédente. Pour le participant à un RPA à cotisations déterminées, le FE correspondra en général au total des cotisations de l'employé et de l'employeur au régime ainsi que des montants réalloués au participant au cours de l'année précédente. Enfin, le calcul du FE d'un participant à un RPA à prestations déterminées s'avère beaucoup plus complexe : il faut appliquer une formule conçue pour faire correspondre la valeur des prestations cumulées en vertu du régime au cours de l'année à la cotisation équivalente pour obtenir de telles prestations à partir d'un régime à cotisations déterminées, tel un REER. Si le contribuable participe à la fois à un RPDB et à un RPA, son FE correspondra au total des montants calculés pour les régimes des particuliers.

Les employeurs doivent calculer le FE de chaque employé et les déclarer au moment de produire les feuillets T4, au plus tard le dernier jour de février, ce qui permet aux employés de connaître leur cotisation maximale déductible à un REER pour l'année suivante. Revenu Canada avise également les contribuables de leur cotisation maximale déductible au titre d'un REER mais beaucoup plus tard dans l'année.

Facteur d'équivalence pour services passés. Le facteur d'équivalence pour services passés (FESP) réduit, à l'instar du FE, le plafond de cotisation déductible au titre d'un REER. Le FESP représente pour le particulier la réduction de son plafond de cotisations à un REER qui correspond à certaines prestations nouvelles ou supplémentaires qui lui sont offertes au titre d'une disposition à prestations déterminées d'un RPA à l'égard de services antérieurs à l'année civile en cours. Il est possible que l'employeur qui offre un RPA à prestations déterminées doive faire attester le FESP par Revenu Canada si le régime prévoit rétroactivement des prestations de retraite supplémentaires à l'égard de services postérieurs à 1989.

Revenu gagné

Votre cotisation maximale déductible au titre d'un REER est fondée sur un pourcentage de votre revenu gagné, alors que vous êtes résident canadien.

Le revenu gagné englobe les éléments suivants:

▨ les traitements ou salaires nets des montants déductibles à l'égard d'un tel revenu (autres que les cotisations à un RPA, les cotisations à une convention de retraite et les déductions au titre de la résidence d'un membre du clergé);

▨ les rentes d'invalidité versées en vertu du Régime de pensions du Canada ou du Régime de rentes du Québec, à condition que vous ayez été un résident canadien lorsque vous avez reçu ces versements;

▨ les redevances sur un ouvrage ou une invention dont le contribuable est l'auteur;

▨ le revenu provenant d'une entreprise exploitée activement, seul ou comme associé;

▨ le revenu de location net, actif ou passif, provenant de biens immeubles;

▨ les sommes reçues d'un régime de prestations supplémentaires de chômage;

▨ les pensions alimentaires ou autres allocations incluses dans le revenu imposable (y compris celles qui sont reçues d'un conjoint de fait) ainsi que les remboursements que vous avez reçus au titre de versements de pension alimentaire ou autres allocations que vous avez effectuées.

▨ les subventions de recherche nettes;

moins les éléments suivants:

▨ les pertes provenant d'une entreprise exploitée activement, seul ou comme associé;

▨ les pertes nettes provenant de la location de biens immeubles;

▨ les paiements déductibles au titre des pensions alimentaires et autres allocations, ainsi que les remboursements que vous avez effectués au titre de pensions alimentaires ou autres allocations que vous avez reçues.

Règle du report de déductions inutilisées sur sept ans

Lorsqu'un particulier verse dans un REER un montant moindre que le maximum auquel il a droit pour une année donnée, la déduction inutilisée peut être reportée aux années ultérieures en effectuant des cotisations excédant les maximums autrement permis pour ces années. Le montant correspondant à la déduction inutilisée d'une année précédente peut être reporté intégralement et sans restriction sur les sept années suivantes. Une fois le délai de sept ans écoulé, certaines restrictions peuvent s'appliquer, mais la cotisation pouvant être versée dans un REER au titre de déductions inutilisées ne peut être inférieure à 3,5 fois le plafond à l'égard d'un REER prévu pour l'année en question.

Si vous attendez vers la fin du délai pour vous prévaloir du report des déductions inutilisées, l'attente donnera lieu à une accumulation de fonds moins importante dans votre REER au moment de la retraite. De plus, il semble peu avantageux de reporter votre cotisation à une année où votre taux d'imposition risque d'être plus élevé, étant donné que l'économie fiscale sera vraisemblablement neutralisée par le coût de renonciation à l'abri fiscal qui aurait résulté d'une cotisation plus hâtive.

Une fois le système bien instauré, la cotisation maximale déductible au titre d'un REER que Revenu Canada communiquera aux particuliers avant la fin de l'année d'imposition correspondra au résultat des opérations suivantes :

■ le solde des déductions inutilisées au titre d'un REER, reporté de l'année précédente ;

■ plus 18 % du revenu gagné (jusqu'à concurrence du plafond absolu pour l'année), moins tous les facteurs d'équivalence (FE) calculés par les employeurs ; le revenu gagné et les FE sont fonction de l'année d'imposition précédente ;

■ moins tout facteur d'équivalence pour services passés (calculé par l'employeur qui offre un régime de retraite à prestations déterminées et y apporte des améliorations rétroactives) déclaré et attesté, s'il y a lieu, pour l'année d'imposition.

Retrait d'un REER

Le but principal des REER est d'accumuler des fonds en vue de la retraite. Les autorités n'empêchent cependant pas le retrait, à tout moment, des capitaux investis dans un REER. La somme retirée est incluse dans le revenu imposable. Lorsque le retrait porte sur l'excédent non déductible d'une cotisation à un REER, une déduction compensatoire peut être offerte. *Si le retrait est effectué pour permettre le versement d'un paiement initial à l'achat d'une résidence principale, il est possible en vertu des règles du Régime d'accession à la propriété énoncées dans le budget fédéral de 1992, de retirer des fonds en franchise d'impôt jusqu'à concurrence de 20 000 $.* Vous avez donc intérêt à vous assurer que votre contrat de REER n'interdit pas les retraits.

En vertu d'une règle entrée en vigueur en 1986, vous pouvez retirer toute somme de votre REER dans la mesure où le régime le permet. Un REER antérieur à 1986 devra toutefois être modifié par l'émetteur pour que le titulaire ait droit à un retrait partiel. Avant 1986, en effet, tout retrait entraînait immédiatement le désenregistrement : il fallait mettre un terme au régime entier, car on ne pouvait toucher une partie seulement des capitaux. En règle générale, l'émetteur du REER exige que vous l'avisiez de votre intention de retirer des fonds du régime ; certains régimes exigent un préavis d'un mois ou deux.

L'émetteur du REER est tenu de retenir l'impôt aux taux suivants sur toute somme qui vous est versée à même un REER :

MONTANT	RÉSIDENTS CANADIENS SAUF LES RÉSIDENTS DU QUÉBEC	RÉSIDENTS DU QUÉBEC
5 000 $ ou moins	10 %	18 %
De 5 001 $ à 15 000 $	20 %	30 %
Plus de 15 000 $	30 %	35 %

Auparavant, les particuliers pouvaient transférer des fonds de leur REER à un fonds enregistré de revenu de retraite (FERR, c'est-à-dire un régime en vertu duquel un revenu de retraite vous est versé), puis retirer immédiatement ces fonds du FERR sans retenue fiscale. Actuellement, la retenue est obligatoire sur la tranche de tout versement d'un FERR qui excède le minimum annuel à être versé à même le FERR.

Si vous comptez retirer des fonds relativement importants d'un REER ou d'un FERR, prévoyez plutôt plusieurs retraits distincts afin de réduire le taux de retenue à la source et répartissez vos retraits sur plusieurs années afin d'éviter qu'une partie des fonds ne soit imposée à un taux d'impôt plus élevé.

Le REER du conjoint

Vous pouvez verser la totalité ou une partie de vos cotisations à un REER dont votre conjoint est le rentier, même si celui-ci verse des cotisations à son propre REER. (Vous ne pouvez toutefois verser des cotisations spéciales découlant d'une disposition de roulement à un REER en faveur de votre conjoint.) Vous devez verser la cotisation directement au fiduciaire du régime et obtenir un reçu, pour prouver que vous avez effectué les versements.

Les cotisations au REER du conjoint représentent un excellent moyen de fractionnement du revenu au moment de la retraite. Supposons, par exemple, que votre conjoint n'aura, par ailleurs, que peu ou pas de revenu de retraite autre que les rentes de l'État. Si son taux marginal d'impôt est de 25 % au moment de la retraite tandis que le vôtre est de 45 %, vous et votre conjoint disposerez de 0,20 $ de plus sur chaque dollar de revenu de retraite provenant du REER de votre conjoint. En pourcentage, votre revenu de retraite disponible après impôt augmenterait de plus de 36 %. De plus, votre conjoint disposera d'un revenu admissible au crédit d'impôt pour revenu de pension dès l'âge de 65 ans.

Votre cotisation au REER du conjoint réduit la valeur de la cotisation admissible à votre propre REER. Autrement dit, les cotisations totales versées aux deux régimes ne

peuvent dépasser votre déduction maximale admissible. Les transferts de fonds de vos REER, RPA ou RPDB à un REER du conjoint sont interdits, sauf en cas de décès ou d'échec du mariage.

Si vous avez 71 ans ou plus et que vous disposez d'un solde de déductions inutilisées, vous pouvez toujours cotiser au REER de votre conjoint si celui-ci a moins de 71 ans.

En cas de décès, le représentant légal de la succession est autorisé à verser, dans les 60 jours qui suivent la date du décès, une cotisation au REER du conjoint lorsque ce dernier n'a pas atteint 71 ans. Cette disposition permet de déduire la somme en cause dans la déclaration fiscale du décédé.

Retraits d'un REER du conjoint. Une règle spéciale empêche l'utilisation du REER du conjoint pour fractionner le revenu et réduire l'impôt à payer. Si votre conjoint reçoit des fonds d'un REER auquel vous avez cotisé, d'une rente achetée à même les fonds de ce régime ou d'un fonds enregistré de revenu de retraite (FERR) acquis à même les fonds du REER et si, dans le cas d'un paiement provenant d'un FERR, ce paiement excède le minimum qui doit être versé à même ce FERR, vous devez alors inclure dans votre revenu le moins élevé :

a) du montant reçu par votre conjoint, ou

b) du total des cotisations que vous avez versées à tous les régimes en faveur de votre conjoint au cours de l'année et au cours des deux années précédentes (exclusion faite des sommes déjà ajoutées à votre revenu),

et payer l'impôt sur cette somme. Le cas échéant, l'excédent de a) sur b) est ajouté au revenu de votre conjoint.

L'exemple suivant vous permettra de mieux comprendre cette règle. Les cotisations suivantes sont versées au REER de votre conjoint :

ANNÉE	COTISATIONS VERSÉES À UN MÊME REER PAR	
	VOUS	VOTRE CONJOINT
1	2 000 $	—
2	—	4 000 $
3	1 000 $	—

Si votre conjoint retire 4 000 $ du REER à la fin de l'année 3, une somme de 3 000 $ est ajoutée à votre revenu et une autre, de 1 000 $, au revenu de votre conjoint. Si votre conjoint avait versé 4 000 $ à un régime distinct au cours de l'année 2, pour ensuite retirer ces fonds au cours de l'année 3, la somme intégrale aurait été incluse dans son revenu, dans la mesure où vous n'avez pas versé de cotisations à ce régime.

Cette restriction sur les retraits s'applique, peu importe le nombre de REER détenus par votre conjoint, même si les fonds ont été transférés d'un REER « du conjoint » à un autre REER dans lequel vous n'avez versé aucune cotisation directe. Si votre conjoint reçoit des fonds d'un REER auquel lui seul a cotisé, vous n'avez pas à inclure les montants en cause dans votre revenu, même si vous avez cotisé à d'autres régimes en faveur de votre conjoint au cours de l'année ou des deux années précédentes.

La règle s'applique également aux transferts en franchise d'impôt effectués de 1989 à 1994, dans le REER du conjoint, de paiements périodiques pouvant atteindre 6 000 $ reçus d'un régime de pension agréé ou d'un régime de participation différée aux bénéfices. La règle ne s'applique pas lors de votre décès ni si vous êtes divorcé ou séparé et que vous ne cohabitez pas avec votre conjoint. Enfin, elle ne s'applique pas si votre conjoint procède à certains transferts en franchise d'impôt, d'un FERR à une rente provenant d'un REER, par exemple.

REER immobilisés

Les lois fédérales et provinciales sur les normes de pensions exigent le recours aux REER immobilisés pour favoriser la transférabilité des prestations acquises. **Au moment de la cessation d'emploi, un employé devrait avoir le choix de laisser ses droits à retraite acquis dans le régime de son ancien employeur, de les transférer à un régime de pension agréé de son nouvel employeur (si celui-ci est d'accord) ou de les transférer à un REER immobilisé, plus contraignant qu'un REER ordinaire puisqu'aucun retrait n'est permis avant la retraite.** Le REER immobilisé (« compte de retraite immobilisé » au Québec) prévoit habituellement qu'au moment de votre retraite, les fonds cumulés dans ce REER doivent servir à l'acquisition d'une rente ou d'un « fonds de revenu viager » au Québec. Certaines lois provinciales prescrivent le même traitement lors du transfert de fonds d'un RPA à un REER.

Genres de cotisations

Les cotisations à votre REER peuvent se faire sous forme d'espèces ou de biens, selon votre type de REER. La valeur de votre cotisation en biens équivaut à la juste valeur marchande des biens au moment de la cotisation. Vous serez réputé avoir disposé du bien à sa juste valeur marchande lors du transfert au REER, et un gain ou une perte peut en résulter. Ce gain doit être inclus dans votre revenu imposable, bien que les gains en capital soient admissibles à votre exemption à vie pour gains en capital. Toute perte vous est cependant refusée et ne peut servir à compenser un gain. Il n'est donc pas conseillé de transférer à votre REER un bien qui a perdu en valeur. Si le bien transféré à titre de cotisation constitue un placement non admissible (voir ci-dessous), sa juste valeur marchande doit être incluse dans votre revenu de l'année de la cotisation.

Emprunt pour contribuer à un REER

L'intérêt payé sur les capitaux empruntés pour verser une cotisation à un REER après le 12 novembre 1981 n'est pas déductible d'impôt. L'intérêt sur les emprunts contractés avant cette date continue d'être déductible. Emprunter pour verser une cotisation pourrait s'avérer plus avantageux, dans certaines circonstances précises, que de ne pas cotiser du tout. Ce sera plus souvent le cas lorsque l'échéance du délai de report de déductions inutilisées sera imminente. En empruntant maintenant pour verser une cotisation plutôt que d'attendre plusieurs années pour vous prévaloir du report de déductions inutilisées, vous pouvez commencer immédiatement à placer votre revenu à l'abri du fisc. Dans chacune de ces situations, il est important de comparer le coût des intérêts non déductibles à l'avantage fiscal obtenu.

REER et transferts

D'une manière générale, on permet le transfert direct en franchise d'impôt de sommes forfaitaires d'un régime à un autre, sous réserve d'un maximum prescrit. Les transferts libres d'impôt doivent être faits directement d'un régime à un autre et les fonds d'un REER ne peuvent être transférés après l'échéance du régime.

Des paiements périodiques reçus d'un RPA ou d'un RPDB peuvent être transférés au REER du conjoint de 1989 à 1994, sous réserve d'un plafond annuel de 6 000 $.

Le roulement en franchise d'impôt d'une allocation de retraite dans un REER est encore autorisé. Pour les années de service après 1988, le plafond s'établit à 2 000 $ par année de service. Cette somme peut être majorée de 1 500 $ par année de service accompli avant 1989 pendant laquelle aucune cotisation de l'employeur à un RPA ou à un RPDB n'est acquise à l'employé. Pour éviter que l'impôt soit retenu sur l'allocation de retraite, l'employeur peut effectuer le transfert directement dans le REER.

Les sommes cumulées dans un REER peuvent être transférées en franchise d'impôt à un autre REER, à un FERR ou à un RPA. Elles doivent cependant être transférées directement par l'émetteur du REER. Sinon, vous devez l'inclure dans votre revenu imposable et vous perdez l'avantage du transfert en franchise d'impôt. Après 1989, de tels transferts à vos propres REER, FERR ou RPA ne peuvent être effectués après l'échéance du régime.

Le transfert de votre REER à un RPA pourrait s'avérer avantageux si votre employeur cotise également au RPA. Par exemple, votre régime à prestations déterminées peut avoir été amélioré dans le but d'offrir des prestations plus généreuses, mais à la condition que vous assuriez la moitié du financement requis. En supposant que votre participation à cette amélioration soit volontaire, il vous incomberait de comparer les prestations améliorées du RPA au revenu de retraite éventuel que vous pourriez obtenir de votre REER sans effectuer de transfert, afin de prendre une décision relative à un tel transfert.

Vous pouvez transférer directement dans un REER, un autre FERR ou une rente de type REER, des paiements de rentes et des paiements d'un FERR qui dépassent le versement annuel minimum requis. La rente doit cependant prévoir des paiements égaux au moins une fois l'an à partir d'une date qui survient au plus tard un an après le transfert.

Un « remboursement de primes » (expression définie pour les REER) reçu, par le conjoint ou certaines personnes à charge, du

REER d'une personne décédée, peut également être transféré en franchise d'impôt à un REER. Enfin, il est possible de transférer à votre conjoint en franchise d'impôt des fonds provenant d'un REER en cas d'échec du mariage.

REER et impôt minimum

Certains contribuables sont tenus de recalculer leur revenu imposable afin de garantir qu'un niveau donné d'impôt soit payé malgré le nombre et la valeur des déductions dont ces personnes pourraient se prévaloir par ailleurs. Un des éléments non déductibles dans le calcul du revenu imposable minimum de remplacement est la cotisation à un RPA ou à un REER, qu'elle soit faite à l'égard de l'année courante ou de report de déductions inutilisées. En général, seuls les transferts de paiements forfaitaires reçus d'un RPDB ou d'un RPA, ou les transferts directs d'un REER à un autre, constituent des déductions autorisées pour l'impôt minimum.

Deux remarques générales s'imposent à ce sujet. Première-ment, seuls les Canadiens à revenu élevé sont touchés par l'impôt minimum, puisque ceux dont le revenu est inférieur à 40 000 $ n'y sont pas assujettis. Deuxièmement, à cause de l'éventualité d'une déduction importante dans le calcul du revenu d'une année donnée, les particuliers qui versent des cotisations pour se prévaloir de déductions inutilisées et reportées sur plusieurs années sont plus susceptibles d'être touchés par l'impôt minimum que ceux qui versent simplement leur cotisation annuelle maximale.

Les sommes qu'on ne peut déduire du revenu en raison de l'application de l'impôt minimum peuvent toutefois être reportées sur les sept années subséquentes. En effet, l'écart entre l'impôt payable par ailleurs et l'impôt minimum à payer peut être porté en diminution de l'impôt à verser des années suivantes, dans la mesure où la charge fiscale payable par ailleurs dépasse l'impôt minimum exigible.

Pénalités, impôts spéciaux et retrait d'enregistrement

Excédents de cotisation. Les cotisations annuelles versées à un REER avant 1991 qui dépassent le plus élevé de 5 500 $ et de la somme effectivement déductible d'impôt sont assujetties à un impôt de 1 % par mois sur l'excédent jusqu'au retrait de celui-ci. La règle est modifiée pour les cotisations versées après 1990, et tout « excédent cumulatif » supérieur à un montant de 8 000 $ est assujetti à la pénalité de 1 %. L'excédent en cause peut être retiré en franchise d'impôt au cours de l'année durant laquelle le contribuable reçoit un avis de cotisation relatif à l'année du versement de l'excédent de cotisation ou au cours de l'année suivante. Si l'excédent n'est pas retiré, il en résulte une double imposition, puisque la déduction au titre de la cotisation n'est pas autorisée, et l'excédent est imposé lorsqu'il est reçu sous forme de revenu de retraite.

Investissements étrangers. Selon un projet de loi à l'étude, vous pouvez investir 16 % (en 1992) du coût de vos placements dans des REER en titres étrangers admissibles. Le taux, qui était de 10 % en 1989, augmente de deux points de pourcentage par année pour atteindre 20 % en 1994 et les années subséquentes). Vous devez payer un impôt au taux de 1 % sur le montant excédentaire investi en titres étrangers pour chaque mois durant lequel l'excédent demeure dans votre REER. Vous pouvez dépasser le seuil prévu, sous réserve de certaines limites, si vous investissez dans des petites entreprises admissibles.

Placements non admissibles. Si votre REER acquiert un placement non admissible, la juste valeur marchande du placement au moment de l'acquisition est incluse dans votre revenu pour l'année en cause. Dans l'année où le REER dispose de ce placement, vous pouvez déduire de votre revenu le produit de la disposition ou, s'il est inférieur, le montant ajouté à votre revenu. En vertu des règles actuelles, au cours de cette même année, le montant déductible à titre de cotisation au REER, d'après votre revenu gagné, est réduit de la déduction apportée à votre revenu en raison de l'aliénation du placement non admissible. De plus, le REER est assujetti à un impôt calculé au taux marginal maximum sur le revenu gagné par le placement non admissible.

Lorsque vous détenez dans votre REER un placement admissible qui cesse de l'être, le REER est assujetti à un impôt spécial correspondant à 1 % de la juste valeur marchande du placement au moment de l'acquisition pour tous les mois durant lesquels le placement demeure non admissible ou jusqu'à ce que le placement ne fasse plus partie du REER. Cette règle s'applique dans la mesure où la valeur du placement n'a pas été incluse dans votre revenu.

Conventions d'options d'achat d'actions. Une convention d'options d'achat d'actions conclue dans le cadre d'un REER, sauf s'il s'agit d'acquérir des options cotées en Bourse, peut entraîner l'assujettissement à l'impôt au taux de 1 % par mois sur le prix convenu pour les actions, à partir du mois au cours duquel intervient la convention.

Emprunts et exploitation d'une entreprise. Si vous empruntez de l'argent durant l'année par l'entremise de votre REER, ce dernier est assujetti à l'impôt sur son revenu annuel total jusqu'au remboursement de l'emprunt. Le REER, à titre de fiducie, est assujetti à l'impôt au taux le plus élevé des particuliers dans votre province de résidence. De plus, lorsque le REER exploite une entreprise pendant l'année, le revenu tiré de cette entreprise est assujetti à l'impôt selon les taux applicables aux fiducies.

REER en garantie d'un emprunt. Lorsqu'un bien détenu dans votre REER sert à garantir un emprunt, la juste valeur marchande du bien servant de garantie est ajoutée à votre revenu de l'année en cause. Lorsque le bien cesse de servir de garantie, une somme correspondant au montant ajouté à votre revenu, réduite de toute perte subie dans le cadre de l'emprunt, peut être déduite de votre revenu. Par contre, s'il s'agit d'un REER du type dépôt, il fait l'objet d'un retrait d'enregistrement lorsqu'une partie est cédée, mise en garantie, etc., auquel cas la valeur intégrale de votre régime est incluse dans votre revenu imposable, et ce retrait d'enregistrement est irrévocable.

Achat et vente de biens par votre REER à un prix autre que la juste valeur marchande. Lorsque vous faites l'acquisition, par votre REER, d'un bien pour un prix supérieur à sa juste valeur marchande ou qu'il est vendu à un prix inférieur à sa juste valeur marchande, l'écart entre la juste valeur marchande et le montant payé ou reçu s'ajoute à votre revenu de l'année au cours de laquelle l'opération a lieu.

Le retrait d'enregistrement. Le retrait d'enregistrement d'un REER peut avoir lieu pour plusieurs motifs, auquel cas la juste valeur marchande de tous ses éléments d'actif s'ajoute à votre revenu imposable pour l'année au cours de laquelle le régime est désenregistré. Dans la plupart des cas, les émetteurs structurent votre REER de manière à en empêcher le retrait d'enregistrement (autrement dit, le contrat ou l'entente que vous avez avec l'émetteur interdit les démarches susceptibles de provoquer cette situation).

Votre REER sera automatiquement désenregistré si vous ne prévoyez pas le versement d'un revenu de retraite au plus tard le 31 décembre de l'année de votre 71e anniversaire. Le régime est effectivement désenregistré le premier jour de l'année suivante, et sa valeur intégrale s'ajoute à votre revenu de l'année où vous atteignez l'âge de 72 ans. Certains régimes prévoient un achat de rente automatique lorsqu'aucun autre mode de paiement d'un revenu de retraite n'a été convenu, mais il se pourrait qu'une rente ne corresponde pas à vos besoins de revenu de retraite.

▶ PLACEMENTS DANS UN REER

Plus vos placements dans un REER rapportent, plus votre retraite sera confortable. Cet énoncé peut sembler évident, mais rares sont ceux qui reconnaissent l'importance de maximiser le rendement de leur REER à long terme. En effet, un écart d'à peine deux points de pourcentage peut avoir un impact considérable sur le montant de votre revenu de retraite.

Un taux de rendement élevé améliore aussi le rendement réel de vos placements dans un REER. Le graphique ci-après compare

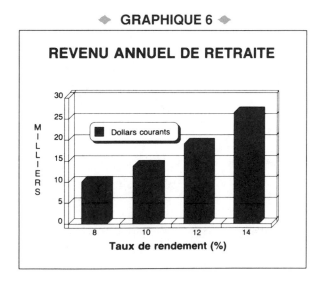

◆ GRAPHIQUE 6 ◆

REVENU ANNUEL DE RETRAITE

MILLIERS

■ Dollars courants

Taux de rendement (%)

121

les revenus de retraite en dollars courants, c'est-à-dire en tenant compte des effets futurs d'un taux d'inflation de 6 %, pour un REER dont le rendement varie de 8 % à 14 %. On suppose qu'une rente productive d'intérêt au taux annuel composé de 10 % est servie pendant 25 ans à même le REER, auquel des cotisations de 5 000 $ sont versées au début de chaque année durant 25 ans.

**N'oubliez pas, au moment de comparer le rendement
de divers placements, qu'il peut exister des écarts
appréciables entre les taux composés mensuels,
trimestriels, semestriels et annuels à long terme.
Plus les intérêts sont composés sur une courte période,
plus le rendement est élevé.
Vous devez également vous souvenir que,
plus le rendement est élevé, plus les risques le sont aussi.
Les institutions financières bien établies sont plus
susceptibles d'offrir de bons placements
que celles dont le dossier est incertain.**

Intérêts, dividendes ou gains en capital dans votre REER

Votre décision de détenir dans votre REER des titres productifs d'intérêts, de dividendes ou de gains en capital dépend des conséquences fiscales de ces placements hors REER et de la composition de votre portefeuille (le fait qu'il consiste uniquement en placements dans un REER ou également en placements hors REER). Cette décision dépend aussi de votre niveau de tolérance au risque.

L'intérêt que reçoit directement un particulier est imposé intégralement. Par contre, les dividendes canadiens le sont selon un taux effectif moins élevé grâce aux crédits d'impôt pour dividendes. Si vous vous situez dans la tranche d'imposition fédérale de 29 %, le taux d'impôt sur vos dividendes correspond environ aux deux tiers de celui sur vos intérêts ; si vous vous situez dans la tranche d'imposition de 17 %, vous pouvez verser moins de 20 %

122

d'impôt combiné (fédéral et Québec) sur vos dividendes. Le taux d'imposition sur les gains en capital équivaut aux trois quarts du taux applicable aux intérêts, mais vous avez droit à une exemption à vie de 100 000 $ pour gains en capital (500 000 $ pour les actions admissibles d'une société exploitant une petite entreprise ou pour des biens agricoles admissibles).

Si vous détenez tous vos placements dans un REER, votre stratégie de placement doit consister à maximiser votre rendement à long terme. Par ailleurs, toutes les sommes reçues d'un REER sont imposées intégralement. Les gains en capital et les dividendes gagnés dans un REER perdent leur identité et n'ont pas droit à un traitement fiscal préférentiel.

Si vous détenez des placements tant à l'intérieur qu'à l'extérieur de votre REER, les règles du jeu ne sont plus tout à fait les mêmes. Premièrement, vous devriez détenir vos placements productifs d'intérêts dans un REER. En effet, le REER élimine l'impôt sur votre placement net (montant après impôts disponible pour investissement hors REER), alors que le revenu d'intérêt hors REER est imposé intégralement.

Deuxièmement, étant donné qu'un REER élimine l'impôt sur votre placement net, il est également avantageux de détenir les actions privilégiées ou ordinaires versant des dividendes à l'intérieur du REER, à la condition que ceci n'entraîne pas une détention des titres productifs d'intérêts hors REER. Le marché tend à faire correspondre le rendement après impôt des placements comportant un risque semblable pour les particuliers dans la tranche d'imposition supérieure. Ainsi, si des intérêts à 10 % donnent un rendement après impôt de 5,4 % pour le particulier dans cette tranche d'imposition, les dividendes sur actions privilégiées devraient se situer à environ 7,9 % pour donner un rendement après impôt semblable hors REER. Par contre, étant donné qu'un REER reporte l'impôt, le rendement de 10 % du titre productif d'intérêts est nettement supérieur au rendement de 7,9 % des dividendes lorsque les placements sont détenus dans un REER.

Troisièmement, compte tenu de l'exemption à vie pour gains en capital, vous n'avez pas avantage à détenir dans un REER des placements qui donnent essentiellement lieu à des gains en capital, dans la mesure où ces gains sont exonérés

d'impôts, même si le REER élimine l'impôt sur votre placement net. Vous ne devez pas pour autant réduire vos cotisations au REER afin de réaliser des gains en capital hors REER, surtout si vous épuisez votre exemption pour gains en capital ou que vous désirez convertir ces biens en des placements moins risqués, mais imposables. Si votre REER sert a détenir des placements à gains en capital éventuels, n'oubliez pas que le REER doit d'abord être constitué de titres productifs d'intérêts, puis de placements rapportant des dividendes.

Une autre observation s'impose concernant le portefeuille de votre REER. Généralement, plus vous êtes jeune, plus vous voulez détenir d'actions dans votre portefeuille. Vous pouvez profiter du rendement supérieur prévu à long terme, car vous êtes à même de résister aux fluctuations boursières. En revanche, plus vous approchez de la retraite, plus vous devriez privilégier (tant pour votre REER que pour vos placements hors REER) des investissements moins risqués, tels les titres productifs d'intérêts, afin de protéger votre capital cumulé. À un moment donné, vous voudrez peut-être immobiliser la plus grande partie de vos fonds sous forme de placements à taux d'intérêt garantis, de manière à planifier avec davantage de certitude votre revenu de retraite.

Société d'assurance-dépôts du Canada

Vous pouvez accumuler une somme importante dans un REER, si bien que de nombreux contribuables s'inquiètent de la protection accordée aux capitaux investis sous forme de REER, à la lumière du risque de faillite des institutions financières. Or, selon le montant et le type des investissements détenus dans votre REER et l'institution financière à laquelle il a été confié, la Société d'assurance-dépôts du Canada (SADC) peut garantir vos placements dans un REER.

Ainsi, toutes les banques à charte et sociétés de fiducie et de prêts hypothécaires constituées de droit fédéral font partie de la SADC. Les sociétés de fiducie et de prêts hypothécaires constituées de droit provincial peuvent également y participer. Assurez-vous que l'émetteur de votre REER bénéficie de cette protection.

Les placements admissibles comprennent les comptes d'épargne et de chèques, les certificats de placements garantis et les dépôts à terme remboursables en cinq ans ou moins. Les dépôts en devises étrangères tels les comptes d'épargne en dollars US et les certificats de placements garantis ou les fonds communs de placement libellés en dollars américains ne sont pas assurés.

La protection maximale s'élève à 60 000 $ par client pour chaque institution membre de la SADC. Si vous détenez un REER auprès de plus d'une institution de ce type, directement ou par l'entremise d'un régime autogéré, vous multipliez votre protection. Parallèlement, si vous êtes titulaire d'un REER autogéré qui détient des placements auprès de plusieurs institutions financières membres de la SADC, chacun de ces placements jouit d'une protection distincte. L'assurance qui couvre votre REER se distinguant de celle qui protège vos placements personnels, votre protection maximale auprès d'une institution s'élève donc à 120 000 $.

Dans certaines provinces, quelques-unes des institutions qui ne font pas partie de la SADC (les caisses de crédit, par exemple) proposent leur propre régime d'assurance pour les placements dans un REER (Régie de l'assurance-dépôts du Québec). Enfin, les REER émis par les sociétés d'assurances ne sont pas protégés par la SADC.

Types de REER

Les grandes catégories de placements dans un REER s'établissent comme suit :

■ Le REER du type assurance : vous vous engagez à verser un certain montant, le plus souvent à intervalles réguliers, en contrepartie d'un revenu de retraite d'une valeur donnée versé à intervalles réguliers.

■ Le REER du type dépôt : vos dépôts sont versés directement auprès de l'émetteur.

▨ Le REER du type fiducie : le mieux connu est le REER autogéré, dans le cadre duquel vous prenez les décisions en matière de placements.

Les sociétés d'assurances vendent des REER semblables et concurrentiels à ceux qui sont offerts par les autres institutions financières. Ces REER ne sont généralement pas protégés par la Société d'assurance-dépôts du Canada, mais ils sont auto-assurés par le secteur des assurances.

La plupart des institutions financières, dont les banques, sociétés de fiducie, caisses de crédit, caisses populaires, sociétés d'assurances et courtiers en valeurs mobilières, offrent une diversité de REER garantis et constitués en comptes d'épargne. Les REER sous forme de comptes d'épargne ou à taux variable sont les moins risqués de tous les placements dans un REER. Les REER garantis sont offerts sous une grande diversité de formes, mais ils possèdent une caractéristique commune : le taux d'intérêt du titre est bloqué pour une période déterminée.

REER autogérés

Les REER autogérés proposent généralement des relevés mensuels pratiques, établis par une seule source, en plus de faciliter la répartition et la diversification du risque. À mesure que les objectifs d'investissement évoluent, on peut modifier la composition du portefeuille autogéré.

Des pénalités sévères sont imposées lorsqu'un placement non admissible est détenu dans un REER.

En 1992, les fonds d'un REER ne peuvent être investis à plus de 16 % sous forme de placements étrangers. Le taux, qui était de 10 % en 1989, augmente de deux points de pourcentage par année pour atteindre 20 % en 1994 et pour les années subséquentes.

Par contre, pour chaque dollar investi en titres admissibles d'une petite entreprise, vous pouvez investir trois dollars de plus en actions étrangères, jusqu'à concurrence de 20 % du coût total de tous les biens du REER. Ainsi, vous pouvez détenir un maximum de 36 % de votre REER sous forme de placements étrangers en 1992.

► SITUATIONS PARTICULIÈRES

Régime d'accession à la propriété

Le budget fédéral de 1992 permet le retrait en franchise d'impôt de fonds actuellement placés dans un régime enregistré d'épargne-retraite (REER) à l'intention des acheteurs d'une habitation. Ces fonds peuvent être retirés après le 25 février 1992 et avant le 2 mars 1993, jusqu'à concurrence de 20 000 $, s'ils sont utilisés comme acompte lors de l'acquisition de tout logement neuf ou existant situé au Canada ou d'une part du capital social d'une coopérative d'habitation pour un logement situé au Canada. Il n'est pas nécessaire que ce soit une première acquisition; il faut toutefois que l'habitation n'ait pas été acquise par le contribuable ou son conjoint avant la date du retrait des fonds. Cette habitation doit être acquise avant le 1er octobre 1993 et être utilisée comme lieu principal de résidence par le contribuable dans les douze mois de l'acquisition.

Les sommes ainsi retirées devront être remises dans le REER en versements annuels d'un minimum de 1/15 par année sur une période de 15 ans, le premier remboursement devant être effectué au plus tard le 31 décembre 1994. Si le montant de remboursement n'est pas effectué en entier au cours d'une année, la partie non remboursée devra être incluse dans le revenu. D'autre part, un contribuable qui le désire pourra au cours d'une année donnée rembourser plus que le minimum prévu, soit plus que 1/15 des fonds retirés. Les remboursements doivent être effectués en remettant à l'émetteur du REER le formulaire T1037.

Il faut noter que les participants à ce régime ne pourront bénéficier d'aucune déduction pour les contributions à un REER versées entre le 25 février 1992 et le 2 mars 1993 qui seraient égales

---

Un contribuable qui détiendrait des liquidités tant dans son REER que personnellement devrait, avant de prendre la décision de bénéficier de ce nouveau régime, analyser l'ensemble des circonstances qui lui sont propres.

---

ou inférieures aux fonds retirés en vertu de ce régime, à l'exception des cotisations déduites pour l'année d'imposition 1991. Ces déductions inutilisées, peuvent dans certaines circonstances, être reportées aux années subséquentes.

Échec du mariage

En cas d'échec d'un mariage, un particulier peut transférer, en franchise d'impôt, des fonds de son REER ou de son FERR au REER, au FERR ou au RPA de son conjoint. Les règles d'attribution, en vertu desquelles le revenu découlant de biens transférés d'un conjoint à un autre est imposé entre les mains du cédant, et non du cessionnaire, ne s'appliquent pas à un tel transfert. De plus, les règles qui découragent la résiliation des REER du conjoint ne s'appliquent pas en cas d'échec du mariage.

Pour que les fonds ainsi transférés du REER d'un particulier à celui de son conjoint ou ancien conjoint ne soient pas imposés, ils doivent être transférés aux termes d'un décret, d'une ordonnance ou d'un jugement d'un tribunal compétent, ou encore d'un accord de séparation écrit.

REER et non-résidents

Le fait de devenir non-résident du Canada peut entraîner des conséquences fiscales extrêmement complexes. Vous devriez résoudre la question de votre REER de concert avec les nombreuses autres décisions financières et fiscales que vous devrez prendre. En termes très généraux, l'impôt est retenu à la source sur de nombreux types de paiements versés à partir du Canada à des résidents d'un autre pays. Il se peut aussi que l'autre pays assujettisse le « paiement » à l'impôt, mais la plupart des pays étrangers accordent un crédit pour les impôts canadiens déjà versés. Au Canada, le traitement fiscal réservé aux REER dépend de la situation de votre REER (échu ou non) et de votre nouveau pays de résidence.

Si votre REER est échu, la rente ou le revenu de FERR peut être admissible à titre de revenu de pension en vertu de la convention fiscale, s'il y a lieu, intervenue entre le Canada et votre nouveau pays de résidence. Par exemple, en vertu de la convention fiscale entre le Canada et les États-Unis, les rentes versées pourraient être admissibles à titre de paiements périodiques de pension et être assujetties à une retenue fiscale de 15 %. En vertu de certaines autres conventions, le revenu périodique de pension est exonéré de retenue fiscale. Le nouveau pays peut prélever ses propres impôts, tout en accordant un crédit pour les retenues fiscales canadiennes.

Lorsque le Canada n'a conclu aucune convention fiscale avec le pays étranger, le taux de retenue à la source s'élève à 25 %. Il s'agit du taux habituel applicable aux versements non admissibles à titre de paiement périodique de pension, comme les retraits forfaitaires d'un REER.

De plus, certains pays n'assujettissent à l'impôt que l'élément « revenu » d'un FERR ou d'une rente reçue d'un REER, et font abstraction de l'élément capital, c'est-à-dire du montant provenant du REER qui a servi à acquérir le FERR ou la rente.

Si votre REER n'est pas échu, mais que vous y mettez fin pendant la période où vous n'êtes pas résident du Canada, le montant intégral est assujetti à une retenue fiscale de 25 %. Ce montant peut même être assujetti à l'impôt dans votre nouveau pays de résidence. En effet, de nombreux pays ne reconnaissent pas les mécanismes d'imposition reportée comme les REER et frappent le revenu cumulé dans un REER d'un impôt courant, comme s'il s'agissait d'un compte de placement ordinaire ou d'une fiducie.

Dans certains cas, vous avez avantage à transférer votre REER à un nouveau régime avant de quitter le Canada, ce qui aura pour effet de majorer le coût fiscal de votre REER, puis à y mettre fin dès que vous aurez gagné votre nouveau pays de résidence. En pareil cas, le montant intégral pourrait constituer du capital dans votre nouveau pays de résidence et ne serait assujetti au Canada qu'à la retenue fiscale de 25 %, laquelle est vraisemblablement inférieure à l'impôt que vous auriez payé au Canada.

Enfin, si vous conservez votre REER, votre nouveau pays de résidence peut ne pas en reconnaître les caractéristiques d'abri fiscal et vous imposer d'après le revenu gagné chaque année, même si vous n'en touchez effectivement aucun. Si vous retournez un jour au Canada et commencez à toucher un revenu de retraite provenant de votre REER, le fisc canadien imposera ce revenu, sans tenir compte des impôts étrangers déjà payés.

Accès des créanciers à votre REER

Les tribunaux ont décidé que les créanciers peuvent obtenir accès au REER d'un failli pour régler ses dettes. En fait, seuls quelques REER du type assurance offrent une protection contre les créanciers mais des cas récents de jurisprudence pourraient affaiblir cette protection dans certaines circonstances. Par contre, les créanciers n'ont pas accès aux rentes viagères et ils peuvent difficilement assujettir à une saisie-arrêt les rentes certaines et les fonds d'un FERR. Vous n'obtiendrez vraisemblablement aucune protection en transférant votre REER auprès d'une société d'assurances peu avant une éventuelle déclaration de faillite, car les lois sur la faillite prévoient ce genre de subterfuge.

REER et décès

Pour déterminer le traitement fiscal des sommes cumulées dans un REER au moment du décès du rentier, il faut savoir si le REER est échu et qui en est le bénéficiaire. Le conjoint reçoit le traitement le plus favorable. Afin de garantir que les sommes soient versées aux bénéficiaires prévus avec un minimum de tracasserie, vous devriez désigner expressément les bénéficiaires de votre REER dans le contrat lui-même ou dans votre testament.

Si le REER n'est pas échu, on inclut généralement la juste valeur marchande de tous les biens du REER dans le revenu de la personne décédée pour l'année du décès; ce montant est assujetti à l'impôt dans l'ultime déclaration fiscale de la personne décédée avant que les biens soient répartis entre ses bénéficiaires.

Il existe cependant deux exceptions. Premièrement, lorsque le conjoint (incluant à cette fin les conjoints de fait qui vivent ensemble depuis au moins un an) est désigné à titre de bénéficiaire, le régime lui est essentiellement transféré avec tous les avantages du report de l'impôt.

Deuxièmement, on n'inclut pas dans le revenu de la personne décédée un « remboursement de primes ». Cette notion, qui englobe tout le revenu cumulé, se définit comme suit :

  ▓ toute somme versée au conjoint d'un rentier décédé, à même un REER, même si le conjoint n'était pas expressément désigné à titre de bénéficiaire, ou

▓ si, au moment de son décès, le rentier n'avait pas de conjoint, les sommes versées à ses enfants ou petits-enfants désignés au titre des bénéficiaires, qui étaient des personnes à charge du rentier.

Un conjoint ou un enfant physiquement ou mentalement handicapé peut transférer un remboursement de primes à son propre REER ou FERR, selon la méthode du report d'impôt au cours de l'année du décès du rentier ou dans les 60 jours qui suivent la fin de cette année. De plus, le conjoint ou l'enfant handicapé peut acquérir une rente viagère ou certaine jusqu'à l'âge de 90 ans à même le remboursement de primes. Les autres enfants qui reçoivent un remboursement de primes peuvent bénéficier d'un report d'impôt s'ils utilisent ce montant pour acquérir une rente qui sera échue à l'âge de 18 ans.

Le représentant légal du rentier décédé peut choisir de faire verser le remboursement de primes au conjoint ou, s'il n'y a pas de conjoint, aux personnes à charge admissibles.

Des règles similaires s'appliquent aux FERR. Lorsque le conjoint du rentier décédé est le bénéficiaire, le régime lui est essentiellement transféré, l'imposition est reportée et le conjoint reçoit tous les paiements futurs.

▶ ÉCHÉANCE DE VOTRE REER

**Les décisions à adopter avant l'échéance de votre REER
ne se prendront pas de façon automatique. Vous devez
songer sérieusement à vos objectifs de retraite, au montant
nécessaire pour les atteindre et au moment où vous aurez
besoin de cette somme. Vous devez aussi envisager
l'incidence fiscale des décisions prises à l'approche de
votre retraite. Il importe de comparer attentivement les
choix du revenu de retraite provenant d'un REER.
Vous avez tout intérêt à obtenir les conseils d'un spécialiste
compétent lors de la planification de votre revenu de retraite.**

Choix à l'échéance

Il faut mettre un terme à votre REER au plus tard le 31 décembre de l'année de votre 71e anniversaire. Avant 1986, un rentier devait y mettre un terme à 60 ans. Vous devriez voir à ce que les modalités d'un REER constitué avant 1986 soient modifiées pour permettre une échéance hâtive.

Lorsqu'on dit qu'un REER vient à échéance, on veut simplement dire que le rentier prend des dispositions pour commencer à toucher un revenu de retraite à même les fonds cumulés dans son REER. Dans le cas de certains REER du type assurance, il s'agit simplement de la date à laquelle vous commencez à recevoir le revenu convenu du REER.

Les REER autres que ceux du type assurance comportent essentiellement trois choix à l'échéance : premièrement, vous pouvez recevoir une rente, dont il existe plusieurs formes. En second lieu, vous pouvez transférer le montant cumulatif de votre REER dans un FERR et en retirer un revenu de retraite périodique. Enfin, vous pouvez simplement mettre fin au REER et recevoir un paiement forfaitaire duquel l'émetteur aura prélevé l'impôt y afférent.

Vous pouvez choisir une ou plusieurs de ces options et détenir autant de rentes et de FERR différents que vous désirez. Cette souplesse vous permet de prévoir le type de revenu de retraite qui saura répondre à vos besoins financiers. Vous pouvez ainsi envisager de mettre fin à une partie de vos REER cumulés afin de financer certaines dépenses prévues dès le début de votre retraite, par exemple un long voyage, bien que le FERR permette aussi de réaliser cet objectif. Vous voudrez vraisemblablement vous protéger de l'inflation en transférant une partie des fonds provenant de vos REER à un FERR, à une rente indexée ou aux deux.

Les REER restent particulièrement souples, même après que vous avez arrêté votre choix sur un revenu de retraite, car vous pouvez passer d'une option à une autre sans trop de contraintes. Ainsi, vous pouvez transférer un FERR à un autre émetteur afin d'obtenir un meilleur rendement. Vous pouvez aussi détenir autant de FERR que vous voulez et retirer n'importe quelle somme d'un FERR à tout moment, à la condition d'en retirer un minimum chaque année. Selon les dispositions du contrat, vous pouvez également faire racheter une rente, auquel cas la valeur de rachat devient imposable. En revanche, les sommes retirées d'un FERR au-delà du minimum stipulé et la valeur d'une rente rachetée peuvent être directement transférées, sans conséquence fiscale immédiate, à d'autres rentes ou à un FERR, et même à un REER, si vous avez moins de 72 ans. Il se peut aussi que vous puissiez faire l'acquisition, auprès de certaines sociétés d'assurances, d'une rente viagère qui prévoit des versements plus importants si vous prouvez que votre espérance de vie est considérablement inférieure à la norme.

Vous n'êtes aucunement tenu d'acquérir une rente ou un FERR de l'émetteur de votre REER. Comparez les taux offerts en tenant compte des options que vous préférez avant de fixer votre choix ; pensez à consulter un courtier en rentes ou un autre conseiller professionnel afin qu'il recherche les meilleurs rendements et qu'il s'occupe des modalités en votre nom.

Il est extrêmement important de ne pas attendre à la dernière minute, c'est-à-dire au 31 décembre de l'année de votre 71e anniversaire, pour planifier l'échéance de votre REER. Au-delà de ce délai, tous les fonds cumulés dans votre REER sont incorporés dans votre revenu de l'année qui suit celle de votre 71e anniversaire, et vous ne disposez d'aucun moyen pour corriger cet oubli.

Échéance hâtive

Le choix d'une échéance hâtive pour votre REER, c'est-à-dire le fait de recevoir un revenu de retraite plus tôt que prévu, peut s'avérer coûteux en ce qui concerne la diminution du revenu.

Si vous avez 65 ans ou plus, le revenu de retraite provenant d'un REER est admissible au crédit d'impôt fédéral pour revenu de pension (voir le chapitre 5).

> **Essayez de retarder le moment de toucher un revenu
> de retraite à même votre REER jusqu'à ce que vous en ayez
> absolument besoin ; vous avez intérêt à retirer seulement
> une partie de vos fonds cumulés dans le REER
> à une date précise.**

Rentes provenant d'un REER

Il existe deux grands types de rentes : les rentes viagères et les rentes certaines. D'une part, en vertu d'une rente viagère, vous devez toucher des paiements périodiques au moins une fois l'an, et ce jusqu'à votre décès. Le montant du paiement est fondé sur l'espérance de vie moyenne pour votre catégorie d'âge et sur les taux d'intérêt du moment, entre autres facteurs. D'autre part, les rentes certaines au titre d'un REER sont payables jusqu'à ce que vous ayez 90 ans ou jusqu'à ce que votre conjoint ait atteint 90 ans. Les paiements, fondés pour l'essentiel sur les taux d'intérêt du moment, cessent après votre 90e année.

Le tableau ci-dessous présente le revenu mensuel que procure un placement de 50 000 $, selon diverses méthodes de placement et à divers âges. Les chiffres proviennent de Polson MacStephen, courtiers en rentes et FERR.

Le premier versement du revenu mensuel est effectué un mois après la date d'achat. Les chiffres sont appelés à varier selon les fluctuations des taux d'intérêt ; ils correspondent à une moyenne des régimes ayant les meilleurs taux d'intérêt en octobre 1992.

ÂGE À L'ACHAT	RENTE VIAGÈRE SUR LA VIE D'UNE SEULE PERSONNE (PÉRIODE GARANTIE DE 10 ANS)		RENTE VIAGÈRE SUR LA VIE DES DEUX CONJOINTS (PÉRIODE GARANTIE DE 10 ANS)	RENTE CERTAINE JUSQU'À 90 ANS (PÉRIODE GARANTIE DE 10 ANS)	FERR JUSQU'À 90 ANS RENTE DE LA PREMIÈRE ANNÉE SEULEMENT
	Homme	Femme	Homme & Femme	Homme ou Femme	Versement minimum
60	412 $	391 $	373 $	370 $	140 $
61	417 $	394 $	376 $	372 $	145 $
62	423 $	398 $	379 $	375 $	150 $
63	428 $	402 $	382 $	378 $	155 $
64	434 $	407 $	386 $	381 $	161 $
65	440 $	413 $	389 $	386 $	168 $
66	447 $	418 $	394 $	391 $	175 $
67	454 $	425 $	398 $	397 $	182 $
68	461 $	432 $	404 $	403 $	191 $
69	468 $	440 $	410 $	405 $	200 $
70	476 $	447 $	417 $	418 $	210 $
71	483 $	455 $	424 $	426 $	221 $

**Au moment d'analyser les possibilités de revenu
de retraite, n'oubliez pas que les paiements versés
durant les premières années de la retraite sont beaucoup
moins généreux pour les rentes indexées
que pour les rentes à paiements égaux,
mais ils deviennent plus généreux par la suite.
Il est extrêmement important de procéder à une évaluation
minutieuse de vos besoins en revenu à long terme
avant d'opter pour l'une ou l'autre de ces possibilités.**

Fonds enregistrés de revenu de retraite (FERR)

Les FERR comportent un certain nombre d'avantages sur les rentes :

- On peut mieux y contrôler le facteur de protection contre l'inflation qu'avec une rente indexée, étant donné que la valeur du paiement annuel est très variable.

- Vous pouvez aisément répondre aux besoins ponctuels de revenu qui surgissent au cours d'une année donnée, car vous avez la faculté de retirer n'importe quel montant d'un FERR à tout moment.

- Vous exercez un contrôle des placements effectués dans le cadre du FERR, productifs de revenu de retraite. (Bien entendu, des fonds investis dans votre FERR peuvent être dilapidés si vous faites de mauvais placements ou des placements risqués.)

- Vos ayants droit en profitent, en ce sens que des montants appréciables peuvent être conservés dans le FERR, surtout durant les premières années de son existence.

- Vous pouvez convertir des montants d'un FERR en une rente viagère à tout moment ; cette conversion est irréversible sauf si vous êtes âgé de moins de 71 ans et que la rente viagère provient d'un REER.

Le FERR ressemble au REER. Les fonds y sont investis par l'émetteur ou par le titulaire même (FERR autogéré). Divers types de fonds peuvent détenir différents types de placements admissibles, semblables dans l'ensemble à ceux qui sont autorisés pour les REER. Tous les capitaux investis dans un FERR restent à l'abri de l'impôt jusqu'à ce qu'ils soient versés, et le rendement des placements influe sur la valeur globale du régime.

Afin de recourir à un FERR, les fonds de votre REER doivent y être transférés directement au plus tard le 31 décembre de l'année de votre 71e anniversaire. Vous pouvez détenir le nombre de FERR que vous voulez, et les fonds d'un nombre illimité de REER peuvent y être transférés. Un FERR peut être transféré directement d'un émetteur à un autre si vous êtes insatisfait de son rendement, et vous pouvez acquérir une rente à même le produit d'un FERR. Vous pouvez aussi détenir un FERR autogéré et prendre vos propres décisions en matière de placement, ou faire appel à des spécialistes de la gestion financière en plaçant vos capitaux de FERR dans divers types de fonds de placement.

Un montant minimum doit être versé chaque année au rentier à même chaque FERR, puis inclus dans son revenu imposable. *À la suite du budget fédéral de 1992, les règles ont été modifiées pour permettre d'étaler les retraits du FERR pendant la durée de vie restante du titulaire (ou de son conjoint), plutôt que ces derniers prennent fin à l'âge de 90 ans.* Le tableau de la page suivante établit une comparaison entre les nouveaux taux de pourcentage de retrait minimum et ceux permis en vertu des anciennes règles.

Les nouvelles règles s'appliquent à tous les FERR auxquels les fonds sont transférés après 1992. Pour la plupart des FERR acquis avant la fin de 1992 (FERR admissibles), les pourcentages de paiement minimum existants continueront de s'appliquer pour les particuliers dont l'âge va jusqu'à 77 ans. Cependant, les pourcentages inférieurs de paiement minimum pour les particuliers âgés de plus de 78 ans s'appliqueront à tous les FERR, peu importe la date d'acquisition.

Vous pouvez retirer n'importe quelle somme d'un ou de plusieurs FERR à quelque moment que ce soit pourvu que vous retiriez au moins le montant minimum de chaque FERR chaque année. Par contre, si vous en retirez des sommes importantes, vous réduisez la valeur des paiements à recevoir au cours des années futures. Une retenue fiscale s'applique à l'excédent du retrait sur le montant minimum que vous devez retirer au cours de l'année. Cette retenue devient un crédit à faire valoir sur votre impôt à payer pour l'année en question.

Presque tous les particuliers devraient envisager un investissement d'au moins une partie de leurs REER dans un FERR au moment de la retraite, en raison de la souplesse des régimes.

RETRAIT MINIMUM ANNUEL (% DE L'ACTIF DU FERR)

ÂGE	ANCIENNES RÈGLES[1] %	NOUVELLES RÈGLES (%) GÉNÉRALES	FERR ADMISSIBLES
71	5,26	7,38	5,26
72	5,56	7,48	5,56
73	5,88	7,59	5,88
74	6,25	7,71	6,25
75	6,67	7,85	6,67
76	7,14	7,99	7,14
77	7,69	8,15	7,69
78	8,33	8,33	8,33
79	9,09	8,53	8,53
80	10,00	8,75	8,75
81	11,11	8,99	8,99
82	12,50	9,27	9,27
83	14,29	9,58	9,58
84	16,67	9,93	9,93
85	20,00	10,33	10,33
86	25,00	10,79	10,79
87	33,33	11,33	11,33
88	50,00	11,96	11,96
89	100,00	12,71	12,71
90	S/O	13,62	13,62
91	S/O	14,73	14,73
92	S/O	16,12	16,12
93	S/O	17,92	17,92
94 ou plus	S/O	20,00	20,00

Le conjoint survivant d'un rentier du FERR qui est décédé après 1990 est désigné comme le « rentier » de ce fonds pourvu que les parties aient convenu au préalable de la continuité des versements, ou que le représentant juridique du premier rentier donne son consentement et que l'émetteur du fonds s'engage à effectuer les versements au conjoint survivant. Les paiements au titre du FERR continueront alors de lui être versés et seront imposables entre ses mains seulement à mesure qu'ils seront reçus.

---

(1) Les facteurs dans cette colonne correspondent à 1/(90-X), X étant égal à l'âge du rentier ou de son conjoint, selon le cas.

Encaissement du REER
en un seul paiement

Pour de nombreux contribuables, il faut à tout prix éviter cette troisième option en raison de ses incidences fiscales. En effet, si vous mettez fin à un REER, vous devez ajouter la valeur totale de votre retrait à votre revenu de l'année en cause, et payer l'impôt correspondant, souvent au taux d'imposition maximal des particuliers. L'émetteur doit procéder à une retenue fiscale lorsque vous mettez fin à un REER. Les taux de retenue figurent sous la rubrique ci-dessus intitulée « Retraits d'un REER ». L'impôt retenu ne représente pas votre charge fiscale réelle ; il ne constitue qu'un acompte sur l'impôt que vous aurez éventuellement à payer.

Si vous envisagez de quitter le pays au moment de votre retraite et ainsi devenir non-résident du Canada, vous pouvez réduire votre impôt canadien en établissant d'abord votre statut de non-résident, puis en mettant fin à votre REER. Une retenue d'impôt des non-résidents s'appliquera aux fonds retirés de votre REER, mais elle sera vraisemblablement effectuée à un taux inférieur à ceux qui sont exposés ci-dessus pour les résidents du Canada, surtout si vous élisez domicile dans un pays avec lequel le Canada a conclu une convention fiscale prévoyant un taux de retenue réduit.

Il n'existe pas de retenue d'impôt provincial des non-résidents lorsque vous encaissez votre REER après avoir cessé d'être résident canadien. Votre fardeau fiscal est ainsi réduit de beaucoup.

Si vous conservez votre statut de résident du Canada et que vous désirez vous servir des fonds investis dans vos REER en réduisant votre fardeau fiscal, songez à étaler votre revenu en mettant fin à vos REER sur plusieurs années. Par contre, avec seulement trois tranches d'imposition, le taux maximum d'impôt est difficilement inévitable. En conséquence, un grand nombre de contribuables ne réalisent pas d'économie d'impôt en mettant fin à leur REER sur plusieurs années.

En plus de payer l'impôt à un taux marginal élevé lorsque vous mettez fin à un REER, vous perdez également le report d'impôt toujours mis à votre disposition par le REER, un FERR ou même par une rente. Ce facteur ne préoccupe pas un particulier mettant fin à son REER pour répondre à des besoins financiers pressants.

Le fait de mettre un terme à un REER offre l'avantage de vous permettre de disposer des capitaux voulus pour répondre à vos besoins dès les premières années de votre retraite. Par ailleurs, le coût fiscal n'est pas forcément exorbitant si vous avez moins de 71 ans et que vous ne mettez pas fin à vos autres REER avant d'en avoir absolument besoin. Par contre, vous pouvez obtenir un résultat semblable par l'entremise d'un FERR, peut-être à moindre coût et, généralement, avec plus de facilité.

CHAPITRE 7
L'investissement à long terme

Assurez-vous que vos placements génèrent
un gain en capital lors de leur disposition et
non du revenu ordinaire.

■

L'utilisation d'une société de portefeuille pour détenir
vos placements est-elle avantageuse ?

■

Avez-vous calculé l'impact des pertes nettes cumulatives
sur placements à l'égard de l'exemption
pour gains en capital ?

■

Réduisez l'impact des pertes nettes cumulatives
sur placements en recevant certains revenus de dividendes
ou d'intérêts de votre société.

■

Avez-vous accumulé des pertes au titre
d'un placememt d'entreprise ?

■

Réclamez une réserve à l'égard du produit de disposition
non exigible lors de la vente de biens.

Exemption de 100 000 $ pour gains en capital

Cette exemption s'applique à l'ensemble des biens en immobilisations des particuliers résidant au Canada, y compris les biens étrangers et elle est cumulative sur la durée de la vie du contribuable jusqu'à concurrence de 100 000 $ de gains en capital. **L'exemption s'applique aux gains en capital imposables réalisés pendant l'année, déduction faite des pertes en capital déductibles de l'année et des reports de pertes des années antérieures** (les trois quarts d'une perte en capital sont déductibles). Il n'est plus permis de déduire jusqu'à 2 000 $ (1 000 $ au Québec) de pertes en capital admissibles à l'encontre d'autres sources de revenu, sauf à l'égard des pertes matérialisées avant le 23 mai 1985 et reportées prospectivement. Toutefois, la déduction d'une perte réduit le montant admissible à l'exemption pour gains en capital. L'exemption est également diminuée du montant de toute perte déductible au titre d'un placement d'entreprise réclamée après 1984 ainsi que de toute perte nette cumulative sur placements (décrite ci-après).

Il n'est pas nécessaire de se prévaloir de l'exemption maximale au cours d'une année donnée. Toutefois, tout gain en capital doit être mentionné dans votre déclaration de revenus de l'année au cours de laquelle le gain est réalisé, sinon aucune exemption ne pourra être demandée. L'exemption doit être demandée à l'aide du formulaire T657 (TP235 au Québec).

Un gain découlant de la disposition de la résidence principale d'un contribuable est exempt d'impôt et n'est pas inclus dans l'exemption de 100 000 $. (Voir le chapitre 2). Comme nous le verrons plus tard, les gains sur les biens immobiliers que vous détenez, autres que votre résidence principale, ne seront probablement pas complètement à l'abri de l'impôt avec votre exemption des gains en capital. En vertu de règles spéciales, une exemption supplémentaire de 400 000 $ (soit 500 000 $ au total), cumulative à vie, s'applique à l'égard des biens agricoles admissibles et des actions admissibles de sociétés exploitant une petite entreprise. De même, une tranche du gain réalisé sur des options d'achat d'actions de corporations privées dont le contrôle est canadien peut ne pas être admissible à l'exemption (Voir le chapitre 2).

Planification en vue de bénéficier de l'exemption de 100 000 $

L'exemption cumulative à vie a été plafonnée à un gain en capital net de 100 000 $ au lieu de 500 000 $ comme le prévoyait le plan d'origine (sauf pour les biens agricoles admissibles et les actions admissibles de sociétés exploitant une petite entreprise). En 1988 et 1989, la fraction des gains en capital à inclure dans le revenu correspondait aux deux tiers des gains en capital nets (elle était de la moitié en 1987) alors qu'après 1989 elle correspond aux trois quarts. Par conséquent, pour chaque tranche de 100 $ de gain en capital net, un montant de 75 $ est maintenant inclus dans le revenu. Vous pouvez ensuite utiliser votre exemption pour gains en capital afin de ne pas être imposé sur les montants de gains en capital inclus par ailleurs dans votre revenu. L'incidence du taux d'inclusion et de l'exemption fait en sorte que des gains en capital imposables de 75 000 $ réalisés en 1990 et les années subséquentes peuvent être absorbés par l'exemption (moins les montants d'exemption déjà utilisés).

Avant de réaliser des gains en capital, vous devriez tenter de déterminer les conséquences possibles de l'impôt minimum de remplacement sur votre situation fiscale. En effet, lors du calcul de cet impôt, la fraction non imposable des gains (soit le quart) est incluse dans le revenu, et vous pourriez ainsi devoir verser un certain montant d'impôt sur vos gains. Toutefois le montant d'impôt minimum de remplacement payé dans une année peut être reporté au cours des sept prochaines années et déduit de votre charge fiscale normale qui excède tout montant d'impôt minimum de remplacement pour ces années subséquentes.

« Cristallisation » de l'exemption

Vous désirez peut-être réaliser maintenant des gains en capital si vous croyez que le gouvernement abolira ou réduira l'exemption pour gains en capital. L'utilisation de votre exemption résultera en une réduction de l'impôt à verser lors d'une vente subséquente. Vous pouvez cristalliser votre exemption sans vous départir d'un bien en faveur d'une tierce personne non liée. À titre d'exemple, une vente à un membre de la famille ou à une société de portefeuille peut, si elle est structurée adéquatement, permettre la cristallisation de l'exemption.

Comment multiplier l'exemption

De nombreuses familles canadiennes bénéficient au cours de leur vie de gains en capital supérieurs à 100 000 $, qui sont souvent réalisés par un seul des conjoints. Il serait préférable que chaque conjoint puisse investir une part suffisante de son revenu dans des placements lui permettant de réaliser des gains en capital aptes à lui faire profiter au maximum de l'exemption de 100 000 $. Pour y arriver, le conjoint dont le revenu est inférieur devrait investir pour optimiser son gain en capital, tandis que celui qui a un revenu plus élevé devrait assumer une plus grande part des dépenses du ménage. Mais n'oubliez pas que depuis le renforcement des règles d'attribution du revenu (se reporter au chapitre 4), il est très difficile de faire réaliser par votre conjoint des gains en capital qui sont en fait les vôtres.

Les gains en capital que vos enfants réalisent sur les biens en immobilisations que vous leur avez transférés ne vous sont pas attribués. De tels transferts sont présumés effectués à la juste valeur marchande, sauf en ce qui concerne certains biens agricoles ; vous devez donc inclure dans votre revenu tout gain, ou toute perte, cumulé au moment du transfert. Cependant, les gains ultérieurs seront attribués à l'enfant.

Gains en capital relatifs à une société de portefeuille

Étant donné que l'exemption concernant les gains en capital n'est offerte qu'aux particuliers, si vous détenez vos placements par l'intermédiaire d'une société de portefeuille, vous ne pouvez pas profiter de l'exemption lorsque votre société vend des titres. Vous y aurez droit seulement lorsque vous vendrez vos actions de la société de portefeuille. Il est souvent préférable de détenir des actions à titre personnel plutôt que par l'intermédiaire d'une société de portefeuille. Si les gains cumulés de la société sont peu élevés, vous auriez intérêt à la liquider le plus tôt possible afin que les gains futurs vous soient attribués directement. Par contre, si les gains de la société sont considérables, certains mécanismes peuvent peut-être vous permettre de bénéficier de l'exemption de 100 000 $.

Biens agricoles

Le report de gains en capital réalisé sur le transfert de biens agricoles à un enfant n'est aucunement touché par l'exemption pour gains en capital. Par contre, il peut être plus avantageux de vendre les biens en question à vos enfants et de vous prévaloir de l'exemption de 500 000 $. Une autre solution consiste à vous prévaloir d'une exemption de 400 000 $ lors du transfert de biens agricoles et à conserver le solde de 100 000 $ d'exemption afin de pouvoir le réclamer à l'égard de gains en capital réalisés lors de la vente d'autres biens. À ce jour, la disposition de biens agricoles en faveur d'un enfant exige une planification soignée en vue de profiter du traitement fiscal le plus avantageux.

Choix visant la disposition de titres canadiens

Compte tenu de l'exemption de 100 000 $ pour gains en capital, vous pouvez vouloir vous assurer que tous vos gains sont considérés comme des gains en capital et non un revenu. Vous pouvez choisir de traiter comme des gains et des pertes en capital l'ensemble de vos gains et de vos pertes découlant de la disposition de titres canadiens, sous réserve de certaines exceptions. Les courtiers en valeurs mobilières et les non-résidents, entre autres, ne sont pas autorisés à effectuer un tel choix. Vous devez indiquer votre choix sur le formulaire prescrit et votre décision s'appliquera à toutes vos opérations futures sur des titres canadiens admissibles.

Pesez le pour et le contre avant de vous prévaloir de ce choix. Si vous décidez de traiter tous ces biens comme des biens en immobilisations, vous serez peut-être dans l'impossibilité de réclamer certaines dépenses rattachées à la détention de ces biens, comme les intérêts sur les emprunts qui ont servi à les acquérir. En outre, un tel choix signifie automatiquement que les pertes subies par l'aliénation de ces biens sont des pertes en capital. La déductibilité des pertes est restreinte puisqu'elle ne peut être appliquée qu'à l'encontre des gains en capital.

L'inclusion de 75 % du gain en capital dans le revenu fait en sorte que l'avantage de réaliser un gain en capital au lieu d'un revenu ordinaire est maintenant sensiblement réduit, sauf si le gain peut bénéficier de l'exemption à vie. Par conséquent, vous devez examiner votre situation à long terme avant de faire un tel choix.

Biens immobiliers américains

Les gains en capital découlant de la vente de biens immobiliers américains sont admissibles à l'exemption de 100 000 $ sur les gains en capital, sous réserve des nouvelles restrictions mentionnées ci-dessous à l'égard de l'exemption. Si le bien est une propriété de villégiature, il peut aussi se qualifier à l'exemption au titre de résidence principale en ce qui concerne l'impôt canadien. Toutefois, bien que les gains en capital réalisés par un résident canadien soient généralement exemptés de l'impôt américain en vertu de la convention fiscale entre le Canada et les États-Unis, les dispositions de biens immobiliers ultérieures à 1985 pourraient être imposables aux États-Unis conformément au Foreign Investment in Real Property Tax Act (FIRPTA).

Lorsque le gain provenant de la disposition d'un bien américain est imposé aux États-Unis, vous pouvez vous prévaloir d'un crédit pour impôt étranger au Canada, et ce, jusqu'à concurrence du montant d'impôt canadien que vous auriez dû verser autrement. Essentiellement, le crédit pour impôt étranger devrait supprimer tout impôt canadien sur le gain. En général, il n'est par conséquent pas profitable d'utiliser votre exemption à vie ou votre exemption au titre de résidence principale pour gains en capital afin de compenser pour l'impôt sur les gains réalisés aux États-Unis provenant de biens immeubles, puisque les gains ne seront probablement pas soumis à un impôt canadien important.

▶ NOUVELLES RESTRICTIONS À L'ÉGARD DE L'EXEMPTION POUR GAINS EN CAPITAL

Est-ce que vous prévoyez vendre ou léguer votre résidence secondaire ou un autre bien immobilier à vos enfants et mettre le total de vos gains en capital à l'abri de l'impôt en vertu de l'exonération cumulative des gains en capital ? Et bien, vous devrez y penser à deux fois ! En effet, aux termes du budget fédéral présenté en 1992, vous devrez dorénavant partager une partie de votre gain en capital avec le fisc.

Le gouvernement cherche de toute évidence à encourager les placements en actions en supprimant l'exonération cumulative de 100 000 $ des gains en capital pour certains biens immobiliers acquis après février 1992 et en limitant son utilisation à l'égard de certains biens immobiliers acquis avant mars 1992.

La nouvelle règle ne s'applique pas aux immeubles utilisés dans une entreprise exploitée activement. Par conséquent, si vous êtes un commerçant et que vous vendez l'immeuble qui est utilisé principalement dans le cadre de votre entreprise, la totalité du gain en capital réalisé sera admissible à l'exonération cumulative des gains en capital. De plus, la règle ne touche pas l'exonération de 500 000 $ pour actions de petites entreprises et pour biens agricoles admissibles, pas plus qu'elle ne modifie l'exemption des gains en capital pour la résidence principale.

De même, la nouvelle règle ne vous concerne pas si vous avez déjà utilisé au complet votre exonération cumulative ; cependant, si vous disposez toujours de la totalité ou d'une partie de cette exonération, vous devez connaître le fonctionnement des nouvelles règles.

Le bien type touché par la nouvelle règle sera la résidence secondaire acquise par un particulier, c'est-à-dire un chalet, une maison à la campagne ou un immeuble à revenus.

Si vous avez fait l'acquisition d'une résidence secondaire le 1er mars 1992 ou après cette date, vous ne pourrez mettre à l'abri de l'impôt aucune tranche du gain en capital qui sera réalisé ultérieurement sur cette propriété en vertu de votre exonération cumulative de 100 000 $.

Si vous avez acquis le bien avant le 1er mars 1992 et que vous réalisez le gain en capital à cette date ou ultérieurement, vous pourrez, en vertu d'une règle transitoire spéciale, protéger une partie de vos gains en vertu de l'exonération cumulative, en fonction du nombre de mois écoulés depuis la détention du bien après 1971 et avant mars 1992. La nouvelle règle ne fait pas appel au concept du jour de l'évaluation. En fait, la valeur marchande d'un bien en date du budget fédéral du 25 février 1992 n'est pas pertinente dans le calcul de la tranche d'un gain en capital réalisé après février 1992 et qui est admissible à l'exonération cumulative. La formule d'exonération est arbitraire et aura des incidences fiscales injustes dans plusieurs cas.

En voici le fonctionnement. Supposons que vous avez versé 100 000 $ pour acheter un chalet en mars 1989. Sa juste valeur marchande à la fin de février 1992 s'élevait à 150 000 $; depuis, la valeur du chalet est demeurée stable et vous le vendez 150 000 $ en avril 1993. Comme le tableau l'indique, une partie du gain en capital de 50 000 $ n'est pas admissible à l'exonération cumulative même si le gain total accumulé l'était déjà à la fin de février 1992.

Nombre de mois de détention jusqu'en février 1992	36
Nombre de mois de détention jusqu'à la date de vente	50
Pourcentage d'exonération	72 %
Gain en capital	50 000 $
Gain en capital admissible à l'exonération	(36 000 $)
Gain en capital assujetti à l'impôt	14 000 $

Le calcul fait en sorte que chaque mois additionnel de détention après février 1992 réduit la fraction exempte d'impôt du gain en capital.

Votre plan d'action

Les règles fiscales touchant votre résidence secondaire peuvent souvent être étonnamment complexes, mais il est important de comprendre comment elles peuvent s'appliquer dans votre cas. Des milliers de Canadiens possèdent une résidence secondaire dont la valeur s'accroît. En raison des changements apportés en 1981 aux règles touchant les résidences principales (voir le chapitre 2) et compte tenu du budget fédéral de 1992 qui modifie la règle d'exonération cumulative, des gains en capital imposables seront réalisés lorsque ces biens seront vendus ou transférés, à moins que des mesures ne soient prises immédiatement pour modifier le mode de propriété.

Par exemple, vous pouvez décider de transférer maintenant le titre de propriété de votre résidence secondaire à un ou plusieurs de vos enfants ou à votre conjoint, ce qui aura pour résultat une disposition dans l'année courante, à la juste valeur marchande pour l'usage fiscal. Vous pourriez également effectuer un transfert partiel à vos enfants afin de minimiser votre facture d'impôt. Vous pouvez aussi avoir recours à une fiducie pour assumer la propriété de votre bien de façon à ce que l'augmentation de valeur ultérieure du bien s'accumule au profit de vos enfants qui seraient bénéficiaires de la fiducie.

Si l'utilisation d'une fiducie est retenue, vous aurez à renoncer à la détention et à la propriété de la résidence secondaire qui sera détenue par la fiducie si vous voulez utiliser votre exemption de 100 000 $. En tant que fiduciaire, vous serez responsable de la gestion et du fonctionnement de la fiducie et pourrez y transférer les sommes nécessaires pour couvrir le paiement des taxes et impôts, de l'assurance, des créances hypothécaires, etc. Il serait sage d'obtenir les conseils d'un avocat ou d'un notaire avant de constituer une fiducie pour la détention d'une résidence secondaire.

Il ne sera peut-être pas facile de prendre une décision concernant votre résidence secondaire. Outre toutes les considérations habituelles qui ne sont pas d'ordre fiscal, il existe de nombreux facteurs qui devront être pris en considération pour évaluer votre situation fiscale, notamment :

- la valeur marchande au 31 décembre 1971 des biens acquis avant 1972 ;
- la valeur marchande au 31 décembre 1981 des biens acquis avant 1982 ;
- la détention de la propriété du bien (p. ex., mari, femme ou propriété conjointe) ;
- la juste valeur marchande actuelle ;
- le mois et l'année pendant lesquels le bien sera vraisemblablement vendu ;
- l'ampleur du gain réalisé sur la résidence secondaire ;
- l'applicabilité éventuelle des règles d'attribution des gains en capital si un conjoint avait acquis le bien au moyen de fonds fournis par l'autre conjoint, ou si un conjoint avait transféré précédemment le titre de propriété du bien à l'autre conjoint ;

▨ la disponibilité de l'exonération cumulative de 100 000 $ des gains en capital et son utilisation restreinte ou non en raison d'une perte nette cumulative sur placement.

Il va de soi que chaque cas est unique et qu'il faut tenir compte de nombreux facteurs qui ne sont pas de nature fiscale, comme les incidences au chapitre du droit de la famille qui peuvent résulter du transfert du titre de propriété d'une résidence secondaire à d'autres membres de la famille ou à une fiducie. Dans la plupart des cas cependant, vous voudrez aussi probablement minimiser vos gains en capital. À cette fin, nous vous recommandons d'obtenir les conseils d'un spécialiste avant d'agir.

Gains et pertes en capital

Les remarques suivantes concernent tous les contribuables, mais plus particulièrement ceux qui seront imposés sur leurs gains en capital ou qui ont subi des pertes en capital.

Les pertes en capital déductibles autres que les « pertes au titre d'un placement d'entreprise » (voir ci-dessous) annulent les gains en capital imposables de l'année. Les pertes inutilisées peuvent être reportées sur les trois années antérieures ou indéfiniment pour annuler les gains en capital sur les années ultérieures. Vous pouvez désormais choisir l'année au cours de laquelle des pertes reportées peuvent être réclamées ainsi que le montant des pertes réclamées. Cela permet de réclamer en premier lieu les déductions et les crédits qui ne peuvent être reportés à une autre année, comme le crédit d'impôt pour dividendes.

Une perte sur transfert de biens à une société contrôlée par vous ou par votre conjoint est reportée jusqu'à la vente des actions que vous détenez dans la société. Une perte sur transfert de biens à votre REER, votre FERR ou au REER de votre conjoint est entièrement refusée. Vous devriez ainsi songer à vendre les biens et à subir la perte et, ensuite, à transférer ou à investir de nouveau le produit, en prenant soin d'éviter les règles relatives aux pertes apparentes (voir ci-dessous).

Date de règlement

Le moment de la disposition de titres par l'intermédiaire d'un courtier a lieu ordinairement au « jour de livraison », soit cinq jours ouvrables après la date où l'ordre de vente a été donné en ce qui concerne les Bourses canadiennes. En conséquence, pour qu'elle soit considérée réalisée en 1992, l'opération doit avoir lieu au plus tard le 22 décembre. Toutefois, vous avez jusqu'au 31 décembre 1992 s'il s'agit d'une vente au comptant, c'est-à-dire lorsque le paiement et la remise des certificats d'actions s'effectuent immédiatement.

Perte apparente

Vous ne pouvez pas déduire une perte en capital sur un bien que vous avez en fait l'intention de conserver. Cette règle s'applique également lors de l'acquisition d'un tel bien par votre conjoint ou par une société que vous contrôlez. Ainsi, lorsqu'un bien est vendu à perte, que le même bien ou un bien identique est acheté dans une période de 30 jours précédant ou suivant la vente, et que ce bien est toujours détenu 30 jours après la première vente, il en résulte une perte apparente. L'acquéreur est tenu d'ajouter le montant de la perte au prix de base du bien et le vendeur se voit refuser la perte en question. Cette règle ne s'applique pas si le bien est acheté par vos enfants ou vos parents.

Par exemple, supposons que vous possédez un bien ayant coûté 3 000 $, que vous le vendez 1 000 $ et que vous achetez un bien identique à 1 100 $ dans les 30 jours qui précèdent ou suivent la vente. Si vous détenez toujours le bien en question 31 jours après la disposition, vous ne pouvez déduire la perte de 2 000 $. Toutefois, cette perte vient s'ajouter au prix de base du bien racheté, et le prix de base du nouveau bien est de 3 100 $.

Si le bien est racheté après 30 jours, la règle ne s'applique pas. Ainsi, dans l'exemple que nous venons de donner, la perte en capital atteindrait 2 000 $ et le prix de base du nouveau bien ne serait que de 1 100 $.

Biens identiques

Les biens en immobilisations d'un même genre sont assujettis à des règles spéciales portant sur les « biens identiques ». Les actions d'une même catégorie ou les obligations ayant presque les mêmes caractéristiques émises par la même société constituent des « biens identiques ». Ces éléments d'actif sont « groupés » et perdent leur identité propre.

Si, en 1992, vous achetez 200 actions à 8 $ chacune et que, par la suite, vous achetez 100 autres actions identiques à 11 $ chacune, le coût présumé de ces actions sera, pour l'usage fiscal, de 9 $ l'action (2 700 $ / 300). Si vous vendez le lendemain les 100 actions achetées à 11 $ chacune au même prix que vous les avez payées, vous réaliserez alors un gain en capital de 2 $ par action ; la fraction imposable de ce gain que vous devrez inclure dans votre revenu de 1992 s'élèvera donc à 150 $ (200 $ × 3/4).

Si vous déteniez des biens identiques à la fin de 1971 et que vous avez fait ultérieurement d'autres acquisitions (une situation qui se présente fréquemment lorsque les options d'achat d'actions sont exercées régulièrement), les choses se compliquent. Les biens détenus à la fin de 1971 font partie d'un groupe distinct de ceux qui ont été acquis ultérieurement. Par conséquent, les formules pour calculer leur prix de base sont différentes. On considère générale- ment que les biens antérieurs à 1972 ont été vendus avant les biens postérieurs à 1971.

Pertes nettes cumulatives sur placements (PNCP)

Depuis 1988, les pertes nettes cumulatives sur placements rédui- sent les gains en capital nets admissibles à l'exemption à vie pour gains en capital. Une telle perte nette cumulative à la fin d'une année donnée correspond essentiellement à l'excédent de vos frais de placement cumulés sur votre revenu de placement cumulé.

Que vos gains en capital soient admissibles ou non à l'exemp- tion, vous pouvez continuer à déduire les intérêts versés sur les fonds empruntés à des fins de placement. Les règles sur les per- tes nettes cumulatives sur placements ne visent que le calcul de l'exemption pour gains en capital. Elles ne vous concernent pas si vous avez déjà épuisé votre exemption.

Vos frais de placement pour une année se composent essentiellement des éléments suivants, qui sont déduits dans le calcul de votre revenu pour l'année 1988 et les années d'imposition ultérieures :

■ Déductions demandées à l'égard d'un bien qui sert à gagner des intérêts, des dividendes, un loyer ou un autre revenu tiré de biens ; ces déductions comprennent les intérêts, la location de coffres de sûreté, la déduction pour amortissement, etc.

■ Frais financiers, intérêts compris, relatifs à une participation ou un apport de capital dans une société en commandite (à moins que vous soyez le commandité) ou toute autre société de personnes dans laquelle vous ne jouez pas un rôle actif (à moins que vous exploitiez le même genre d'entreprise).

■ Quote-part de la perte (sauf les pertes en capital déductibles) d'une société de personnes du genre décrit ci-dessus.

■ Cinquante pour cent de la quote-part des déductions attribuées à une action accréditive relative aux ressources ou à des frais d'exploration au Canada ou autres frais relatifs aux ressources d'une société de personnes dans laquelle vous ne jouez pas un rôle actif.

■ Toute perte de l'année découlant d'un bien ou de la location ou du crédit-bail de biens immobiliers (y compris les immeubles résidentiels à logements multiples) qui sont votre propriété ou celle d'une société de personnes, qui n'est pas incluse ailleurs dans les frais de placement énumérés ci-dessus. Toutefois, la déduction pour amortissement (DPA) réclamée avant 1989 à l'égard de la production d'un long métrage portant visa n'est pas comprise dans les dépenses de placement pour une année.

■ Montant des gains en capital imposables nets qui ne sont pas admissibles à l'exemption des gains en capital (p. ex. une fraction des gains réalisés à la disposition d'une résidence secondaire ou d'un autre bien immeuble que vous possédez en sus de votre résidence principale) qui sont réduits par les pertes en capital nettes des autres années que vous avez déduites dans l'année.

Votre revenu de placement pour une année comprend essentiellement les éléments suivants, qui sont inclus dans le calcul de votre revenu de l'année :

- Intérêts, dividendes imposables et autres revenus tirés de biens (y compris la récupération de l'amortissement à l'égard des éléments produisant un revenu provenant de biens).

- Quote-part du revenu (y compris la récupération de l'amortissement mais non les gains en capital imposables) d'une société en commandite ou de toute autre société de personnes dans laquelle vous ne jouez pas un rôle actif (à moins que vous exploitiez le même genre d'entreprise).

- Revenu (y compris la récupération de l'amortissement) annuel tiré d'un bien ou de la location ou du crédit-bail de biens immobiliers qui sont votre propriété ou celle d'une société de personnes, et qui n'est pas inclus ailleurs.

- Cinquante pour cent des frais d'exploration et d'aménagement recouvrés inclus dans le revenu.

- La fraction de revenu de certains paiements de rente autres que ceux tirés d'un contrat de rente à versements invariables ou d'une rente acquise en vertu d'un régime de participation différée aux bénéfices.

- Gains en capital imposables nets qui ne sont pas admissibles à l'exonération cumulative des gains en capital (p. ex. fraction des gains réalisés à la disposition d'une résidence secondaire ou d'un immeuble à revenu que vous détenez en plus de votre résidence principale).

Application des règles

Supposons que vous empruntez 20 000 $ en décembre 1992 à raison de 2 000 $ d'intérêts annuels. Vous utilisez les fonds pour acheter des actions d'une société publique qui ne verse pas de dividendes. Exactement deux ans plus tard, vous vendez les actions pour 30 000 $ et vous remboursez le prêt. Votre gain en capital imposable s'établit à 7 500 $ (3/4 du gain de 10 000 $). Malheureusement, l'exemption maximale n'est que de 3 500 $ (7 500 $ − 4 000 $ de perte nette cumulative sur placements). L'écart de 4 000 $ est conservé dans votre revenu et il est imposé en fonction de votre taux marginal d'impôt.

Votre perte nette sur placements n'est pas calculée en fonction de chacun de vos placements, mais bien sur leur ensemble. Les frais financiers relatifs à un titre peuvent ainsi réduire l'exemption à laquelle vous auriez droit à l'égard d'un gain en capital imposable réalisé sur la vente d'un autre titre. Ces règles ne diminuent pas votre exemption cumulative à vie pour gains en capital, mais elles peuvent servir à reporter l'utilisation d'une partie ou de la totalité de cette exemption à des années ultérieures, alors que votre revenu de placement dépassera les frais engagés pour le gagner.

Stratégie de planification

De toute évidence, vous voudrez éviter que les règles retardent votre utilisation de l'exemption. Si vous engagez des dépenses d'intérêts après 1987 sur des fonds empruntés à des fins de placement, et que vos placements ne rapportent que des gains en capital, les règles limitent votre admissibilité à l'exemption en ce qui concerne ces placements et une partie de vos gains sera donc imposable. Vous déciderez peut-être d'emprunter quand même, dans un tel cas, si le placement promet d'importants gains en capital, mais n'oubliez pas de tenir compte des règles alors applicables aux pertes nettes cumulatives. Si vous voulez emprunter, vous devriez le faire d'abord à des fins d'entreprise et, au besoin seulement, à des fins de placement. Les dépenses en intérêts sur des fonds qui servent à exercer une profession ou à exploiter une activité commerciale non constituée en société ne sont pas incluses dans le calcul des pertes nettes cumulatives sur placements.

Si vous possédez une société, vous devriez considérer recevoir des dividendes ou intérêts de la société afin de réduire ou éliminer le montant des pertes nettes cumulatives sur placements. De plus, si vous investissez dans les abris fiscaux, vous devriez penser à détenir ceux-ci dans votre société. Ces règles des pertes nettes cumulatives sur placements ne s'appliquent pas à une société.

Vous devriez consulter votre conseiller fiscal, puisque ces stratégies de planification comportent de nombreux éléments dont il faut tenir compte.

Pertes au titre d'un placement d'entreprise

Les pertes au titre d'un placement d'entreprise sont celles qu'on subit lors de la disposition d'actions d'une société exploitant une petite entreprise (telle que définie par la loi) ou lors de la disposition de la plupart des créances détenues à l'égard d'une telle société ou d'une société qui, au moment de sa faillite ou de sa liquidation, exploitait une petite entreprise. Une perte au titre d'un placement d'entreprise peut servir à diminuer le revenu d'autres provenances.

Les actions ou les créances doivent être cédées à une personne avec laquelle vous n'avez pas de lien de dépendance. Les actions sont également considérées comme disposées si la société est en faillite (et également dans certaines circonstances où la société a cessé d'exploiter une entreprise), tandis que les créances le sont dans les cas où l'impossibilité de les recouvrer est clairement établie. Si les actions vendues (ou des actions que ces dernières ont remplacé) ont été émises avant 1972, la perte au titre d'un placement d'entreprise doit être réduite du montant des dividendes imposables reçus sur ces actions par le contribuable, son conjoint, ou une fiducie dont l'un des deux était bénéficiaire. Le montant ainsi soustrait est considéré comme une perte en capital ordinaire. Cette réduction ne s'applique toutefois pas si vous avez acquis les actions en cause après 1971, de personnes avec lesquelles vous n'aviez pas de lien de dépendance.

Les trois quarts de cette perte, soit la « perte déductible au titre d'un placement d'entreprise », sont traités comme une perte autre qu'en capital, de la même façon qu'une perte d'entreprise. En d'autres termes, vous devez déduire la partie déductible de la perte de votre revenu de toute provenance pour l'année. Les pertes inutilisées peuvent être reportées sur les trois années d'imposition précédentes ou sur les sept années suivantes. Le revenu de l'année où la perte a été subie doit être réduit à zéro avant que vous puissiez reporter ces pertes, ce qui signifie que vous ne pourrez pas vous prévaloir de vos crédits d'impôt personnels cette année-là. Toutefois, vous avez désormais la possibilité de décider du montant du report que vous voulez réclamer au cours d'une année donnée.

Après la période de report prospectif sur sept ans, les pertes admissibles qui n'ont pas été utilisées comptent comme des pertes en capital ordinaires et peuvent être reportées indéfiniment, mais uniquement pour annuler des gains en capital.

Les pertes au titre d'un placement d'entreprise subies au cours d'une année d'imposition ultérieure à 1985 se qualifient au titre de pertes en capital, jusqu'à concurrence d'un montant égal aux déductions effectuées dans les années antérieures en vertu de l'exemption cumulative pour gains en capital. En outre, les gains en capital réalisés ne sont pas admissibles à cette exemption jusqu'à concurrence de toute perte antérieure au titre d'un placement d'entreprise subie après 1984.

Réserve relative à un produit de disposition non exigible

Compte tenu de l'exemption de 100 000 $ pour gains en capital, les contribuables ne se serviront plus que rarement du mécanisme de réserve, du moins jusqu'à ce qu'ils aient utilisé le plein montant de l'exemption. Initialement, les réserves déduites au cours d'une année antérieure et incluses dans le revenu par la suite n'étaient pas admissibles à l'exemption de 100 000 $, sauf s'il s'agissait de la disposition d'un bien agricole effectuée après 1984. Une réserve incluse dans le revenu après 1987 (concernant une aliénation effectuée après 1984), devient toutefois admissible à l'exemption des gains en capital.

Lorsqu'un bien en immobilisations est vendu, donnant ainsi lieu à un gain en capital, et que le montant total du produit de la vente n'est pas exigible dans l'année, une fraction du gain en capital peut être reportée en demandant une réserve pour le produit non exigible. Les montants intégrés chaque année dans le revenu sont traités au même titre que les gains en capital habituels. Les montants inclus au revenu seront fondés sur le taux d'inclusion de l'année pendant laquelle la réserve est ajoutée au revenu (et non sur le taux d'inclusion de l'année pendant laquelle le bien a été vendu). Il convient de noter que vous pouvez demander une réserve inférieure à la réserve maximale disponible au cours d'une année. Toutefois, si vous vous prévalez de ce droit, vous ne pourrez pas demander une réserve plus importante l'année suivante.

Vous pouvez demander une réserve sur une période de cinq ans, selon le moindre de deux montants. Le premier montant correspond à la fraction du gain raisonnablement attribuable au produit qui n'est pas encore exigible. Le deuxième montant est établi en fonction de la règle selon laquelle au moins le cinquième du gain en capital, calculé de façon cumulative, doit être incorporé dans le revenu de l'année de la vente et de chacune des quatre années suivantes.

De la même façon, il est possible de se prévaloir d'une réserve sur une période de 10 ans, au lieu de 5 ans, lors du transfert d'un bien agricole, des actions d'une société agricole familiale ou des actions d'une société exploitant une petite entreprise, à votre enfant, petit-enfant ou arrière-petit-enfant résidant au Canada.

Primes sur les Obligations d'épargne du Canada

Peut-être détenez-vous des Obligations d'épargne du Canada sur lesquelles le gouvernement fédéral verse une prime en argent comptant ? De telles primes sont considérées comme des intérêts plutôt que comme des gains en capital ; toutefois, la moitié seulement de la prime doit être incluse dans le revenu.

À noter, toutefois, que si vous détenez toujours des obligations offrant de telles primes, vous devez les encaisser dès que possible. La dernière série de ces obligations est venue à échéance le 1er novembre 1987 ; elle ne donne plus d'intérêt depuis ce temps.

Les Obligations d'épargne du Canada émises après 1980 (séries 36 et suivantes) n'entraînent le versement d'aucune prime. Par contre, leur taux d'intérêt est ajusté annuellement pour tenir compte des taux du marché.

Dividendes

Les dividendes sont majorés de 25 % et le crédit d'impôt fédéral pour dividendes correspond à 16,67 % des dividendes en espèces reçus (11,08 % pour l'impôt du Québec). Le tableau de la page suivante illustre l'imposition d'un contribuable du Québec qui réalise 1 000 $ de dividendes en 1992. On suppose que ce contribuable a un taux marginal maximum d'imposition et que son impôt fédéral excède 12 500 $.

**IMPOSITION D'UN CONTRIBUABLE DU QUÉBEC
QUI RÉALISE 1 000 $ DE DIVIDENDES EN 1992**

Dividendes en espèces	1 000 $
Majoration	250
Dividendes imposables	1 250
Impôt fédéral (29 %)	363
Crédit d'impôt pour dividendes	(167)
	196
Abattement provincial (16,5 % × 196 $)	(32)
Surtaxes	19
Impôt fédéral	183
Impôt provincial (24 %)	300
Crédit d'impôt pour dividendes	(111)
Impôt provincial	189
Total de l'impôt	372
Montant disponible après impôt	628

Un particulier résidant au Québec et qui ne réclame aucune déduction pour personne à charge peut recevoir environ 10 000 $ en dividendes en 1992 sans payer d'impôt, à condition qu'il s'agisse de son seul revenu.

Intérêts

Les revenus en intérêts sont entièrement imposables. Si vous vous situez dans la tranche d'imposition maximale et que votre taux d'imposition combiné, fédéral et provincial, est par conséquent de 51 % (environ 48 % dans les provinces autres que le Québec), vous perdez alors 0,51 $ (ou 0,48 $) sur chaque dollar d'intérêt que vous

159

gagnez. Voilà un résultat qui ne vous aidera guère à surmonter l'inflation; il faut donc savoir «magasiner» avant d'acquérir un placement portant intérêt.

Malgré le fait que le revenu d'intérêt soit généralement imposable quand il est reçu, il existait des règles qui permettaient à un revenu d'intérêt d'être déclaré à tous les trois ans, que le revenu soit perçu ou non. Toutefois, pour tous les placements acquis après 1989 et portant intérêt, le revenu d'intérêt doit être déclaré annuellement. Si vous détenez des placements acquis avant 1990 pour lesquels l'intérêt s'accumule mais n'est pas versé, vous pouvez toujours déclarer le revenu d'intérêt à tous les trois ans plutôt qu'annuellement.

Investissement dans les abris fiscaux

Plusieurs Canadiens bénéficiant d'un revenu élevé se sont rendu compte, à leurs dépens, que *l'aspect le plus important d'un abri fiscal, c'est sa valeur de placement, et non les économies immédiates d'impôt qui en découlent.* Le fait d'obtenir une déduction fiscale pour les fonds que vous investissez dans un abri fiscal est une piètre consolation si vous finissez par perdre ces fonds parce qu'il s'agit d'un mauvais placement. Si vous envisagez d'investir dans un abri fiscal, vous seriez avisé de consulter un spécialiste avant de risquer vos fonds et votre tranquillité d'esprit.

Sociétés en commandite

Les crédits d'impôt à l'investissement et les pertes que peuvent réclamer les commanditaires sont limités à la fraction de leur participation dans la société qui comporte un risque. Dans le cas d'un premier acquéreur, cette «fraction à risque» correspond en général au prix de base rajusté de sa participation dans la société en commandite à la fin de l'année, plus sa part du bénéfice de la société pour l'année. Ce montant est réduit de toute somme à payer à la société ou de toute garantie ou indemnité accordée au commanditaire en vue de le protéger contre la perte de son placement. En dépit de ces règles sévères, la société en commandite présente souvent des avantages en matière de financement et de limitation des risques. Un certain nombre de règles transitoires seront mises en application mais, en bref, les sociétés en commandite déjà constituées le 25 février 1986 et celles qui avaient entrepris des démarches pour amasser des capitaux à cette date sont exonérées des règles actuelles.

Exploration minière et secteurs pétrolier et gazier

Grâce aux actions accréditives, toute la gamme de déductions et de crédits d'impôt divers qui sont reliés à la prospection minière, pétrolière et gazière sont transférés directement aux actionnaires.

Recherche et développement (R & D)

Revenu Canada a finalement publié une définition exhaustive du concept de la recherche scientifique qui donne droit à des déductions maximales. De nouvelles restrictions rendent toutefois les déductions peu probables à moins que vous ne fassiez partie de façon active d'une entreprise qui est reliée à de telles dépenses relatives à la recherche et au développement.

Immeubles résidentiels à logements multiples (IRLM)

Le programme portant sur les IRLM a été annulé en 1981 et la réforme fiscale les supprime définitivement à titre d'abri fiscal. En général, dans le cas des unités acquises après le 17 juin 1987, on ne peut réclamer de déduction pour amortissement pour créer ou accroître une perte de location. Si vous avez acquis votre IRLM avant le 18 juin 1987 (ou après le 17 juin 1987 à la suite d'une entente écrite conclue avant le 18 juin 1987), vous pouvez continuer de réclamer une déduction pour amortissement pour créer ou accroître une perte, mais jusqu'en 1993 seulement. À compter de 1994, les IRLM seront considérés comme n'importe quel bien de location détenu par des personnes qui n'exploitent pas de façon active une entreprise dans le secteur immobilier. Par conséquent, la déduction pour amortissement fiscal ne pourra servir qu'à annuler le revenu de location, et non à créer une perte déductible des autres types de revenu.

Films canadiens

La déduction pour amortissement à l'égard de votre investissement dans la production d'un film canadien s'élève à 30 % par année, selon la méthode de l'amortissement dégressif à taux constant, en ne tenant pas compte de la règle de la demi-année. Une autre déduction est accordée lorsque le revenu annuel tiré de productions cinématographiques canadiennes est suffisant. Cette mesure s'applique en général aux placements acquis après 1987.

Exploitation agricole

Certains types d'exploitation agricole peuvent constituer un abri fiscal intéressant. Cependant, de récentes modifications apportées à la législation fiscale, y compris un rajustement obligatoire au titre des stocks, ont rendu plus difficile la création de pertes résultant d'une exploitation agricole pour compenser le revenu provenant d'autres sources. De plus, la plupart des contribuables sont assujettis aux règles concernant les pertes agricoles restreintes qui limitent à 8 750 $ le montant des pertes agricoles déductibles au cours d'une année donnée.

Les biens agricoles peuvent aussi être un abri fiscal intéressant en raison de l'exemption pour gains en capital de 500 000 $ ayant trait aux biens agricoles admissibles. Vous n'êtes pas nécessairement obligé d'être un agriculteur à plein temps pour profiter de cette exemption.

Abris fiscaux à l'échelle provinciale

Plusieurs provinces ont établi des programmes en vue de favoriser les investissements dans certaines régions ou dans des secteurs particuliers de l'industrie. Certaines provinces possèdent des régimes d'épargne-actions qui allouent des crédits d'impôt aux investisseurs. Certaines d'entre elles offrent également des programmes destinés à encourager les placements dans les petites et les moyennes entreprises.

CHAPITRE 8

Société privée de type propriétaire exploitant

Avez-vous songé à incorporer votre entreprise ?

■

Pourquoi pas un salaire au conjoint et/ou aux enfants ?

■

Maintenir si possible le revenu de la société
en dessous du seuil de 200 000 $.

■

Établir une juste combinaison de salaire-dividendes.

■

Votre société se qualifie-t-elle à titre de corporation
exploitant une petite entreprise pour l'exonération
supplémentaire de 400 000 $ au titre de gain en capital ?

■

Il est important de maintenir en tout temps
le statut de corporation admissible de votre société.

L e régime fiscal canadien tend à favoriser l'exploitation de petites entreprises constituées en sociétés. Si vous possédez votre propre entreprise, vous devez choisir entre l'exploitation dans le cadre d'une entreprise constituée en société ou dans celui d'une entreprise qui ne l'est pas. Dans les deux cas, les calculs relatifs au revenu et aux déductions demeurent essentiellement les mêmes. Toutefois, il existe des différences qui sont à l'avantage des entreprises constituées en sociétés, tant du point de vue de l'imposition que de celui des possibilités de planification qu'elles offrent. Pour de plus amples détails en ce qui concerne le revenu, les déductions, etc., reportez-vous aux chapitres pertinents.

Définition d'une société

Une société est une personne morale constituée en vertu de la loi et qui présente les caractéristiques suivantes :

- il s'agit d'une entité juridique distincte ayant une continuité d'exploitation et qui est habilitée à acheter, vendre, engager des employés, emprunter, prêter et détenir des biens ;
- elle agit par l'intermédiaire de personnes physiques ;
- des actionnaires, qui peuvent également être des employés, détiennent des participations dans la société ;
- les bénéfices qu'elle génère sont distribués aux actionnaires sous forme de dividendes imposables pour chacun des bénéficiaires ;
- il s'agit d'une entité imposable distincte qui doit produire des déclarations et acquitter ses impôts.

Ce que vous devez savoir sur l'imposition des sociétés

Lorsque vous exploitez une entreprise à titre de propriétaire unique, vous déclarez votre revenu tiré de l'entreprise dans votre déclaration personnelle, comme l'indique le chapitre 2. Par contre, lorsqu'il s'agit d'une société, celle-ci doit produire sa propre déclaration et verser ses acomptes provisionnels d'impôt. Vous n'aurez à inclure dans votre déclaration d'impôt personnelle le revenu de votre société que lorsque vous toucherez un salaire, des dividendes, des intérêts ou toute autre forme de revenu provenant de celle-ci.

Comme c'est le cas pour les particuliers, la structure des taux d'imposition des sociétés varie en fonction de la province où le revenu est gagné mais, en plus, elle varie selon le genre et le montant du revenu réalisé.

Le taux de base de l'impôt fédéral sur le revenu des sociétés est de 38 %. Il baisse à 28 % sur les revenus de la société réalisés au Canada, et ce afin de tenir compte de l'imposition provinciale. Une autre réduction du taux de base s'applique aux revenus provenant d'activités de fabrication et de transformation se déroulant au Canada. La déduction est de 5 % depuis le 1er juillet 1991 (6 % à compter du 1er janvier 1993) et permet ainsi de réduire le taux de l'impôt fédéral à 23 % (22 % à compter du 1er janvier 1993).

Toutefois, une surtaxe fédérale de 3 % s'applique sur le taux de 28 % et fait grimper le taux de l'impôt fédéral sur le revenu à 28,84 %, sans tenir compte de la déduction à l'égard de la fabrication et la transformation, et à 23,84 % (22,84 % à compter du 1er janvier 1993) en tenant compte de cette déduction.

Des avantages fiscaux particuliers sont consentis aux **corporations privées dont le contrôle est canadien** (CPCC). De façon sommaire, une CPCC est une société résidant au Canada dont le contrôle est détenu par des résidents canadiens (autres que des sociétés publiques). En général, il y a contrôle lorsque des résidents canadiens détiennent plus de 50 % des droits de vote de la société. Toutefois, tel n'est pas toujours le cas. Lorsqu'une personne possède une influence directe ou indirecte dont l'exercice entraînerait le contrôle de fait de la société, cette personne sera considérée comme possédant le contrôle de la société.

Mentionnons, à titre d'exemple, le cas d'une personne qui détiendrait 49 % des votes d'une société. Cette personne pourrait être considérée comme exerçant le contrôle si les autres 51 % étaient largement répartis entre les nombreux employés de ladite société ou détenus par des personnes qu'il est raisonnable de considérer comme agissant conformément aux vœux de la personne détenant 49 % des votes. **Une CPCC est admissible à la réduction du taux d'impôt fédéral (la « déduction accordée aux petites entreprises ») sur un maximum annuel de 200 000 $ de revenu tiré d'une entreprise exploitée activement. Si l'année d'imposition de la société est inférieure à 12 mois, ce montant doit être établi au prorata.**

Il est important de noter également qu'il doit s'agir de « revenu tiré d'une entreprise exploitée activement ». Par exemple, si vous constituez une société pour détenir votre portefeuille de placements, vous ne serez pas admissible à la déduction accordée aux petites entreprises, puisque votre revenu ne provient pas d'une entreprise exploitée activement.

Afin d'empêcher les contribuables d'abuser de la déduction accordée aux petites entreprises en créant plusieurs sociétés, les sociétés associées entre elles doivent se partager le plafond annuel de 200 000 $. En général, les sociétés associées sont des sociétés dont le contrôle est détenu par la même personne ou le même groupe de personnes. Par conséquent, il n'est pas possible de créer plusieurs sociétés et de se prévaloir des avantages de la déduction à l'égard d'un montant annuel de 200 000 $ pour chacune des sociétés.

La déduction accordée aux petites entreprises est de 16 %. Il n'est pas possible de se prévaloir de la déduction à l'égard des activités de fabrication et de transformation pour un revenu admissible à la déduction accordée aux petites entreprises. Par conséquent, si votre société est une CPCC réalisant un revenu tiré d'une entreprise exploitée activement dans une province canadienne, le taux de l'impôt fédéral applicable à la première tranche de 200 000 $ de revenu imposable est de 12 %. Lorsqu'on ajoute la surtaxe fédérale de 3 % (sur 28 %), le taux de l'impôt fédéral s'élève à 12,84 %.

Toutes les provinces prélèvent des impôts sur le revenu. Le taux de l'impôt provincial varie selon les provinces (entre 0,0 %

166

et 17 %), selon que la société peut se prévaloir d'une déduction à l'égard des activités de fabrication et de transformation, d'une déduction accordée aux petites entreprises, et selon que la société est temporairement exonérée d'impôt (généralement dans le cas d'une nouvelle société). Les taux d'impôt fédéral et provincial combinés peuvent donc varier de façon significative selon le cas.

Le gouvernement fédéral a instauré un impôt sur les grandes sociétés en date du 1er juillet 1989. Depuis le 1er janvier 1991, l'impôt est prélevé au taux de 0,2 % du capital dépassant 10 millions de dollars employés au Canada par la société. Compte tenu du seuil minimum, la majorité des petites entreprises ne sont pas touchées par cet impôt supplémentaire. À compter de 1992, la surtaxe de 3 % due par les sociétés est portée en déduction de l'impôt payable par les grandes sociétés. L'impôt sur les grandes sociétés n'est pas admis en déduction du calcul du revenu d'une société.

Report de l'impôt

Le taux d'impôt provincial et fédéral combiné des petites entreprises se situe entre 17,84 % et 22,84 %. Au Québec, ce taux est de 18,59 % depuis le 1er juillet 1992. Lorsqu'on compare ces taux avec ceux des particuliers, on constate que le taux accordé aux petites entreprises est de beaucoup inférieur.

Si vous exploitez une entreprise non constituée en société, vous devez déclarer votre revenu provenant d'une entreprise dans votre déclaration d'impôt personnelle dès que vous l'avez gagné. Vous calculerez ainsi l'impôt sur votre revenu d'entreprise en utilisant votre taux marginal d'impôt personnel. Si vous décidez de constituer votre entreprise en société, l'impôt immédiat peut se limiter à celui payable par la société. Vous ne paierez un impôt personnel que sur la partie des bénéfices de votre société que vous retirez sous forme de salaire ou de dividende. Vous êtes ainsi en mesure de reporter votre impôt personnel sur la partie des bénéfices qui n'est pas distribuée mais qui demeure dans l'entreprise.

Par exemple, si vous résidez au Québec et que vous gagnez un revenu avant impôt de 1 000 $, vous paierez environ 510 $ en impôts personnels aux taux marginaux les plus élevés. Par conséquent, il vous reste 490 $ à réinvestir dans l'entreprise. Lorsque ce revenu est généré par une société et qu'il est admissible à la déduction accordée à une petite entreprise, la société versera environ 185 $ en impôts ; elle pourra ainsi réinvestir 815 $. Aucun impôt personnel ne sera exigible avant la répartition des bénéfices aux actionnaires. D'après cet exemple, la somme de 325 $ (510 $ – 185 $) en impôts pourra être reportée.

Création de la société

En règle générale, vous pouvez transférer les biens utilisés dans une entreprise individuelle à une société sans aucune incidence fiscale, sous réserve de certaines restrictions. En contrepartie, la société devra vous émettre des actions. Vous opterez peut-être pour qu'une partie de votre placement dans la société soit sous forme de dette plutôt que d'actions. Si c'est le cas, vous serez en mesure de retirer des bénéfices de la société à titre d'intérêts, lesquels sont déductibles dans le calcul du revenu de la société. Vous pourrez également retirer des bénéfices sous forme de dividendes.

Imposition des sommes reçues de la société

Lorsque vous encaissez des montants provenant de la société, le traitement fiscal varie selon la nature du montant. Vous devez inclure dans votre revenu la totalité du salaire que vous gagnez à titre d'employé de la société dans l'année durant laquelle vous l'avez reçu. Si vous avez contribué à financer en partie votre société en lui accordant des prêts, vous devez également inclure dans votre revenu les revenus d'intérêt. Par ailleurs, si vous louez des biens à la société, le revenu de location que vous en tirez doit aussi être compris dans votre revenu pour l'année où vous l'avez reçu. Toutes ces formes de versements sont par ailleurs déductibles dans le calcul du revenu de la société en autant qu'elles soient encourues en vue de gagner un revenu. À certaines conditions, vous pourrez bénéficier d'un report d'impôt sur ces versements, c'est-à-dire que la déduction peut être réclamée dans le calcul du revenu de la société avant même de payer l'impôt personnel sur ces versements.

Cette méthode de report comporte toutefois certaines restrictions quant au délai dont bénéficie la société pour effectuer le paiement des dépenses comptabilisées.

Il est aussi possible d'effectuer certains reports en versant des salaires et des bonis. Dans ce cas, afin de se prévaloir de la déduction dans l'année au cours de laquelle les salaires ou les bonis ont été engagés, la société doit verser ces sommes au plus tard dans les 180 jours suivant la fin de son exercice financier. Vous devez inclure ces sommes dans votre revenu de l'année au cours de laquelle elles sont versées. Cependant, si l'exercice financier de la société se termine après le 5 juillet (par exemple, le 31 juillet), le versement des sommes pourra avoir lieu dans l'année civile suivante tout en respectant la limite de 180 jours. Vous pourrez ainsi bénéficier d'un report de l'impôt de six mois.

Intégration

Bien que vous déteniez la totalité ou presque des actions d'une société, votre société et vous représentez deux contribuables distincts.

La société règle l'impôt sur le revenu lorsque les bénéfices sont réalisés. Lorsque celle-ci distribue ses bénéfices après impôt sous forme de dividendes, ils sont inclus dans votre revenu et la société ne bénéficie pas d'une déduction dans le calcul de son revenu. Par conséquent, les bénéfices générés par l'entremise d'une société sont imposés deux fois : lorsque la société les réalise et lorsqu'ils sont distribués aux actionnaires à titre de dividendes.

Afin d'alléger cette double imposition, les systèmes fiscaux des particuliers et des sociétés sont intégrés. Pour ce faire, le dividende reçu par l'actionnaire est majoré en vue de le rapprocher du montant réalisé avant impôt au niveau de la société. Un crédit d'impôt est ensuite accordé à l'actionnaire selon un mode de calcul établi pour lui procurer un crédit pour l'impôt déjà payé par la société.

Par conséquent, si vous recevez un dividende de votre société, le dividende est inclus dans votre revenu. Vous devrez également inclure dans votre revenu un montant supplémentaire de 25 % du dividende. Ce montant constitue la majoration du dividende.

Après avoir calculé votre impôt sur le revenu fédéral (avant le calcul de la surtaxe de 9,5 % en 1992), vous bénéficierez d'un crédit d'impôt pour dividendes équivalant aux deux tiers de la majoration du dividende. En ce qui a trait à l'impôt du Québec, le crédit d'impôt pour dividendes correspond à 44 % de la majoration du dividende.

Exemple

Dividende reçu	100,00 $
Majoration du dividende (25 % × 100 $)	25,00
Revenu	125,00 $
Impôt fédéral à 29 %	36,25 $
Crédit d'impôt pour dividendes (2/3 × 25 $)	(16,67)
Surtaxe fédérale (9,5 % × (36,25 $ – 16,67 $))	1,86
Abattement du Québec (16,5 % × (36,25 $ – 16,67 $))	(3,23)
Impôt fédéral total	18,21
Impôt du Québec à 24 %	30,00
Crédit d'impôt pour dividendes (44 % de 25 $)	(11,08)
Impôt du Québec	18,92
Total de l'impôt personnel sur le dividende	37,13 $

Le principe d'intégration est conçu dans le but d'obtenir un niveau d'imposition similaire pour un particulier qui gagne un revenu d'entreprise directement et un particulier qui touche des dividendes d'une société bénéficiant de la déduction accordée aux petites entreprises. Afin d'obtenir une intégration parfaite, le taux combiné des sociétés devrait être de 20 %, tandis que la tranche d'imposition maximale d'un particulier au niveau fédéral devrait être de 29 %, ne comporter aucune surtaxe, et l'impôt provincial devrait correspondre à 50 % de l'impôt fédéral. Dans de telles conditions, il n'y aurait aucun écart d'impôt, que le revenu d'entreprise soit gagné par l'intermédiaire d'une société ou directement, comme l'indique le tableau de la page suivante.

Dans la mesure où les taux d'impôts diffèrent de ces taux hypothétiques, les impôts payables au total seront différents selon que le revenu est gagné directement par le particulier ou par l'entremise d'une société. Si le taux d'impôt des sociétés ou les taux d'impôt des particuliers sont inférieurs aux taux hypothétiques en question, le total de l'impôt payé sur le revenu gagné par

	REVENU GAGNÉ DIRECTEMENT	REVENU GAGNÉ PAR L'ENTREMISE D'UNE SOCIÉTÉ
Revenu de la société		100,00 $
Impôt des sociétés		20,00
Bénéfices après impôt		80,00 $
Revenu d'un particulier		
Bénéfices de l'entreprise	100,00 $	
Dividende		80,00 $
Majoration du dividende (25 % × 80 $)		20,00
Revenu imposable	100,00 $	100,00 $
Impôt fédéral au taux de 29 %	29,00 $	29,00 $
Crédit d'impôt pour dividendes (2/3 × 20 $)		(13,30)
Impôt provincial au taux de 50 %	14,50	7,80
Total de l'impôt personnel	43,50	23,50
Impôt de la société		20,00
Total de l'impôt sur un revenu de 100 $	43,50 $	43,50 $

l'entremise d'une société sera probablement inférieur au total de l'impôt payé sur le revenu gagné directement. Dans le cas où les taux d'impôt des sociétés s'avèrent supérieurs à ceux des sociétés exploitant une petite entreprise, la double imposition, au niveau de la société et du particulier, résultera en un impôt total plus élevé que si l'imposition n'existait qu'au niveau du particulier.

Entreprise constituée en société : avantages et inconvénients

Le meilleur choix entre l'exploitation d'une entreprise par l'intermédiaire d'une société ou directement par un particulier dépend en grande partie de la nature des activités et du revenu réalisé. Afin de déterminer l'avantage fiscal dont vous pourriez bénéficier, vous devez examiner les écarts entre les taux des sociétés et des particuliers de la province dans laquelle les activités sont menées. **En général, les sociétés se révèlent plus avantageuses lorsqu'il s'agit d'une corporation privée dont le contrôle est canadien (CPCC) produisant un revenu imposable de 200 000 $ ou moins.**

Les principaux avantages fiscaux ou autres reliés à la constitution d'une entreprise en société sont les suivants :

1) **Responsabilité limitée**
   En raison du caractère distinct de la société, les actionnaires ne peuvent être tenus personnellement responsables des dettes de la société ou de tout autre élément de son passif. Les petites entreprises ne bénéficient pas nécessairement de cet avantage, puisqu'il est courant pour les banques et autres institutions d'exiger des garanties personnelles lorsqu'elles accordent des prêts à ces entreprises. Par contre, votre responsabilité demeure limitée dans le cas de poursuites judiciaires, à moins que vous ne soyez vous-même négligent.

2) **Possibilités d'épargne et de report d'impôt**
   Comme nous l'avons mentionné précédemment, les sociétés offrent, au point de vue fiscal, des possibilités d'épargne et de report d'impôt. Ces possibilités varient dans chaque cas, selon les différences qui existent entre les taux d'impôt des sociétés et ceux des particuliers.

3) **Fractionnement du revenu et planification successorale**
   L'entreprise constituée en société rend possible l'application de techniques de fractionnement du revenu et de planification successorale que ne peut offrir une entreprise non constituée en société. Les chapitres 4 et 10 approfondissent ce sujet.

4) **Nivellement du revenu**

Vous pouvez effectuer un nivellement de votre revenu personnel en exerçant un contrôle sur votre salaire et vos dividendes. Ceci vous permettra d'éviter des périodes où le revenu est élevé ou faible, notamment lorsqu'il s'agit d'une entreprise dont les bénéfices varient d'une année à l'autre.

5) **Régimes de pension**

Un actionnaire qui est également employé de la société peut participer au régime de pension agréé (RPA) de la société. Un propriétaire d'entreprise non constituée en société ne peut participer à un RPA. Malgré la hausse des plafonds de cotisations à l'égard des régimes enregistrés d'épargne-retraite (voir chapitre 6), les plafonds des cotisations pour les RPA peuvent être plus élevés, et ce, jusqu'à ce que le nouveau système d'épargne pour la retraite soit complètement mis en vigueur. La structure de la société offre donc un avantage supplémentaire à cet égard. Vous pouvez également vous prévaloir de régimes collectifs d'assurance temporaire sur la vie ou de régimes d'assurance-maladie ou d'assurance-accident, lorsque vous êtes employé de votre entreprise incorporée. Si votre entreprise n'est pas constituée en société, vous ne pouvez bénéficier de ces régimes.

6) **Exemption pour gains en capital**

L'existence d'une société permet de bénéficier d'une exemption pour gains en capital plus élevée lors de la vente des actions de la société exploitant l'entreprise.

En effet, les détenteurs d'actions d'une société exploitant une petite entreprise peuvent se prévaloir d'une exemption accrue pour gains en capital. Cette exemption s'élève à 400 000 $. À noter que cette exemption est en supplément de l'exemption pour gains en capital de base de 100 000 $. Le total de l'exemption à laquelle vous avez droit lorsque vous disposez à la fois de vos actions d'une petite entreprise et d'autres biens en immobilisation s'élève à 500 000 $.

Une société exploitant une petite entreprise est avant tout une CPCC qui utilise en grande partie ses biens (selon Revenu Canada, plus de 90 %) dans le cadre d'une entreprise active exploitée au

Canada. Les actions d'une société de portefeuille canadienne sont également admissibles lorsque la majeure partie de ses biens est constituée d'actions de sociétés exploitant une petite entreprise. Afin d'être admissible à l'exemption de 500 000 $, la société doit se définir comme une société exploitant une petite entreprise au moment de la vente, et les actions ne doivent pas avoir été détenues par une autre personne que le vendeur, ou par des personnes qui lui sont liées, dans les 24 mois précédant la vente. De plus, au cours de cette période de 24 mois, la juste valeur marchande des biens de la société doit être constituée à plus de 50 % de biens utilisés dans le cadre d'une entreprise exploitée activement principalement au Canada. Une société de portefeuille doit remplir des conditions plus sévères pour se qualifier comme société exploitant une petite entreprise.

Les principaux inconvénients d'une entreprise constituée en société sont les suivants :

1) **Pertes**

Il est impossible de se servir des pertes de la société afin de réduire le revenu d'un particulier. Lorsque vous subissez des pertes dans une entreprise non incorporée, vous pouvez les utiliser afin d'annuler le revenu provenant d'autres activités. Puisque la société représente une entité distincte, son revenu (de même que ses pertes) ne peut être inclus directement dans votre déclaration d'impôt personnelle. Par conséquent, vous ne pouvez déduire de telles pertes à l'encontre de vos autres revenus personnels. Si la société génère un revenu au cours d'une autre année, les pertes pourront servir à le réduire ou l'annuler (les pertes d'entreprise de la société peuvent être reportées sur les trois années antérieures et sur les sept années ultérieures à l'encontre du revenu de la société).

Si votre société accuse une perte, celle-ci peut être ajustée en réduisant votre salaire et en y substituant des dividendes.

2) **Frais de constitution en société**

Il est important de tenir compte de certains frais additionnels lorsque vous constituez votre entreprise en société, notamment les frais initiaux lors de la préparation des documents juridiques.

174

3) **Taxe sur le capital**

Le gouvernement fédéral a récemment introduit une taxe sur le capital et certaines provinces possèdent une taxe similaire depuis plusieurs années. L'assujettissement à la taxe sur le capital du gouvernement fédéral est généralement nul ou considérablement réduit pour les petites entreprises.

Société de type propriétaire exploitant : planification

Vous devez reconsidérer plusieurs éléments de planification lorsque vous constituez votre entreprise en société. Au moment d'établir votre planification, vous devez tenir compte des facteurs non reliés directement à la fiscalité. Vous devez analyser vos besoins de liquidités ainsi que ceux de la société. De plus, vous devez examiner toutes vos sources de revenu ainsi que votre situation quant au revenu de placement, aux gains en capital et aux pertes sur placement. Vous devez tenir compte de tous ces éléments lorsque vous analysez la planification fiscale de votre société.

Versement d'un revenu de placement

Les règles relatives à la perte nette cumulative sur placement, dont nous avons traité au chapitre 7, méritent d'être prises en considération dans votre planification. Si vous affichez des pertes nettes cumulatives sur placement, vous voudrez peut-être toucher un revenu en intérêts ou en dividendes de votre société. Ce revenu servirait alors à réduire vos autres pertes sur placement et vous permettrait ainsi d'éviter que votre exemption pour gains en capital soit restreinte.

Salaires au conjoint

Vous envisagez peut-être de verser un salaire à votre conjoint ou à un autre membre de la famille. Cependant, le conjoint ou le membre de la famille devra avoir rendu certains services à la société, et ce, dans le cadre d'une véritable relation employeur-employé ; vous devrez en outre être en mesure de justifier le caractère raisonnable du salaire. Celui-ci est considéré raisonnable lorsqu'il correspond au salaire qu'une personne avertie aurait versé dans des

circonstances analogues, et lorsqu'il est proportionnel aux responsabilités assumées et aux services rendus par l'employé.

En pareil cas, la société bénéficiera d'une déduction pour le
versement du salaire, et vous, d'une possibilité supplémentaire de
fractionner le revenu. Le versement du salaire peut aussi permettre
d'augmenter les cotisations à un régime d'épargne-retraite en faveur
du membre de la famille.

Versement d'un salaire ou de dividendes

Lorsqu'il s'agit d'une société de type propriétaire exploitant, le
choix entre verser un salaire ou verser des dividendes au propriétaire exploitant offre des possibilités de planification qui sont très
vastes. Le versement d'un salaire permet de réduire l'impôt sur le
revenu payable par la société. Par contre, le salaire est soumis à
l'impôt personnel. Bien qu'un versement de dividendes ne permette
pas de réduire l'impôt d'une société, le crédit d'impôt pour dividendes permet cependant de payer moins d'impôt personnel que dans
le cas d'un salaire. En principe, il n'y a pas vraiment de différence
entre verser un salaire ou verser des dividendes, pourvu que le
revenu imposable de la société (et des sociétés associées) n'excède
pas 200 000 $ avant déduction du salaire.

Parallèlement à l'exemple mentionné précédemment sur l'intégration, ce principe se concrétise seulement si le taux corporatif
combiné est de 20 % et ne comporte aucune surtaxe, si le particulier se situe dans une tranche d'imposition fédérale de 29 % et si ce
particulier réside dans une province dont le taux d'imposition correspond à 50 % de l'impôt fédéral. En pareil cas, lorsque le revenu
de la société après impôt est distribué à l'actionnaire, le total de
l'impôt sera identique, peu importe si le revenu est distribué en
salaire ou en dividendes.

Nous venons de voir comment le système fonctionne en principe, mais en pratique, c'est autre chose. Dans la plupart des provinces, recevoir un salaire et optimiser les cotisations à un REER
se révèlent plus avantageux que de toucher des dividendes. Cependant, ce n'est pas toujours le cas dans toutes les provinces et à
l'égard de tous les genres d'entreprises.

**En général, il est préférable de tirer le plus possible de
revenus de la société jusqu'à ce que le montant net de vos**

176

impôts à payer soit égal à l'impôt que la société aurait payé si vous n'aviez pas reçu ce revenu. Selon le cas, la meilleure façon d'y parvenir peut être de vous verser seulement un salaire, ou une combinaison de salaire et de dividendes. Par ailleurs, vous pourrez prêter ces sommes à la société et celle-ci pourra vous les rembourser plus tard en franchise d'impôt.

Les commentaires ci-dessus s'appliquent à une société qui réalise un revenu tiré d'une entreprise exploitée activement n'excédant pas 200 000 $. Ainsi, tout son revenu imposable serait admissible à la déduction accordée aux petites entreprises. Dans le cas d'un revenu imposable excédant 200 000 $, la société ne pourrait bénéficier de la déduction accordée aux petites entreprises pour la tranche excédentaire et, par conséquent, le taux d'imposition de la société serait considérablement plus élevé. Il est donc généralement avantageux de maintenir le revenu imposable de la société en deçà de 200 000 $. La façon la plus courante d'y arriver consiste à vous verser un salaire à titre de propriétaire exploitant. Le salaire en question sera alors compris dans votre revenu dans l'année de l'encaissement. Il faut vous souvenir que vous pouvez dans certains cas vous prévaloir de la déduction au niveau de la société dans l'année précédant celle de l'encaissement du salaire. Ne pas distribuer le revenu de la société peut présenter un certain avantage à cause du report d'impôt ; par contre, il est probable que le total de l'impôt immédiat pour la société et de l'impôt futur de l'actionnaire soit plus élevé que si des salaires étaient versés.

Lorsqu'un salaire est versé, il est important d'essayer de maximiser les montants qui peuvent être cotisés au Régime de pension du Canada ou au Régime de rentes du Québec et aux régimes enregistrés d'épargne-retraite. Ces régimes comportent des plafonds de cotisations en fonction de votre revenu gagné au cours de l'année. Par conséquent, même si le revenu de la société est inférieur à 200 000 $, et ce, sans avoir recours à des salaires ou des bonis supplémentaires, vous souhaiterez peut-être vous verser un salaire suffisant afin de maximiser vos cotisations à de tels régimes.

À noter que le plafond des cotisations au REER pour une année donnée est maintenant fonction du revenu gagné de l'année précédente. Par conséquent, votre revenu pour 1992 ne devra pas être inférieur à 69 444,44 $ si vous voulez verser les cotisations maximales de 12 500 $ à votre REER pour 1993.

Pour que les salaires versés par une société soient déductibles dans le calcul de son revenu, ceux-ci devront être « raisonnables ». La définition de raisonnable est en général une question de faits. Toutefois, l'administration fiscale ne remet habituellement pas en question le montant des salaires ou des bonis versés à un actionnaire dirigeant, pourvu que les retenues d'impôt soient effectuées.

Vente de votre entreprise

Si votre entreprise n'est pas constituée en société et que vous envisagez de la vendre, vous pourrez, dans la majorité des cas, transférer les éléments d'actif à une société et vendre immédiatement les actions de la société afin de bénéficier de l'exemption pour gains en capital de 500 000 $.

Par contre, si votre entreprise est constituée en société mais n'est pas admissible à titre de société exploitant une petite entreprise, il est possible de la rendre admissible en transférant les éléments d'actif non admissibles, et ce, en franchise d'impôt grâce à une planification adéquate. Règle générale, il faut commencer ce processus bien avant d'entamer la vente de l'entreprise. En effet, il existe une mesure qui peut vous refuser le droit de réclamer l'exemption pour gains en capital lors de la vente des actions d'une société si vous avez procédé antérieurement, dans le cadre de la vente, à un transfert, en franchise d'impôt, d'éléments d'actif de la société sur lesquels une plus-value s'était accumulée.

Si vous envisagez de vendre les actions de votre société, vous pourriez accumuler le revenu dans la société afin d'accroître le gain. À noter toutefois que pour continuer d'être admissible à titre de société exploitant une petite entreprise, la presque totalité (selon Revenu Canada, plus de 90 %) des biens de la société, en fonction de leur juste valeur marchande, doit servir dans le cadre de l'exploitation de l'entreprise de la société. Par conséquent, vous ne pourriez accumuler les bénéfices dans la société pour effectuer des placements qui ne servent pas dans l'exploitation de l'entreprise si ces placements constituent plus de 10 % du total de la juste valeur marchande des biens de la société au moment de la vente (ou plus de 50 % pour les 24 mois précédents). Par contre, vous pourriez utiliser les bénéfices en vue de réduire la dette de la société.

Lors des négociations pour la vente de votre entreprise, il est possible que l'acheteur préfère opter pour l'achat des éléments d'actif plutôt que pour l'achat des actions. L'acquisition de l'actif permettrait à l'acheteur de bénéficier de déductions dans le calcul de son revenu, ce qui n'est pas possible s'il acquiert les actions. Par contre, vous préférerez vendre les actions en raison de l'exemption pour gains en capital dont vous-même et les membres de votre famille pourrez bénéficier si des mesures préalables ont été prises quant à la détention des actions.

Possibilités de négociations

En raison de l'exemption pour gains en capital de 500 000 $, il serait avantageux de négocier une entente avec l'acheteur, ce qui permettrait aux deux parties de partager les avantages fiscaux provenant de l'exemption accrue pour gains en capital. De plus, compte tenu de changements récents, l'acquisition des éléments d'actif procure moins d'avantages à l'acheteur et ce dernier peut être plus enclin maintenant à accepter une vente d'actions.

Planifier en tenant compte des membres de votre famille

Vous pouvez modifier la structure des actions de votre société afin que les membres de votre famille puissent bénéficier d'une participation dans la société s'ils le désirent. Une réorganisation bien planifiée de la structure des actions permet de tirer parti à la fois de possibilités de fractionnement du revenu et de planification successorale. De tels arrangements peuvent permettre une diminution des impôts si la société est vendue, notamment s'il s'agit d'une société exploitant une petite entreprise, puisque chaque membre de la famille serait en mesure de bénéficier de l'exemption pour gains en capital de 500 000 $. Toutefois, la réorganisation du capital d'une société comporte des pièges et elle ne devrait pas être réalisée sans les conseils d'une personne avisée.

En résumé, la planification fiscale reliée à votre entreprise peut comporter plusieurs volets comme le fractionnement du revenu, le report d'impôt, l'augmentation de la déduction pour gains en capital, la planification successorale ainsi que la planification à l'égard de la retraite. De toute évidence, tenter de bénéficier de tous ces éléments de planification se révèle une tâche complexe. Étant donné que nous avons dû nous limiter dans la présentation du sujet, nous vous suggérons de consulter un conseiller fiscal afin d'établir votre propre planification.

Votre automobile et vous

Vous utilisez votre automobile dans le cadre
de votre emploi : Avez-vous le choix entre une allocation
ou un remboursement ?

■

Pouvez-vous réclamer une déduction pour la détention
et le fonctionnement de votre automobile
utilisée pour votre travail ?

■

Vous pouvez d'abord louer l'automobile
puis l'acheter par la suite.

■

Un prêt de l'employeur peut être plus avantageux
qu'une allocation.

■

Remboursez-vous à votre employeur
une partie du coût de l'automobile ?

À la suite des nombreuses modifications apportées lors des dernières années aux règles touchant l'utilisation d'une automobile pour fins d'affaires, ces règles sont devenues complexes, au point qu'il est difficile de les résumer. Le présent chapitre donne un aperçu des principales règles fiscales, selon le mode de présentation que nous avons jugé le plus utile pour la majorité des lecteurs. Mais nous vous rappelons que de nombreuses situations exigeront de faire appel à un spécialiste.

ASPECTS FISCAUX POUR L'EMPLOYÉ : L'EMPLOYÉ FOURNIT LA VOITURE

Allocations et remboursements

Si vous possédez votre propre automobile, votre employeur peut vous offrir divers types d'avantages relatifs à l'utilisation de votre voiture aux fins de votre travail ou à des fins personnelles.

Pour votre employeur, une des possibilités consiste à vous verser une allocation pour automobile. Ce montant peut être calculé de façon à couvrir seulement les frais de détention et de fonctionnement de l'automobile qui sont reliés au travail ou il peut s'intégrer à la rémunération globale (au-delà des frais reliés au travail). Votre employeur peut traiter l'allocation de deux façons. Lorsqu'elle ne constitue pas un montant raisonnable aux fins de votre travail, votre employeur doit la déclarer sur votre feuillet T4 (relevé 1 au Québec) comme un revenu d'emploi pour l'année. Dans ce cas, vous pouvez généralement déduire une fraction des frais engagés si vous utilisez l'automobile aux fins de votre travail, pourvu que votre contrat de travail précise que vous devez utiliser l'automobile dans le cadre de votre emploi et que vous respectiez certains autres critères. Il est à noter que l'avantage doit être majoré de 7 % et de 8 % pour tenir compte, respectivement, de la taxe sur les produits et services (TPS) et de la taxe de vente du Québec (TVQ) qui doivent être incluses dans l'avantage.

Si, au contraire, l'employeur ne paye que pour les frais engagés dans le cadre de votre travail et que le montant en question constitue une allocation « raisonnable » dans les circonstances, en général, cette allocation ne doit pas être déclarée à titre de revenu imposable par l'employeur.

Une allocation pour utilisation d'un véhicule à moteur n'est considérée « raisonnable » que si elle se rapporte directement au nombre de kilomètres parcourus dans une année à des fins d'affaires et qu'aucun remboursement n'est perçu pour les frais reliés aux mêmes fins. Pour respecter la première condition, vous devrez peut-être fournir à votre employeur un relevé précis du kilométrage parcouru à des fins d'affaires. En ce qui concerne la deuxième condition, l'allocation sera considérée raisonnable même s'il y a un remboursement des frais pour assurance-automobile commerciale supplémentaire, des frais de stationnement, du péage routier et des frais de traversiers, en autant que l'allocation ait été déterminée sans tenir compte de ces dépenses.

Une allocation n'est jugée « raisonnable » que si le taux au kilomètre est raisonnable. Votre employeur ne peut déduire, de l'impôt, qu'une allocation ne dépassant pas un montant précis pour chaque kilomètre. Cependant, il peut vous accorder une allocation supérieure sans l'inclure dans votre revenu imposable si vous êtes en mesure de démontrer que cette allocation est « raisonnable ». Mais votre employeur ne voudra peut-être pas engager des frais non déductibles. En outre, Revenu Canada considère généralement que le taux de la déduction de l'employeur fixé par règlement représente une allocation raisonnable au kilomètre. Quoi qu'il en soit, vous devriez tenir un relevé des frais de fonctionnement de votre automobile, au cas où vous auriez à justifier l'allocation qui vous est allouée.

Vous voudrez peut-être envisager la possibilité de remplacer l'allocation par une rémunération imposable. Le cas échéant, vous pourrez au moins déduire une fraction des frais de fonctionnement de l'automobile à des fins d'affaires si vous respectez tous les critères. Dans de nombreux cas, ce recours pourrait vous être avantageux. De plus, en ce qui a trait à la la taxe sur les produits et services (TPS) et de la TVQ, vous pourriez avoir droit à un remboursement de la taxe payée sur les dépenses déductibles. Pour plus de détails à ce sujet, consultez le chapitre 12.

Le remboursement de frais directs engagés dans l'utilisation de votre automobile pour le compte de l'entreprise de votre employeur (par exemple, l'essence et l'huile utilisées lors d'un voyage précis effectué pour votre travail) ne constitue pas une allocation et ne doit pas être inclus dans le calcul de votre revenu.

Déduction des frais de votre revenu imposable

Admissibilité. Vous avez droit à certaines déductions relatives à la détention et aux frais de fonctionnement de votre automobile lorsque vous l'utilisez dans le cadre de votre travail. Pour être admissible à ces déductions, vous ne devez pas recevoir d'allocation non imposable, et vos conditions de travail (il s'agit en fait de votre contrat de travail, qui n'est pas nécessairement un contrat écrit) doivent préciser que vous devez assumer vos propres frais de déplacement. Vous devez aussi être obligé de travailler régulièrement à l'extérieur du bureau ou à différents endroits. Votre employeur doit signer un formulaire (T2200 au fédéral et TP-64.3 au Québec) pour confirmer le fait que vous avez respecté ces conditions et vous devez joindre ce formulaire à votre déclaration d'impôt. Si vous réclamez une déduction pour frais de déplacement, toute somme reçue de votre employeur relativement à la détention de l'automobile doit correspondre à une allocation imposable, et tout remboursement des frais de fonctionnement effectué par votre employeur doit être soustrait de la déduction réclamée pour ces mêmes frais.

Les vendeurs de biens ou les personnes qui négocient des contrats pour leur employeur et qui sont rémunérés sous forme de commission calculée selon le volume de leurs ventes ne peuvent déduire leurs frais d'automobile ou autres que jusqu'à concurrence du montant de telles commissions, sauf si les frais de déplacement constituent les seules dépenses réclamées.

Si vous êtes admissible à la déduction des frais d'automobile, vous pouvez déduire une fraction des coûts réels de détention et de fonctionnement, en proportion de l'utilisation pour fins d'affaires. La déduction est toutefois limitée dans le cas d'automobiles dont le coût dépasse un certain montant qui varie selon la date d'acquisition.

Déductions relatives aux automobiles achetées

Si vous êtes propriétaire de l'automobile que vous utilisez à des fins d'affaires, vous avez droit à une déduction pour amortissement (DPA) sur le coût total sujet aux maximums suivants (ci-après appelé le « coût maximal prescrit ») :

pour les acquisitons :

■ après le 31 décembre 1990 : 24 000 $ plus la TPS et la taxe de vente provinciale applicables sur 24 000 $

■ du 1er janvier 1989 au 31 décembre 1990 : 24 000 $ incluant la taxe de vente provinciale

■ avant le 1er janvier 1989 : 20 000 $ incluant la taxe de vente provinciale

Si vous avez acquis l'automobile d'une personne avec laquelle vous aviez un lien de dépendance, le coût en ce qui concerne la DPA correspond au moindre du coût maximal prescrit, de la juste valeur marchande immédiatement avant l'acquisition et de la fraction non amortie du coût en capital pour le propriétaire précédent, immédiatement avant qu'il vous cède l'automobile.

La DPA admissible est calculée selon un taux de 30 % sur le solde dégressif et chaque automobile dépassant le coût maximal prescrit est considérée comme un élément distinct à l'intérieur de la catégorie (10.1) de biens amortissables.

À titre d'exemple, si le coût de votre voiture achetée en octobre 1992 est de 35 000 $, vous êtes assujetti au plafond maximal. Étant donné la règle de la demi-année applicable dans l'année d'acquisition, vous pouvez réclamer 15 % du coût maximal prescrit au cours de cette année. Pour la deuxième année et les années subséquentes, vous pouvez réclamer 30 % de la différence entre le coût maximal prescrit et le montant réclamé antérieurement. Dans l'année où vous vendez la voiture, il n'y aura plus de bien dans la catégorie à la fin de l'année et, par conséquent, aucune DPA ne pourra être calculée. Cependant, la moitié de la DPA qui aurait été permise dans l'année de la vente, si l'automobile était toujours détenue à la fin de l'année, sera déductible, pourvu que vous achetiez une autre automobile dont le coût est supérieur au coût maximal prescrit et que vous l'ayez encore à la fin de cette année. Pour les autres types de biens amortissables, lorsqu'il n'y a plus de biens dans la catégorie, tout solde positif est habituellement radié (perte finale) et tout solde négatif (récupération de l'amortissement) doit être inclus dans le revenu. Cette règle ne s'applique toutefois pas à des automobiles de la catégorie 10.1, soit celles dont le coût est supérieur au coût maximal prescrit.

Vous pouvez également déduire les intérêts d'un emprunt contracté pour acheter l'automobile. La déduction des intérêts est limitée à une moyenne maximale de 300 $ par mois (250 $ pour les automobiles achetées avant le 1er septembre 1989), pour la période au cours de laquelle le prêt n'est pas remboursé.

Les montants limités d'amortissement et d'intérêts, calculés selon les règles qui précèdent, peuvent être réduits encore davantage, puisqu'ils ne constituent une dépense admissible qu'en proportion de l'utilisation commerciale de l'automobile, comme nous l'illustrerons ci-après.

Déductions relatives aux automobiles louées

Si vous louez votre automobile, vous pouvez déduire le moindre

- du coût de location réel ;
- de 650 $ par mois plus la TPS et la taxe de vente provinciale payables sur 650 $, si la location a débuté après 1990 (un montant fixe de 650 $ ou 600 $ par mois pour les locations ayant débuté avant 1991 et avant le 1er septembre 1989, respectivement) ;
- du coût de location réel multiplié par le coût maximal prescrit et divisé par 85 % du prix de détail suggéré par le fabricant. Pour les contrats de location conclus avant 1991, on doit ajouter la taxe de vente provinciale au prix de détail suggéré.

Par exemple, si vous êtes un résident du Québec et si le prix de détail suggéré par le fabricant de votre automobile est de

34 000 $ et que les frais de location mensuels en vertu d'un contrat signé le 1er octobre 1992 sont de 700 $, les frais déductibles sont limités au moindre de 700 $, 751 $ et 672 $ (700 $ × 27 734 $ / 85 % de 34 000 $). La déduction maximale est alors de 672 $. Les frais de location mensuels d'une voiture dépendent de la durée de la location et du prix d'option d'achat au terme de la période de location ainsi que des négociations que vous avez menées.

Notre exemple n'est pas forcément représentatif des conditions applicables à une automobile dont le prix se situe aux environs de 34 000 $.

Réductions applicables à l'utilisation personnelle

Les frais de location ou de propriété déductibles, calculés ci-dessus, doivent encore être réduits en les multipliant par le ratio suivant: kilomètres parcourus à des fins d'affaires / total des kilomètres parcourus.

Votre déduction des frais de fonctionnement est aussi limitée à la proportion des frais d'essence, de réparation et d'entretien qui est calculée en multipliant le montant des frais réels par le ratio décrit ci-dessus. Par conséquent, si vous utilisez l'automobile à 50 % pour votre travail, 50 % des frais sont déductibles. Il en est également ainsi lorsqu'il s'agit de calculer le remboursement de TPS et de TVQ (à l'égard des frais d'entretien seulement) auquel vous pouvez être admissible.

Aide à l'achat

Votre employeur peut décider de vous faciliter l'achat d'une automobile. Cette aide prend souvent la forme d'un prêt à taux d'intérêt faible ou nul. Dans un tel cas, les intérêts auxquels votre employeur renonce sont considérés comme un avantage imposable selon le taux d'intérêt fixé par règlement et qui peut varier à tous les trois mois. Par conséquent, votre revenu est augmenté du montant du prêt multiplié par le taux d'intérêt fixé par règlement pour la période durant laquelle le prêt est impayé. On considère cependant que ces intérêts constituent une dépense, et vous pouvez déduire la fraction des intérêts présumés selon le calcul prévu ci-dessus pour les autres dépenses.

Étant donné que vous auriez probablement été soumis à un taux d'intérêt plus élevé que le taux fixé par règlement si vous aviez emprunté l'argent d'une banque, mais que le coût de l'employeur (incluant le revenu de placement qu'il perd) est généralement semblable au taux fixé par règlement, un tel prêt constitue sans doute l'une des meilleures façons d'obtenir un avantage réel à un coût fiscal relativement faible. Cet énoncé se vérifie d'ailleurs dans tous les cas, que le prêt serve à l'achat d'une automobile ou à d'autres fins.

ASPECTS FISCAUX POUR L'EMPLOYÉ : LA SOCIÉTÉ FOURNIT LA VOITURE

Si la société met une automobile à votre disposition, vous pourriez être tenu d'inclure plusieurs montants dans votre revenu. Ces montants comprennent un avantage pour droit d'usage (un montant théorique pour tenir compte de la mise à votre disposition d'une automobile), tout avantage que vous recevez de votre employeur pour les frais de fonctionnement à l'égard de votre utilisation personnelle de l'automobile ainsi que les allocations imposables. Comme il est mentionné précédemment, la valeur des avantages ajoutés à votre revenu comprend la TPS et la TVQ. Le montant de la TPS et de la TVQ devra être déclaré par l'employeur comme un avantage imposable sur votre feuillet T4 (Relevé 1 au Québec). Le remboursement de frais précis, comme l'essence et le stationnement qui se rapportent directement à l'usage de l'automobile à des fins d'affaires, ne constitue pas un avantage imposable. En règle générale, votre employeur déclare le montant imposable sur votre feuillet T4 (relevé 1 au Québec). Il est cependant avantageux pour vous de savoir comment se calcule un tel montant. Dans certains cas (et en supposant que vous ayez le choix), vous pourriez préférer posséder votre propre véhicule et recevoir une allocation plutôt que de vous servir de la voiture de votre employeur.

Avantage pour droit d'usage

Vous devez inclure dans votre revenu imposable « l'avantage pour droit d'usage » qui correspond plus ou moins à la valeur du bénéfice que vous obtenez en ayant une automobile à votre disposition. Cet avantage est calculé différemment selon que votre employeur possède ou loue l'automobile.

Véhicules acquis par l'employeur

Si votre employeur possède l'automobile, l'avantage pour droit d'usage correspond à 2 % du coût initial de l'automobile (excluant la TPS mais incluant la taxe de vente provinciale pour les automobiles achetées avant 1992. La TVQ et/ou la taxe provinciale payée entre le 1er janvier 1992 et le 1er juillet 1992 seront exclues du calcul pour une automobile acquise après 1991) pour chaque mois où l'automobile est mise à votre disposition (24 % pour une année entière). Ces 2 % sont calculés sur le coût total de l'automobile, que ce coût dépasse ou non le coût maximal prescrit.

L'avantage pour droit d'usage peut être réduit lorsque vous utilisez l'automobile presque exclusivement à des fins d'affaires (90 % et plus, selon Revenu Canada) et que votre utilisation personnelle est inférieure à 1 000 kilomètres par mois. Dans ce cas, l'avantage pour droit d'usage se calcule comme suit :

$$
\begin{array}{c}
\text{avantage} \\
\text{calculé} \\
\text{par ailleurs}
\end{array}
\times
\frac{\text{nombre de kilomètres parcourus pour fins personnelles dans l'année}}{1\,000 \times \text{nombre de mois dans l'année où l'automobile est à la disposition de l'employé}}
$$

À titre d'exemple, si vous ne parcourez que 200 kilomètres par mois pour votre usage personnel et si ce chiffre représente 5 % de l'utilisation totale, vous ne serez imposé que sur 20 % (2 400 km / 12 000 km) de l'avantage pour droit d'usage calculé par ailleurs. Vous devez cependant noter que tout déplacement de votre résidence au bureau de votre employeur est considéré comme un usage personnel de l'automobile (non à des fins d'affaires).

Lorsque la voiture est mise à votre disposition uniquement à des fins d'affaires, par exemple par une entente portant sur des voitures mises en commun ou sur une limousine de la société, cette règle signifie que vous n'avez à inclure aucun montant au titre d'avantage pour droit d'usage dans votre revenu. Par contre, vous devez savoir que, si vous demeurez à 10 kilomètres de votre travail et que votre unique utilisation personnelle de l'automobile consiste à vous rendre au bureau et en revenir tous les jours, vous parcourez quand même environ 4 500 kilomètres par année pour votre usage personnel. Pour être admissible à une réduction de l'avantage pour droit d'usage, votre utilisation annuelle totale devrait dépasser 45 000 kilomètres. Si vous demeurez à 20 kilomètres de votre travail, vous devriez parcourir 90 000 kilomètres par année à des fins d'affaires.

Si votre travail consiste principalement à vendre des voitures neuves et d'occasion, votre employeur peut utiliser une autre méthode pour calculer l'avantage pour droit d'usage.

Les règles concernant l'avantage pour droit d'usage s'appliquent aux membres d'une société de personnes comme s'ils étaient des employés.

Véhicules loués par l'employeur

L'avantage pour droit d'usage inclus dans votre revenu lorsque l'automobile est louée par l'employeur correspond aux deux tiers des frais de location, (excluant la TPS, la TVQ ou la taxe du Québec payée entre le 1er janvier 1992 et le 30 juillet 1992) et tout montant compris dans les frais de location relativement aux réparations et à l'entretien, mais à l'exclusion de l'assurance. (Il faut noter que le coût de l'assurance est inclus dans les frais de fonctionnement pour calculer l'avantage pour frais de fonctionnement et il sera exclu lors du calcul de l'avantage relatif à la TPS et la TVQ.) L'avantage est calculé sur le plein montant de location payé par votre employeur même si ce dernier ne peut déduire ce plein montant.

Vous avez peut-être avantage à ce que votre employeur loue l'automobile au lieu de l'acheter. Les deux tiers des frais de location peuvent correspondre à moins de 24 % du coût, ce qui correspond à l'avantage imposable lorsque l'employeur possède l'automobile. Pour le savoir, vous devez faire le calcul selon des prix d'achat et des coûts de location précis. La location permet également que certains frais de service soient inclus dans le contrat de location et résultent en un avantage imposable aux deux tiers seulement.

Lorsque votre usage personnel ne dépasse pas 10 % de l'usage total ni 1 000 kilomètres par mois, l'avantage pour droit d'usage peut également être réduit comme nous l'avons mentionné ci-dessus dans le cas des véhicules achetés.

Remboursement à votre employeur

Si vous remboursez à votre employeur une partie du coût de l'automobile, l'avantage pour droit d'usage autrement inclus dans votre revenu est réduit du montant que vous avez remboursé. Dans le cas d'une automobile louée par l'employeur, vous êtes avantagé puisque vous déduisez la totalité des frais de location remboursés alors que l'avantage imposable ne correspond qu'aux deux tiers du coût de location. Toutefois, dans le cas d'une location, le remboursement est imposable pour votre employeur, comme on le verra par la suite. Par conséquent, il ne sera peut-être pas enclin à autoriser une telle pratique de remboursement.

Autres frais liés à la possession et au fonctionnement

Si votre employeur paie également des éléments comme l'assurance, l'immatriculation, l'essence, les réparations et l'entretien, vous bénéficiez peut-être d'un avantage imposable supplémentaire. Cet avantage représente le montant de frais payé par l'employeur multiplié par le ratio des kilomètres parcourus pour votre usage personnel par rapport au total des kilomètres parcourus, moins les remboursements effectués à votre employeur.

Vous ne pouvez réclamer de déduction à l'égard des frais de fonctionnement qui vous ont été remboursés par votre employeur et qui sont exclus de votre revenu imposable.

Choix à l'égard des frais de fonctionnement

Si vous utilisez l'automobile principalement pour votre travail, vous pouvez choisir d'inclure comme revenu imposable, à l'égard des frais de fonctionnement payés par votre employeur, un montant correspondant à la moitié de l'avantage pour droit d'usage. Ce calcul remplace le montant qui serait inclus d'après les frais réels payés par l'employeur. Revenu Canada a indiqué de façon informelle qu'à cette fin, « principalement » signifie au moins 50 %. Si vous décidez de vous servir de cette méthode, vous devriez aviser votre employeur par écrit avant la fin de l'année en question pour lui indiquer que vous avez opté pour ce choix.

Autres frais accessoires personnels

Les montants versés par votre employeur pour d'autres frais accessoires personnels, tels les frais de stationnement non reliés au travail, sont inclus dans votre revenu à titre d'avantage imposable.

Règles applicables aux actionnaires

Les actionnaires d'une société sont généralement assujettis aux mêmes règles que les employés s'ils bénéficient de l'utilisation d'une automobile fournie par la société.

▶ ASPECTS FISCAUX POUR LES EMPLOYEURS ET LES TRAVAILLEURS INDÉPENDANTS

Allocations

Une allocation raisonnable versée à un employé à des fins d'affaires et calculée sur le nombre de kilomètres parcourus à des fins d'affaires au cours de l'année n'est pas incluse dans le revenu de l'employé. Pour réduire les difficultés administratives inhérentes à la tenue régulière d'un registre des kilomètres parcourus par chaque employé, Revenu Canada permettra qu'une allocation fixe non imposable soit versée à un employé au cours de l'année, pourvu que soient respectées les conditions suivantes :

- Le taux applicable à chaque kilomètre parcouru est fixe.
- Le taux et les avances sont raisonnables.
- À la fin de l'année civile ou lorsque l'employé quitte son emploi, selon la date la plus hâtive, le nombre réel de kilomètres parcourus à des fins d'affaires est calculé. Si l'employeur a versé trop d'argent, l'employé doit rembourser le montant versé en trop. Si l'employé n'a pas reçu suffisamment d'argent, l'employeur lui verse la différence en cause.
- L'employé n'est pas tenu d'inclure le montant dans son revenu en vertu d'une autre disposition de la Loi de l'impôt sur le revenu.

Frais déductibles

Si vos employés utilisent leur propre automobile à des fins d'affaires, vous pouvez déduire certains remboursements ou allocations que vous leur versez pour l'usage commercial de leur véhicule. De plus, en ce qui concerne la TPS, vous avez droit de vous faire rembourser, par le biais du crédit de taxe sur intrants, la TPS payée sur les dépenses remboursées aux employés et la TPS présumée être incluse dans le montant des allocations versées. Pour ce qui est de la TVQ, vous avez aussi droit à un tel remboursement, mais en utilisant le facteur 3/103.

Si des automobiles sont mises à la disposition de vos employés, vous devez connaître les règles applicables à la déduction des frais en cause. Généralement, les montants que vous pouvez déduire se limitent aux frais « raisonnables », autres que des dépenses de nature capitale, engagés pour gagner un revenu tiré d'une entreprise, d'une profession ou d'un bien.

Par conséquent, vous pouvez déduire la totalité des frais de location ou de possession, jusqu'à concurrence du plafond déjà mentionné à l'égard des voitures de luxe, ainsi que les frais de fonctionnement, de stationnement et autres frais raisonnables à l'égard des automobiles que vous fournissez. Vous pouvez également déduire les dépenses en intérêts engagées sur les emprunts qui servent directement à l'achat d'automobile, jusqu'à concurrence de 300 $ (250 $ pour les voitures acquises après le 17 juin 1987 et avant le 1er septembre 1989) par mois et par voiture, pendant toute la durée de l'emprunt.

Déductions de l'employeur relativement à une automobile fournie par l'employé

À titre d'employeur, vous pouvez déduire certaines allocations d'automobile versées à un employé pour la distance qu'il parcourt avec sa propre voiture pour le compte de votre entreprise, même si ces allocations ne sont pas déclarées à titre de revenu imposable de l'employé. Vous pouvez aussi déduire toutes les allocations d'automobile raisonnables ou les paiements similaires qui sont déclarés sur le feuillet T4 (relevé 1 au Québec) de l'employé à titre de revenu.

Vous pouvez déduire les allocations non imposables versées à un employé jusqu'à concurrence de 0,31 $ du kilomètre pour les 5 000 premiers kilomètres parcourus à des fins d'affaires par l'employé dans l'année et jusqu'à 0,25 $ du kilomètre pour l'excédent du kilométrage annuel parcouru aux fins d'affaires. Un montant additionnel de 0,04 $ du kilomètre est déductible à l'égard des distances parcourues au Yukon et dans les Territoires du Nord-Ouest.

Vous pouvez déduire la totalité des montants versés à l'égard de l'essence, de l'entretien et des réparations, même si la partie de ces frais liée à l'utilisation personnelle de l'automobile constitue un revenu imposable pour l'employé.

Déductions de l'employeur concernant les véhicules fournis par la société

Si votre société achète ou loue des automobiles qui sont mises à la disposition des employés, vous serez tenu de calculer l'avantage pour droit d'usage, comme nous l'avons expliqué ci-dessus, et d'inclure l'avantage imposable sur les feuillets T4 (relevés 1 au Québec) de vos employés. Vous êtes tenu de verser la TPS reliée à l'avantage. Cependant, vous pourriez avoir le droit de réclamer la TPS payée sur le prix d'achat ou de location de la voiture, sous réserve des montants maximum permis par la Loi de l'impôt sur le revenu. Étant donné que la TVQ payée à l'achat et à la location d'une voiture ne donne pas droit à un remboursement de taxe sur intrants, vous ne serez pas tenu de remettre la TVQ reliée à l'avantage.

Automobiles possédées par la société

Votre société peut bénéficier des déductions habituelles pour amortissement à l'égard des automobiles qu'elle possède, et qui sont utilisées à des fins d'affaires. Les règles générales concernant la DPA s'appliquent aux voitures qui ne coûtent pas plus que le coût maximal prescrit. Ces automobiles font partie de la catégorie 10, laquelle permet un taux d'amortissement de 30 %. Les règles habituelles concernant la récupération, la perte finale et le regroupement de ce genre d'actifs dans une même catégorie continuent de s'appliquer aux automobiles qui respectent les critères décrits ci-dessus.

Par contre, si vous achetez une voiture dont le coût dépasse le coût maximal prescrit, cette automobile doit être placée dans une nouvelle catégorie distincte pour la DPA, soit la catégorie 10.1. Les autres mesures fiscales décrites pour les employés, dans le paragraphe intitulé « Déductions relatives aux automobiles achetées », s'appliquent aussi aux employeurs.

Automobiles louées

Si la société fournit des automobiles louées à ses employés, la déduction maximale concernant les frais de location est la même que celle que nous avons décrite précédemment à l'égard des employés.

Des mesures fiscales additionnelles sont prévues pour éviter que des montants remboursables versés au locateur servent à diminuer les montants de loyer mensuel et, indirectement, à augmenter la déduction maximale permise.

Vous devez noter que si des automobiles louées sont mises à la disposition de vos employés, tout remboursement par ces derniers de vos frais de location réduit la fraction déductible de vos frais. L'effet peut être particulièrement sévère dans le cas des voitures de luxe. Par exemple, si vous payez 1 800 $ de location mensuelle en vertu d'un contrat signé le 1er octobre 1992, votre déduction maximale, s'il n'y a pas de remboursement par l'employé, peut être de 751 $ (pour un résident du Québec). Si le remboursement de l'employé correspond à 751 $ ou davantage, vous n'obtiendrez aucune déduction. Si ce remboursement est inférieur à 751 $, il réduit d'autant la déduction admissible.

PLANIFICATION DE L'USAGE COMMERCIAL D'UNE AUTOMOBILE

Comme on peut le voir, les règles sont d'une grande complexité. Par conséquent, dans bien des cas, un examen précis de la politique actuelle et des choix possibles s'impose pour maximiser les déductions fiscales et les avantages des employés. De plus, il faut tenir compte des implications reliées à la taxe sur les produits et services.

Le résultat d'une telle analyse peut démontrer que vous devriez songer à une démarche différente. À titre d'exemple, vous devriez peut-être considérer les éléments suivants :

- songer à un prêt ne portant pas intérêt au lieu d'une allocation d'automobile ou d'une voiture fournie par la société ;

- considérer la possibilité que l'employeur fournisse une automobile louée au lieu d'une automobile achetée ;

- louer la voiture au départ et l'acheter par la suite ;

- songer à avoir une automobile à sa disposition qui sert exclusivement à des fins d'affaires ou à 90 % et plus.

Nous vous suggérons de consulter un conseiller professionnel pour voir si une démarche particulière peut se traduire par une forte économie sur les coûts que vous pourriez engager par ailleurs.

CHAPITRE 10

La planification successorale

Votre testament est-il conforme à vos objectifs et
prévoit-il une distribution des biens de façon à
minimiser l'impôt au décès ?

■

N'attendez pas avant d'établir votre planification successorale ;
pensez-y tôt dans votre carrière.

■

Avez-vous révisé votre testament dernièrement
pour tenir compte des changements dans les lois applicables ?

■

Avez-vous prévu la création de fiducies testamentaires
au profit du conjoint et/ou des enfants ?

■

Les pouvoirs accordés à l'exécuteur testamentaire
lui permettent-ils d'entreprendre certaines planifications
pour diminuer les impôts ?

■

Prévoyez un mécanisme de gel successoral
pour que la plus-value future de vos biens
s'accumule en faveur de vos enfants.

■

Est-il pertinent pour vous de souscrire
à un contrat d'assurance-vie ?

■

Avez-vous tenu compte des effets de la loi 146
(patrimoine familial) dans la rédaction de votre testament ?

Vous serez peut-être tenté de sauter le présent chapitre, croyant à tort que vous êtes trop jeune ou pas assez riche pour avoir une « succession » qui vaille la peine d'être planifiée. Pourtant, toute personne majeure devrait songer à ce qu'il adviendra de ses biens à son décès ; de plus, elle devrait s'occuper des préparatifs nécessaires, de sorte que les membres de sa famille ne soient pas démunis.

Chaque année, des milliers de Canadiens périssent dans des accidents. Nombre d'entre eux ne laissent aucun testament. Bien qu'il soit probable que vous viviez très vieux, vous vous devez, ainsi qu'à votre famille, de mettre de l'ordre dans vos affaires.

Votre planification successorale sera aussi simple ou aussi compliquée que vous le voulez. Votre situation personnelle et financière aura toutefois des incidences sur vos décisions. À titre d'exemple, si vous êtes propriétaire d'une entreprise, votre planification successorale devrait comporter des dispositions relatives à la cession de celle-ci à vos descendants ou bien à sa vente à des tiers. Cette question sera traitée plus loin dans ce chapitre.

La planification successorale consiste à créer, puis à maintenir, un programme conçu pour préserver vos biens, et à les répartir entre vos héritiers de la manière la plus efficace et la plus avantageuse possible, conformément à votre volonté.

Les nombreuses modifications apportées à la législation fiscale au cours des dernières années ont eu des répercussions sur la presque totalité des structures de planification successorale ; elles ont aussi influencé les personnes qui envisagent d'établir une telle structure.

▨ L'exemption cumulative à vie pour gains en capital peut modifier la façon de transmettre les biens aux héritiers.

▨ Les restrictions de plus en plus importantes affectant les règles relatives au fractionnement du revenu entre les membres d'une même famille sont telles qu'il peut s'avérer nécessaire de procéder à la restructuration de plusieurs démarches relatives à la planification successorale.

▨ L'impôt minimum de remplacement peut avoir une incidence sur la façon d'envisager la planification successorale pour un certain nombre de contribuables à revenus élevés, particulièrement ceux qui détiennent des placements dans des abris fiscaux.

▨ Les changements apportés, dans plusieurs provinces, à la législation sur le droit de la famille, ont des conséquences importantes sur le transfert des biens d'une génération à l'autre.

▷ OBJECTIFS

Globalement, les objectifs de la planification successorale se répartissent ainsi :

▨ Assurance de fonds suffisants pour vous et votre famille, présentement et pour l'avenir (c'est-à-dire pendant votre retraite), et pour vos héritiers après votre décès.

▨ Distribution des biens, selon votre volonté, au cours de votre vie et au moment de votre décès, de façon à ce que vos héritiers puissent en bénéficier au maximum.

▨ Réduction maximale, tant présentement que dans l'avenir, des diverses formes d'érosion de vos biens, dont l'impôt qui demeure la forme la plus importante.

Vos objectifs de planification successorale doivent être réalistes. De plus, il est important de revoir périodiquement votre structure de planification successorale, qui doit faire preuve de suffisamment de souplesse pour s'accommoder aux inattendus pouvant survenir dans votre situation financière ou personnelle ainsi qu'aux événements indépendants de votre volonté, telles les modifications apportées à la législation.

Aspects financiers

Pour élaborer une planification successorale, vous devez d'abord commencer par évaluer votre situation actuelle quant à vos biens, votre endettement et votre revenu. De même, vous seriez bien avisé d'essayer de prévoir la direction que prendront vos affaires : la possibilité d'un héritage, d'une liquidation d'éléments d'actif – par exemple, votre entreprise – ou d'autres biens, le remboursement d'hypothèques, les frais pour l'éducation de vos enfants, l'achat de biens pour vos loisirs ou votre retraite, etc. Vous devriez également tenter de prévoir quelle sera l'influence de l'économie sur la bonne marche de vos affaires, sur vos biens et vos revenus, dans la conjoncture à venir. Selon « la règle de 72 », si l'inflation se situe en moyenne à 6 % par année, le dollar d'aujourd'hui vaudra 0,50 $ dans 12 ans (72 divisé par 6). Dans 24 ans, la valeur du dollar ne sera plus que de 0,25 $.

Renseignements à fournir aux conseillers en planification successorale

Un conseiller en planification successorale a besoin de renseignements précis et récents concernant vos finances ; il doit bien comprendre vos objectifs financiers et personnels. Il doit donc être parfaitement au courant de vos affaires. La réussite de votre planification successorale dépend avant tout de l'information servant à sa préparation.

Pour qu'une telle planification soit efficace, un certain nombre de personnes doivent y collaborer : votre comptable, votre conseiller juridique, votre agent d'assurances, votre conseiller financier et, dans certains cas, vos associés. Il est aussi préférable de faire participer votre conjoint à l'établissement de vos objectifs de planification successorale. Cette façon de procéder ne convient pas nécessairement à tout le monde. Cependant, si vos affaires sont un tant soit peu compliquées et que votre conjoint doive les gérer à votre décès, il vaudrait mieux l'informer dès maintenant des dispositions que vous entendez prendre.

Objectifs fiscaux de la planification successorale

Sur le plan fiscal, vos objectifs de planification successorale peuvent se résumer comme suit :

- Minimiser et reporter vos impôts actuels et futurs en vue de préserver vos biens.

- Transférer tout fardeau fiscal éventuel à vos héritiers afin que les impôts soient payables seulement lorsque ces derniers disposeront à leur tour des biens en cause.

- Minimiser les impôts résultant de votre décès afin d'accroître la valeur de votre succession.

► ÉVOLUTION DE LA STRUCTURE DE LA PLANIFICATION SUCCESSORALE

Afin de vous aider à élaborer vos propres objectifs de planification successorale, nous vous présentons un résumé des éléments dont une famille type doit tenir compte au fil des ans. Vous constaterez que les préoccupations en matière de planification varieront en fonction des besoins et des circonstances propres à votre famille. Mais notez qu'il s'agit seulement d'un exemple. Votre planification successorale devra être adaptée à votre situation et à celle de votre famille.

Planification successorale en début de carrière

Entre 25 et 40 ans, il est probable que vous vous marierez et que vous fonderez une famille. Vous commencerez votre carrière ou vous démarrerez une nouvelle entreprise. Vous aurez alors peu de biens. Votre principal souci dans ce cas est de protéger les personnes qui sont à votre charge au cas où vous ou votre conjoint décédiez ou ne seriez plus en mesure de faire vivre votre famille. **Votre planification successorale peut alors se limiter à assurer le remboursement de l'emprunt hypothécaire sur votre domicile ainsi qu'à maintenir une assurance-vie (vraisemblablement une assurance temporaire) et une assurance en cas d'invalidité à long terme, d'un montant suffisant. Il est probable que vous léguerez purement et simplement la totalité de vos biens à votre conjoint dans votre testament.**

201

Lorsque vous pourrez affecter une tranche plus large de vos revenus à la planification successorale, vous voudrez sans doute commencer à économiser pour acheter éventuellement certains biens, pour les études de vos enfants ou pour votre retraite. **Il vous est possible, à vous et votre conjoint, de profiter de régimes enregistrés d'épargne-retraite (REER).** Vous trouverez peut-être intéressant d'acquitter des primes plus élevées en vue d'obtenir la sécurité accrue et les avantages de placement qui découlent d'une assurance-vie permanente.

Planification dans la quarantaine

De 40 à 55 ans, vous aurez probablement amassé plus de biens et vous bénéficierez de revenus plus élevés. Cependant, vous devrez peut-être faire face à des dépenses accrues, telles que l'instruction post-secondaire de vos enfants.

À cette étape, vous continuerez à contribuer à un régime de retraite, que ce soit un REER ou un régime de pension agréé de votre employeur. Vous préférerez peut-être annuler votre police d'assurance-vie temporaire pour contracter une assurance permanente. Il serait également opportun de restructurer vos affaires commerciales et vos placements de façon à réduire vos impôts et à vous permettre d'épargner et d'accumuler des biens en vue de la retraite.

Planification en vue de la retraite

Vers 55 ans, il est temps de songer sérieusement à planifier vos affaires en vue de votre retraite. *Vous devez vous assurer que vos revenus de retraite seront suffisants pour répondre à vos besoins et que vos économies vous permettront de faire face aux imprévus.* Il est probable que vous continuerez de contribuer à votre REER ou à votre régime de retraite, et que vous effectuerez encore des placements. Vous devez vous interroger sur le genre de revenu de retraite à adopter à l'échéance de votre REER et de vos autres régimes de retraite. Si vous possédez une entreprise, vous aurez peut-être l'intention de la vendre pour accroître votre revenu de retraite, ou de vous retirer progressivement afin de faire place à la relève.

Vous devez aussi déterminer comment vous disposerez de vos biens à votre décès. La Loi de l'impôt sur le revenu prévoit une disposition présumée de tous vos biens à votre décès, de sorte que le gain en capital cumulé sur ces biens devient imposable à ce moment. Cela peut diminuer sensiblement la valeur de votre succession, en particulier si vous vous êtes prévalu de votre vivant de la totalité de l'exemption cumulative pour gains en capital. Mais en aliénant vos biens de façon appropriée pendant votre vie et en rédigeant soigneusement votre testament, vous pouvez minimiser les conséquences fiscales de cette disposition présumée au décès. Vous pouvez léguer une partie de vos biens à vos héritiers au cours de votre vie ou créer des fiducies en leur nom, qui débuteront de votre vivant ou après votre décès.

LE TESTAMENT

Votre testament et celui de votre conjoint constituent les éléments les plus importants de la partie de votre planification successorale visant la période suivant votre décès. Dans votre testament, vous désignez l'exécuteur de votre succession, nommez vos bénéficiaires et indiquez vos volontés concernant la répartition de vos biens. Il est important de consulter votre conjoint au moment de rédiger votre testament afin qu'il puisse comprendre les dispositions que vous prenez. Si votre conjoint approuve vos dispositions, il est peu probable qu'il conteste le testament à votre décès.

L'exécuteur testamentaire

L'exécuteur testamentaire (et le fiduciaire) assume de lourdes responsabilités. Vous devez vous assurer non seulement que la personne désignée acceptera cette tâche mais qu'elle sera aussi en mesure d'en remplir convenablement les fonctions. Elle doit être parfaitement au courant de vos affaires et posséder les compétences requises pour les gérer.

L'exécuteur testamentaire, c'est la personne chargée de faire respecter vos dernières volontés exprimées dans votre testament. Il doit être habilité, par les clauses de votre testament, à prendre toutes les décisions concernant le règlement de votre succession.

Il est important de souligner que *l'exécuteur testamentaire est responsable de maintenir la valeur de la succession jusqu'à la répartition des biens entre les bénéficiaires.* Par conséquent, s'il

203

considère que, pour le meilleur intérêt de votre entreprise, celle-ci devrait être gérée de l'extérieur avant que vos enfants en aient la charge, votre testament doit lui permettre de faire le nécessaire. Sinon, l'exécuteur doit remettre le contrôle de votre entreprise aux personnes désignées, même si celles-ci sont incapables de l'administrer et il ne peut que leur conseiller de faire appel à des spécialistes de l'extérieur ou de vendre l'entreprise avant que sa valeur n'ait gravement chuté.

Souvenez-vous que les dispositions prises avant votre décès, particulièrement dans votre testament, auront un effet décisif sur le règlement de votre succession. Si vos directives sont imprécises, votre exécuteur, même en agissant de bonne foi, pourrait mal interpréter vos volontés ou voir ses pouvoirs contestés.

Décès sans testament

Plusieurs personnes croient qu'en l'absence d'un testament, le conjoint survivant hérite automatiquement de la totalité des biens de la personne décédée. En fait, lorsqu'une personne décède sans testament proprement rédigé et exécuté, ou avec un testament qui ne porte pas sur la totalité de ses biens, la répartition des biens qui ne sont pas visés par un testament sera régie par la législation provinciale et le droit de la famille pertinents.

Ces lois varient d'une province à l'autre. **À titre d'exemple, au Québec, lorsqu'une personne décède sans testament, le conjoint survivant hérite du tiers de la succession, et les enfants, des deux tiers.** La législation de plusieurs autres provinces stipule que, dans le cas d'un décès sans testament, le conjoint reçoit la première tranche de 75 000 $ de la succession et partage l'excédent avec les enfants, s'il y a lieu. Étant donné que ce genre de répartition est purement arbitraire, elle ne répond habituellement pas aux volontés de la personne décédée ni aux besoins des membres de la famille.

Révision du testament

Les modifications apportées aux lois sont susceptibles d'avoir une incidence sur la validité de votre testament. À titre d'exemple, dans certaines provinces, la législation portant sur le partage des biens matrimoniaux a préséance sur les dispositions de votre testament.

**Votre testament devrait être révisé, et modifié
s'il y a lieu, au moins à tous les cinq ans.
De plus, il devrait être révisé dès que survient le décès
d'un bénéficiaire éventuel ou de l'exécuteur,
ou encore dès que surviennent des changements
dans votre situation familiale ou financière.**

De plus, la loi stipule dans la plupart des provinces (mais pas au Québec) que vous ne pouvez pas déshériter totalement votre conjoint ou une personne qui est à votre charge. Il n'y a pas que votre testament que vous devez réviser périodiquement. Tous les autres éléments de votre planification successorale, tels que vos polices d'assurance et vos régimes de retraite et d'épargne-retraite doivent aussi en faire l'objet. N'oubliez pas de changer le nom des bénéficiaires de vos assurances et de vos régimes différés si vous ne voulez pas qu'une part importante de votre succession soit dévolue à une personne que vous ne voulez plus avantager.

Il faut souligner que la rédaction d'un testament approprié exige une compétence particulière. En vue d'éviter tout problème futur, il est souhaitable de recourir aux services d'un conseiller juridique expérimenté dans les domaines des successions et du droit de la famille. La prudence recommande de demander à votre conseiller fiscal de réviser votre testament avant de le signer.

▶ IMPOSITION LORS DU DÉCÈS

Si vous comprenez bien la façon dont les biens sont imposés au décès, vous serez mieux en mesure de décider de la répartition de ceux-ci dans votre testament, et même de leur distribution au cours de votre vie.

Les gouvernements fédéral et provinciaux ne prélèvent, lors d'un décès, aucun impôt sur la valeur des biens qui sont transférés aux héritiers. Seuls les montants reçus ou présumés reçus par la personne décédée ainsi que ses gains en capital réalisés (ou présumés réalisés) sont soumis à l'impôt.

À la suite d'un décès, quatre types de contribuables peuvent être assujettis à l'impôt :

■ La personne décédée dont les revenus depuis le 1er janvier jusqu'à la date du décès sont imposés lors de la présentation d'une déclaration d'impôt finale et, dans le cas de certains revenus particuliers, de déclarations d'impôt distinctes.

■ La succession, aussi longtemps que l'exécuteur ne procédera pas à sa liquidation.

■ Toute fiducie qui a été créée en vertu du testament de la personne décédée.

■ Les héritiers.

Règles d'aliénation présumée

Dans l'année du décès, l'année d'imposition de la personne décédée commence le 1er janvier et se termine à la date du décès. Une déclaration de revenu finale doit être produite. Elle doit inclure la totalité des revenus réalisés jusqu'à la date du décès, c'est-à-dire les intérêts, les loyers, les redevances, les annuités, les rémunérations tirées d'un emploi et les autres montants payables périodiquement qui s'étaient accumulés sans être à payer au moment du décès, ainsi que ceux qui étaient payables mais qui sont demeurés impayés. Y sont aussi déclarés les gains nets en capital imposables ou les pertes subies avant le décès, mais qui n'ont pas été inclus dans le revenu au cours d'une année antérieure.

En outre, la personne décédée est présumée avoir aliéné la totalité de ses biens en immobilisations immédiatement avant son décès. Les biens non amortissables sont présumés avoir été aliénés à leur juste valeur marchande immédiatement avant le décès. Quant aux biens amortissables, ils sont présumés avoir été aliénés à une valeur moyenne entre leur coût en capital non amorti et leur juste valeur marchande. Ces aliénations présumées peuvent entraîner un gain ou une perte en capital ainsi qu'une perte finale ou une récupération de l'amortissement déjà réclamé, qui doivent être inclus dans la déclaration finale.

Les avoirs miniers sont définis selon la loi comme des biens autres qu'en immobilisations. Une aliénation présumée d'un avoir minier au décès entraîne l'inclusion de la totalité de sa juste valeur marchande dans le revenu de la déclaration finale.

En d'autres termes, même s'il n'y a pas eu de vente réelle des biens, la personne décédée est imposée comme si tous ses biens avaient été vendus immédiatement avant son décès. Si la valeur de ces biens en immobilisations a augmenté depuis leur acquisition, ou si les avoirs miniers ont une juste valeur marchande importante, un montant considérable d'impôt peut découler de ces aliénations présumées. Comme il n'y a pas eu aliénation réelle de ces biens, la succession pourra éprouver de la difficulté à trouver les fonds nécessaires pour acquitter cet impôt, puisqu'elle ne peut le faire à même le prix de vente des biens, car il s'agit d'une aliénation présumée. Toutefois, il est à noter que l'impôt minimum de remplacement ne s'applique pas dans l'année du décès.

Toute exemption cumulative à vie pour gains en capital qui n'a pas été utilisée peut être réclamée pour réduire les gains en capital découlant d'une aliénation présumée. Les incidences fiscales résultant de ces règles d'aliénation présumée peuvent être évitées dans deux situations précises :

■ Lorsqu'un bien est transféré au conjoint ou à une fiducie en sa faveur, il n'y a pas de répercussions fiscales lors du décès, à moins qu'un choix contraire n'ait été effectué. Le conjoint ou la fiducie en sa faveur hérite du bien pour un montant correspondant au coût fiscal de ce bien pour la personne décédée (c'est-à-dire le coût auquel la personne décédée a acquis ou est présumée avoir acquis le bien). Avant d'utiliser cet allégement, il faut toutefois s'assurer que la personne décédée a entièrement utilisé son exemption cumulative à vie pour gains en capital. Lorsqu'une résidence principale est transférée au conjoint ou à une fiducie en sa faveur, ces derniers conservent l'exemption concernant la résidence principale de la personne décédée. Tout gain cumulé sur une résidence principale demeure libre d'impôt sans influer sur l'exemption à vie pour gains en capital. (À ce sujet, on se reportera au chapitre 7, intitulé « L'investissement à long terme ».)

■ Lorsqu'un bien agricole, une participation dans une société agricole familiale ou des actions d'une société agricole familiale sont légués à un enfant (un petit-enfant ou un arrière-petit-enfant) de la personne décédée, le transfert entraîne un report total d'impôt et l'enfant acquiert ces biens pour un montant correspondant à leur coût fiscal pour la personne décédée. Il est possible de faire le choix que ce report ne s'applique pas, en tout ou en partie, ce qui permet d'augmenter le coût fiscal du bien agricole entre les mains de l'enfant. Il faut aussi s'assurer que la personne décédée a utilisé complètement son exemption cumulative à vie pour gains en capital avant ou au décès.

Ces situations, qui donnent lieu à des reports d'impôt dont le montant serait autrement payable en vertu des règles d'aliénation présumée, sont souvent appelées des « roulements ». Vos héritiers assument alors la totalité du fardeau fiscal éventuel qui ne sera toutefois payable que lorsqu'ils aliéneront ou seront présumés avoir aliéné des biens acquis lors de votre décès.

Déclarations d'impôt facultatives

Si la personne décédée était propriétaire d'une entreprise ou associée dans une société, bénéficiaire d'une fiducie testamentaire ou, encore, avait « des droits ou des biens » (qui sont généralement des revenus non matérialisés à la date du décès), l'exécuteur de la succession a la possibilité de déclarer une partie des revenus d'entreprise, de fiducie ou « de droits ou de biens » au moyen de trois autres déclarations distinctes.

Chacune de ces déclarations considère la personne décédée comme un contribuable distinct. Tous les crédits d'impôt personnels sont donc accordés dans chaque déclaration, ce qui entraîne une économie d'impôt, et le fractionnement du revenu entre les différentes déclarations permet d'effectuer une économie supplémentaire en raison du régime d'imposition progressif.

Imposition de la succession

Il arrive fréquemment que les biens productifs de revenus soient détenus en fiducie par la succession durant un certain temps avant d'être transférés aux bénéficiaires. La plupart du temps, la succession est alors imposée sur la totalité des revenus qu'elle a réalisés à compter de la date du décès, à l'exception des revenus qui doivent être imposés entre les mains des bénéficiaires parce qu'ils leur étaient payables, leur ont été versés ou ont fait l'objet d'un choix de bénéficiaire privilégié.

Votre testament devrait accorder des pouvoirs
assez étendus à l'exécuteur de votre succession
pour lui permettre d'entreprendre une certaine
planification fiscale testamentaire visant à
diminuer les impôts dans votre déclaration finale
et à réduire les conséquences pour vos bénéficiaires.

Impôts étrangers lors du décès

Si vous possédez des biens aux États-Unis, ou si vous-même ou l'un de vos bénéficiaires est citoyen américain ou résident des États-Unis, l'impôt fédéral sur les successions et les impôts correspondants en vigueur dans différents États américains peuvent s'appliquer. Au cours des dernières années, le taux d'imposition sur les successions a fortement augmenté aux États-Unis, au point que des milliers de résidents canadiens qui possèdent des biens aux État-Unis sont aux prises avec un impôt américain sur les successions fort important. Si vous possédez des biens aux États-Unis, vous devriez consulter votre conseiller fiscal pour déterminer quelles mesures, s'il y a lieu, devraient être prises pour réduire ou éliminer cette charge fiscale.

De nombreux autres pays imposent aussi les successions sous une forme ou une autre. Si vous croyez être assujetti à ces impôts, nous vous suggérons de consulter un spécialiste de ces questions.

▶ TECHNIQUES DE PLANIFICATION

Il ne faut pas perdre de vue que certaines des techniques présentées ci-dessous nécessitent des concessions. L'économie d'impôt réalisée peut être assortie d'une perte de contrôle sur le bien visé ou elle peut restreindre quelque peu la souplesse de votre planification successorale. Le choix des techniques que vous pourriez utiliser dépend avant tout de votre situation personnelle et financière ainsi que de vos objectifs de planification successorale.

Donation

La méthode la plus directe pour atteindre les objectifs les plus courants de planification successorale consiste à donner vos biens à vos héritiers éventuels au cours de votre vie. Étant donné que vous transférez les titres de propriété à une autre personne, la plus-value future de ces biens ainsi que le fardeau fiscal s'y rattachant subissent le même sort. Cette technique comporte trois inconvénients.

D'abord, si vous transférez un bien à votre conjoint ou à l'un de vos enfants de moins de 18 ans, vous serez soumis aux « règles d'attribution ». Selon ces règles, lorsque vous donnez un bien à votre conjoint ou à l'un de vos enfants de moins de 18 ans, de quelque façon que ce soit, directement ou non, la totalité du revenu, y compris les intérêts, les dividendes et les revenus de location, qui sont gagnés sur le bien est imposée entre vos mains jusqu'à la cessation du mariage (décès, divorce) ou dans l'année où l'enfant atteint 18 ans. De plus, si votre conjoint réalise un gain ou subit une perte en capital lors de la vente du bien visé, vous devez inclure ce gain ou cette perte dans votre revenu imposable. L'attribution des gains ou des pertes en capital ne s'applique toutefois pas lors de transferts à des enfants mineurs. La portée des règles d'attribution a été passablement élargie ces dernières années. (Veuillez consulter à ce sujet le chapitre intitulé « Fractionnement du revenu ».)

Deuxièmement, comme les titres de propriété sont transférés, vous perdrez le contrôle du bien et vous ne pourrez plus bénéficier de l'augmentation éventuelle de sa valeur.

Enfin, lorsque, au cours de votre vie, vous faites don d'un bien à toute personne autre que votre conjoint, vous êtes généralement présumé avoir encaissé le produit de l'aliénation qui correspond à la juste valeur marchande du bien au moment du don et vous devez immédiatement réaliser pour l'usage fiscal le gain ou la perte en capital s'y rattachant. En d'autres termes, vous seriez imposé comme si vous aviez encaissé un produit équivalant à la juste valeur marchande du bien, même si vous avez fait un don ou avez transféré le bien contre un montant minimal. Le gain est cependant admissible à l'exemption cumulative à vie pour gains en capital.

Comme dans le cas de l'aliénation présumée des biens au décès, les règles mentionnées ci-dessus concernant l'aliénation présumée entre vifs comportent certaines exceptions. Vous pouvez reporter l'impôt au moyen d'un roulement :

■ lorsqu'un bien est transféré au conjoint ou à une fiducie en sa faveur (bien que les gains et les pertes en capital ultérieurs vous soient attribués) ;

■ lorsqu'un bien agricole est transféré à un enfant, un petit-enfant ou un arrière-petit-enfant.

Il vaut mieux réaliser un gain et réclamer un montant au titre de l'exemption cumulative à vie de 100,000 $ pour gains en capital si vous ne prévoyez pas l'utiliser en totalité par ailleurs, au lieu de vous servir d'un roulement qui permet seulement de reporter l'impôt à des années ultérieures.

Si vous êtes actionnaire d'une société privée canadienne qui utilise la totalité ou la quasi-totalité de la juste valeur marchande de son actif pour exploiter activement une entreprise principalement au Canada, ou qui détient des biens agricoles admissibles, vous pourriez également être admissible à une exemption spéciale de 400 000 $ cumulative à vie pour gains en capital lors de l'aliénation des actions de la société (se reporter au chapitre 7). Si vous n'avez pas déjà utilisé votre exemption spéciale de 400 000 $, vous voudrez peut-être donner un nombre suffisant d'actions dans la société à vos enfants pour atteindre un gain en capital de 400 000 $ et ainsi utiliser l'exemption. Cette stratégie n'est toutefois guère indiquée si vous prévoyez vendre la société à des tiers. Dans ce cas, il serait préférable de garder l'exemption pour une vente sans lien de dépendance au lieu de l'utiliser pour une transaction entre des membres de la famille.

Fractionnement du revenu

Le fractionnement du revenu vise principalement à faire imposer à un taux moindre dans les mains d'un parent, habituellement votre conjoint ou un enfant, un revenu pour lequel vous seriez imposé à un taux plus élevé. Le chapitre intitulé « Fractionnement du revenu » contient une analyse approfondie de ce sujet.

Utilisation des fiducies

Une fiducie signifie généralement qu'une personne détient un bien au bénéfice d'une autre personne. En termes techniques, une fiducie est constituée lorsqu'un « disposant » transfère un bien à un « fiduciaire » qui le détient au nom d'un « bénéficiaire ». Les fiducies sont soit « testamentaires » (créées au moment du décès du disposant) ou « entre vifs » (c'est-à-dire créées de son vivant).

La fiducie est un instrument utile et souple qui permet de transférer la propriété d'un bien à un héritier éventuel tout en conservant le contrôle du bien en cause par l'entremise du fiduciaire du régime. Il vous sera alors possible d'atteindre un certain nombre de vos objectifs de planification successorale. La fiducie peut en effet servir à des fins variées, comme financer les études d'un enfant, répondre aux besoins d'enfants handicapés ou obtenir l'aide d'un spécialiste pour la gestion et l'administration de vos biens.

Pour réaliser une économie d'impôt, vous devez premièrement céder la propriété du bien détenu en fiducie, même si la gestion et l'exploitation de la fiducie elle-même restent parfois sous votre contrôle et, deuxièmement, vous devez éviter les règles d'attribution. (Voir le chapitre intitulé « Fractionnement du revenu ».)

Le revenu gagné dans le cadre d'une fiducie et non distribué aux bénéficiaires est imposé comme si la fiducie était un particulier distinct, sous réserve de certaines règles spéciales (à titre d'exemple, une fiducie ne peut réclamer de crédit d'impôt personnel). Une fiducie entre vifs est imposée au taux d'impôt maximal des particuliers. Les fiducies testamentaires bénéficient, pour leur part, d'un traitement plus favorable, car elles sont imposées aux taux progressifs applicables aux particuliers.

Cependant, lorsque le revenu de la fiducie est distribué ou distribuable à un bénéficiaire, directement par l'entremise d'une distribution réelle ou à la suite du choix d'un bénéficiaire privilégié (voir ci-dessous), ce montant est déduit du revenu de la fiducie et imposé dans les mains du bénéficiaire, en supposant que les règles d'attribution ne s'appliquent pas. Une telle situation peut entraîner certaines économies d'impôt lorsque le bénéficiaire est imposé à un taux marginal peu élevé.

La Loi de l'impôt sur le revenu prévoit que certaines formes de revenus réalisés par une fiducie conservent leurs particularités lorsqu'ils sont distribués aux bénéficiaires et imposés entre leurs mains. Par exemple, les dividendes canadiens imposables reçus par une fiducie et distribués aux bénéficiaires sont admissibles au crédit d'impôt pour dividendes. De plus, les gains en capital conservent leurs caractéristiques et sont admissibles à l'exemption cumulative à vie pour gains en capital du bénéficiaire, si la fiducie les désigne comme tels.

Choix à titre de bénéficiaire privilégié

En effectuant un choix de ce genre, le revenu réalisé par la fiducie est imposé dans les mains du bénéficiaire même s'il demeure dans la fiducie. Un « bénéficiaire privilégié » doit être résident canadien et être

- l'auteur de la fiducie, son conjoint ou son ancien conjoint ; ou
- l'enfant, le petit-enfant ou l'arrière-petit-enfant de l'auteur de la fiducie ; ou
- le conjoint (et non l'ancien conjoint) d'un enfant, d'un petit-enfant ou d'un arrière-petit-enfant de l'auteur de la fiducie.

De plus, l'apport de l'auteur de la fiducie en faveur de cette fiducie doit être plus important que celui de toute autre personne.

Règle de l'aliénation présumée relative aux fiducies

Des règles spéciales empêchent les fiducies de détenir indéfiniment des biens et de reporter ainsi l'imposition des gains en capital. Selon la règle générale, la fiducie est présumée avoir aliéné la totalité de ses biens tous les 21 ans pour un montant égal à leur juste valeur marchande. Pour les fiducies créées avant 1972, le 1er janvier 1993 représente la première date où la règle de l'aliénation présumée s'applique. Selon un avant-projet de loi, la règle générale ne s'appliquera plus à une fiducie qui compte un bénéficiaire exempté vivant le jour où la règle de 21 ans devrait normalement s'appliquer, si un choix est exercé à cet effet. À cette fin, le conjoint et les enfants du particulier qui a disposé de biens en faveur de la fiducie peuvent notamment constituer des bénéficiaires exemptés, mais pas les petits-enfants.

Gel successoral

Le gel successoral se définit généralement comme une méthode qui permet de structurer la détention de vos biens de façon à ce

213

que toute plus-value éventuelle de certains biens soit cumulée en faveur d'autres personnes, en l'occurrence vos enfants.

Il convient de différencier le don de biens en immobilisations à un enfant et le gel successoral. Dans le cas d'un don, le donateur ne reçoit rien en contrepartie et il perd le contrôle des biens en cause. Mais lors d'un gel successoral, l'auteur du gel conserve des biens ayant une valeur égale à la valeur actuelle des biens faisant l'objet du gel; seules les plus-values futures sont transférées à l'enfant. Il est également possible de conserver le contrôle de ces biens. Contrairement au gel successoral, les dons aux enfants éliminent l'impôt au décès, mais ils peuvent entraîner la création immédiate d'une charge fiscale et ne permettent d'atteindre aucun autre objectif de planification successorale.

Vente directe

La vente d'un bien à un enfant, qui constitue la méthode la plus simple de gel successoral, permet de réaliser la plupart de ces objectifs. L'impôt est éliminé lors du décès, mais il faut alors inclure, dans l'année de la vente, tous les gains en capital dans son revenu. De tels gains sont toutefois admissibles à l'exemption à vie pour gains en capital. Vous devez normalement vous faire remettre un effet à payer par votre enfant, à titre de contrepartie de la vente. Vous échangez donc un bien susceptible d'augmenter en valeur contre un bien de valeur fixe. Il n'est pas nécessaire que l'effet porte intérêt mais, si c'est le cas, les règles d'attribution s'appliquent. Il est aussi douteux que, du point du vue légal, vous puissiez vendre un bien à un mineur. Il vous est possible de réclamer une réserve (c'est-à-dire de ne pas comptabiliser le plein montant du gain en capital) lorsque vous n'encaissez pas la totalité du produit de la vente et que la fraction non réglée n'est pas exigible immédiatement (par exemple, dans le cas d'un effet remboursable quelque temps après la présentation de la demande de paiement). Vous pourriez ainsi réclamer une réserve relativement à toute fraction du gain qui n'est pas couverte par votre exemption à vie (voir le chapitre intitulé « L'investissement à long terme »). Le gain en capital imposable doit être ajouté à votre revenu sur une période maximale de quatre à neuf ans, selon le genre de bien vendu. Lorsque la réserve est incluse dans le revenu, elle est admissible à l'exemption à vie pour gains en capital, à condition que la vente ait eu lieu après 1984.

Le fait d'être habilité à exiger le paiement total ou partiel de l'effet en tout temps peut constituer dans certains cas une forme de contrôle des biens. Mais leur transfert à une fiducie dont votre enfant est bénéficiaire vous permettrait de les contrôler davantage.

Gel des actions de sociétés

En général, les particuliers tiennent à geler des biens dont la valeur est susceptible d'augmenter considérablement dans l'avenir. Il s'agit le plus souvent de biens d'entreprise, habituellement des actions d'une société privée sous le contrôle du particulier. L'utilisation d'une société dans le cadre d'un gel successoral accorde une bonne marge de manœuvre au particulier et, si elle est convenablement structurée, il pourra atteindre tous les objectifs de planification successorale qui sont mentionnés ci-dessus.

Avantages offerts par certaines dispositions de la loi

Exemption relative à la résidence principale. Le chapitre intitulé « L'ABC du revenu » présente en détail les règles concernant l'exemption applicable à la résidence principale. Un certain nombre de mesures de planification successorale font appel au changement du titre de propriété de la résidence principale.

Lorsque les conjoints possèdent deux résidences (par exemple, une maison en ville et un chalet d'été) et qu'ils prévoient tous les deux utiliser pleinement leur exemption cumulative à vie pour gains en capital, il serait préférable d'envisager le transfert de la propriété de l'une des résidences, disons le chalet, aux enfants ou petits-enfants qui habitent à cet endroit pendant au moins une partie de l'année. Une telle démarche exigera peut-être d'acquitter certains frais à court terme, c'est-à-dire l'impôt sur le gain en capital correspondant à la plus-value du bien depuis 1981, mais ce gain pourra être admissible à l'exemption cumulative à vie. Tout gain réalisé ultérieurement lors de l'aliénation de l'autre résidence du couple sera généralement libre d'impôt selon les règles relatives à la résidence principale. De plus, étant donné que les règles d'attribution ne s'appliquent pas aux gains en capital réalisés sur un bien transféré aux enfants, qu'ils aient moins de 18 ans ou non, tout gain résultant de la vente éventuelle du chalet sera imposé dans les mains des enfants. Le chalet peut aussi constituer la résidence principale des enfants et, dans ce cas, ils bénéficient de la pleine exemption.

Il est évident que, si vous vendez ou donnez le chalet à vos enfants, vous et votre conjoint n'avez plus légalement le droit de l'occuper. L'acceptation d'une contrepartie sous forme d'un effet à payer sur demande peut vous permettre d'exercer un certain contrôle sur le bien, mais peut-être pas autant que vous le voudriez. Une autre solution consisterait à donner le bien en question à une fiducie discrétionnaire créée à votre nom et à celui de vos enfants. Le contrat de fiducie peut être rédigé de façon à vous permettre de donner le chalet à un enfant en particulier dans l'avenir, tout en vous assurant que la plus-value éventuelle sera cumulée au profit du propriétaire ultime.

Régimes enregistrés d'épargne-retraite (REER). Les REER constituent probablement le mode de report d'impôt le plus courant de nos jours. Ils permettent en effet de réduire les revenus imposables annuels (jusqu'à concurrence de plafonds précis) du montant de la contribution versée dans l'année et ils protègent de l'impôt les revenus qui s'y accumulent. De plus, les REER accumulent des fonds qui, au moment de votre décès, pourront être transférés à votre conjoint qui est assujetti à un taux d'imposition moins élevé ou, dans certaines circonstances, à vos enfants. (Se reporter au chapitre 6)

Régimes de pension agréés. Les cotisations à un régime de pension agréé vous permettent de diminuer vos revenus imposables du montant de ces versements et de mettre à l'abri de l'impôt les revenus qui s'y accumulent. Le montant de votre cotisation à un tel régime réduit celui que vous pouvez verser à un REER, et peut même l'éliminer. Vous devriez donc évaluer soigneusement les avantages de chacun de ces régimes pour déterminer lequel vous convient le mieux, en présumant que vous puissiez ne pas cotiser au régime de pension agréé de votre employeur.

Roulement en faveur du conjoint ou d'une fiducie en son nom. Si vous léguez un bien en immobilisations à votre conjoint ou à une fiducie en sa faveur, le bien en cause peut être transféré pour un montant correspondant à votre coût fiscal et cette opération n'entraîne pas d'imposition à votre décès. Pour que s'appliquent ces règles de roulement entre conjoints, il faut respecter certains critères :

■ Vous devez être résident canadien immédiatement avant votre décès.

■ La propriété du bien doit être réellement transférée à votre conjoint ou à une fiducie en sa faveur.

■ Si vous transférez le bien à votre conjoint, celui-ci doit être résident canadien immédiatement avant votre décès.

■ La fiducie en faveur du conjoint doit être testamentaire (c'est-à-dire créée par votre testament) et elle doit être résidente canadienne lorsqu'elle acquiert le bien.

■ L'acquisition irrévocable du bien par le conjoint ou par la fiducie en sa faveur doit habituellement avoir lieu dans les 36 mois qui suivent votre décès.

■ Si le bien est transféré à une fiducie en faveur de votre conjoint, ce dernier doit en recevoir la totalité des revenus au cours de sa vie et aucune autre personne ne peut toucher ou utiliser le revenu ou le capital de la fiducie durant cette période.

Votre exécuteur testamentaire peut procéder à une certaine planification après votre décès. À titre d'exemple, il peut choisir de ne pas appliquer les dispositions de roulement à certains biens. Une telle façon de procéder peut permettre la pleine utilisation de votre exemption cumulative à vie et de vos pertes reportées des années antérieures, ce qui réduira la charge fiscale future de votre conjoint. La planification devrait tenir compte de la limitation apportée par le budget fédéral du 25 février 1992 à l'exemption pour gains en capital applicable aux biens immobiliers.

Roulement de réserves entre conjoints. Aucune réserve ne peut être réclamée dans la déclaration finale du défunt, à une exception près. Le montant total de toute réserve réclamée par la personne décédée au cours d'une année antérieure, et qui n'a pas encore été imposée, est ajouté à son revenu dans l'année de son décès. L'exception concerne un conjoint ou une fiducie en sa faveur qui hérite du droit de recevoir une somme ayant entraîné la déduction de la réserve. Si la personne décédée résidait au Canada immédiatement avant son décès et si l'exécuteur ainsi que le conjoint ou la fiducie exercent un choix commun en ce sens, la réserve peut être déduite dans la déclaration finale de la personne décédée. La réserve est

217

alors transférée au conjoint, ou à la fiducie, qui devra acquitter l'impôt sur le revenu reporté.

Le montant de la réserve admissible et la période pendant laquelle elle peut être réclamée dépendent du type de bien aliéné. Les gains en capital peuvent être étalés sur un maximum de 5 ans, à l'exception de ceux découlant du transfert à un enfant de biens agricoles et d'actions d'une corporation exploitant une petite entreprise, sur lesquels l'imposition peut être répartie sur une période de 10 ans. Le revenu tiré de biens vendus dans le cours normal des affaires donne droit à une imposition sur une période maximale de quatre ans.

Assurance-vie

L'assurance-vie joue un rôle important dans le cadre de la planification successorale.

L'assurance-vie peut servir à plusieurs fins :

- Produire un revenu de placement de façon à combler une baisse de revenu.

- Servir de moyen de placement non imposable permettant d'accumuler des fonds pendant votre vie donnant droit à un paiement libre d'impôt à votre décès.

- Aider un actionnaire survivant d'une société ne comptant que peu d'actionnaires en vue de financer l'achat d'actions de la succession ou des héritiers de l'actionnaire décédé.

- Créer des liquidités suffisantes au décès en vue du paiement des impôts et des autres dettes.

- Offrir des biens supplémentaires aux enfants qui ne participent pas à l'entreprise familiale. En l'absence de fonds provenant d'une assurance, les enfants qui ne participent pas à l'entreprise pourraient recevoir des actions de l'entreprise et causer des problèmes aux dirigeants.

L'indemnité versée à la suite du décès de l'assuré n'est pas imposée dans les mains du bénéficiaire.

Votre situation financière et les besoins futurs de votre famille sont les facteurs à considérer dans le choix du genre et du montant d'assurance-vie que vous devriez acquérir. Votre agent est en mesure de vous fournir des détails sur les diverses polices disponibles, mais souvenez-vous que l'assurance-vie comprend deux genres de polices : les polices temporaires et les polices permanentes.

L'assurance temporaire coûte habituellement moins cher si vous n'êtes pas très âgé, mais elle comporte des inconvénients. Par exemple, vous ne touchez aucune indemnité lors de l'annulation de la police par l'assureur ou par vous-même. L'assureur n'est pas tenu de renouveler la police d'un assuré lorsque ce dernier a atteint un certain âge. Présentement, les sociétés d'assurances offrent plusieurs variantes de ce genre d'assurance, qui sont assorties de particularités additionnelles, comme les options qui assurent votre couverture jusqu'à n'importe quel âge ou presque.

Une police permanente (souvent appelée police vie entière) entraîne des primes plus élevées au début, mais elle présente l'avantage de vous servir de moyen de placement. Par exemple, vous pouvez contracter un emprunt à un taux intéressant à même la valeur de rachat de votre police ou encore encaisser cette valeur à une date ultérieure. La plupart des polices permanentes sont structurées de sorte que les revenus accumulés ne soient pas imposés en vertu des règles d'imposition annuelle des revenus ; cependant, un emprunt sur la valeur de rachat ou l'encaissement de la police peut entraîner une charge fiscale.

L'utilisation d'assurance-vie pour financer l'achat des actions d'un actionnaire décédé par les actionnaires survivants est plus complexe et nécessite une planification soignée.

▶ PLANIFICATION SUCCESSORALE ET TESTAMENTAIRE RELATIVE À UNE ENTREPRISE

Si vous détenez une participation dans une entreprise, il est probable qu'il s'agisse de votre plus importante source de revenu et vous vous attendez à ce que l'entreprise vous procure votre revenu de retraite. Vous pouvez envisager de transférer le contrôle de l'entreprise à vos enfants, de la vendre à votre retraite à un associé ou à une tierce partie, ou encore voir à ce qu'un gestionnaire s'occupe de l'entreprise tout en conservant la propriété dans la famille. Peu importe vos objectifs, vous devez connaître un certain nombre de techniques de planification vous permettant de réaliser, pour vous et pour votre famille, des économies substantielles d'impôt.

La planification financière, incluant la planification fiscale et successorale, est plus facile si l'entreprise est constituée en société. Si votre entreprise ne l'est pas, mais pourrait l'être, vous seriez bien avisé d'en discuter avec votre conseiller.

Avant d'examiner les techniques de planification qui vous conviennent, certaines questions doivent être abordées. Il s'agit notamment de la capacité de votre conjoint ou de vos enfants de gérer l'entreprise, de leur part relative dans le contrôle et la propriété de l'entreprise, du calendrier de transfert du contrôle, du rôle de votre personnel clé et de vos propres besoins financiers à votre retraite.

Nous examinerons *trois importantes techniques de transfert et de planification successorale* qui portent sur les biens d'entreprise.

- Exemption d'impôt pour gains en capital réalisés lors du transfert des actions d'une corporation exploitant une petite entreprise et report ou exemption d'impôt pour gains en capital lors du transfert de biens agricoles admissibles en faveur de vos enfants;
- Techniques de gel successoral de l'entreprise, de sorte que les conséquences fiscales résultant d'une partie ou de toute la plus-value future soient transmises à vos héritiers;
- Utilisation des assurances pour financer certaines opérations dans le cadre de la planification successorale.

Exemption pour gains en capital sur les actions d'une corporation exploitant une petite entreprise

Selon les règles d'aliénation présumée, les actions sont présumées avoir été vendues immédiatement avant le décès à leur juste valeur marchande. De même, lors d'un don d'actions à toute autre

220

personne que votre conjoint, vous êtes présumé avoir reçu un produit d'aliénation équivalant à la juste valeur marchande des actions.

Si la valeur de l'entreprise a augmenté sensiblement au cours des années, un gain en capital important vous sera imputé. Un tel montant est admissible à l'exemption cumulative à vie pour gains en capital. Une exemption pour gains en capital supplémentaire de 400 000 $ s'ajoute à l'exemption de base de 100 000 $. Cette exemption supplémentaire s'applique aux gains réalisés sur l'aliénation « d'actions d'une corporation exploitant une petite entreprise » ou « d'un bien agricole admissible ». Ces termes sont définis dans la loi. Si votre entreprise est exploitée activement et principalement au Canada, et que plus de 90 % de la juste valeur marchande de son actif est utilisé dans l'entreprise, elle est probablement admissible à l'exemption supplémentaire pour gains en capital. Si votre conjoint possède une part de cette petite entreprise, il peut aussi réclamer la même exemption, ce qui signifie que vous pourrez ensemble éliminer l'impôt sur 1 000 000 $ de gains en capital. Toutefois, si le gain est réalisé au cours d'une même année, la fraction non imposée pourra être assujettie à l'impôt minimum de remplacement, sauf s'il s'agit de l'année du décès.

Roulement de biens agricoles

De façon à encourager les enfants d'agriculteurs à poursuivre l'exploitation de la ferme familiale après la retraite ou le décès de leurs parents, des règles spéciales permettent de transférer les biens agricoles d'une génération à l'autre en franchise d'impôt. Ces

**Vous devriez vous prévaloir des dispositions de roulement seulement si vous prévoyez utiliser pleinement votre exemption cumulative à vie à l'égard d'autres biens.
Le transfert du bien en vertu de l'exemption à vie augmente le coût fiscal du bien pour l'enfant et se traduit par une diminution du gain en capital lorsque l'enfant décide de se départir de ce bien. Les dispositions de roulement ne font que retarder l'imposition du gain, elles ne le diminuent pas.**

règles de roulement s'appliquent aussi au transfert des actions d'une exploitation agricole familiale ou d'une société de porte-feuille qui détient ce genre d'actions, ainsi qu'au transfert d'une participation dans une société agricole familiale. De plus, l'exemption supplémentaire de 400 000 $ pour gains en capital peut être réclamée à l'égard de gains réalisés lors de la disposition d'un bien agricole admissible, dans la mesure où elle n'a pas servi à exonérer des gains découlant de l'aliénation d'actions d'une société exploitant une petite entreprise.

Techniques de gel successoral

Une fois que vous avez établi vos objectifs, il faut que vous choisissiez les techniques qui vous permettront de les atteindre tout en optimisant vos avantages fiscaux. Les techniques présentées ci-dessous font toutes appel au gel de la valeur actuelle de votre entreprise afin de transférer à vos héritiers la totalité ou une partie de sa plus-value éventuelle ainsi que les charges fiscales en découlant. Il faut toutefois noter que ces techniques peuvent aussi servir à geler la valeur de tout autre bien entraînant des gains en capital imposables.

On procède habituellement à un gel successoral lorsque la valeur des biens est susceptible d'augmenter considérablement à longue échéance. Un gel vise essentiellement à éliminer ou à reporter toute imposition immédiate, de façon à assurer que la plus-value éventuelle revienne à vos enfants, en plus de vous assurer de conserver le contrôle de vos biens. L'exemption cumulative à vie pour gains en capital vous permet d'atteindre en tout ou en partie le premier de ces objectifs.

Le choix de la technique de gel dépend notamment des facteurs suivants :

- genre de biens visés ;
- importance de la succession ;
- étendue du contrôle que vous comptez exercer sur les biens visés par le gel ;
- nombre des parties en cause ;
- charges fiscales immédiates, s'il y a lieu, découlant du gel, compte tenu que vous et votre conjoint pouvez vous

222

prévaloir de votre exemption cumulative à vie pour gains en capital;

■ niveau de complexité que vous pouvez tolérer;

■ honoraires à payer;

■ souplesse et réversibilité voulues.

Les propos qui suivent supposent que les biens utilisés dans une entreprise exploitée activement sont détenus par une société sous votre contrôle. Une société facilite habituellement le transfert des biens et la planification successorale, et les rend plus efficaces. Si vos biens d'entreprise ne sont pas détenus par une société, il est relativement facile de conclure des arrangements pour qu'ils le deviennent.

Vente directe. Pour geler la valeur de vos actions dans une société privée, la méthode la plus simple consiste à les vendre directement à vos enfants majeurs. La vente devrait être effectuée à la juste valeur marchande et la contrepartie reçue pourrait comprendre un billet équivalant au solde du prix de vente. Vous devriez établir une convention d'achat-vente précisant les conditions de la vente, telles que les modalités de paiement, la date d'échéance de tout montant non payé, le taux d'intérêt en vigueur sur le solde de prix de vente, s'il y a lieu que ce solde porte intérêt, etc. Vous n'êtes pas tenu de réclamer d'intérêt sur le solde à recevoir de vos enfants, mais les règles d'attribution entrent alors en application.

La vente directe comporte toutefois un inconvénient. Vous serez en effet imposé relativement à tout montant excédant le gain admissible à votre exemption à vie pour gains en capital. Vous pouvez aussi être assujetti à l'impôt minimum de remplacement. Il vous est cependant possible de réclamer une réserve pour une partie du gain imposable (c'est-à-dire l'exclure de votre revenu) si vous n'encaissez pas immédiatement le produit d'aliénation. Lorsque le montant de la provision sera inclus dans votre revenu pour une année ultérieure, il sera admissible à votre exemption à vie pour gains en capital, à condition que les actions aient été vendues après 1984. Souvenez-vous que, même si vous donnez les actions à vos enfants, vous serez présumé avoir reçu un produit d'aliénation égal à leur juste valeur marchande.

Un autre inconvénient de la vente directe: vous pouvez perdre le contrôle de l'entreprise si vous vendez un bon nombre d'actions avec droit de vote à vos enfants. Vous pouvez contourner cette difficulté en souscrivant à de nouvelles actions privilégiées qui donnent plus de droits de vote que les actions ordinaires déjà existantes. Vous conserverez aussi un certain contrôle si vous retenez les actions à titre de gage (c'est-à-dire que vous gardez la possession et le contrôle des titres) jusqu'à ce que le billet remboursable sur demande ait été entièrement payé.

De plus, dans le cadre d'une vente directe, l'argent qui doit éventuellement vous être versé demeure dans la société et peut ainsi être exposé à un certain risque, sauf si les actions sont payées comptant. Vous pouvez résoudre ce problème en demandant à vos enfants de contracter un emprunt pour payer les actions plutôt que de vous remettre un billet payable sur demande ; cette mesure vous oblige toutefois à inclure immédiatement la totalité du gain en capital dans vos revenus, tout en risquant l'application de l'impôt minimum de remplacement. La contrepartie peut aussi être versée en partie en argent (en vertu d'un emprunt contracté à l'extérieur) et en partie sous forme de billet (des enfants).

Vente à une société de portefeuille. Une technique de gel successoral très courante consiste à geler la valeur des actions d'une société déjà existante par l'entremise d'une nouvelle société de portefeuille que l'on crée spécifiquement en vue d'acquérir ces actions. La société de portefeuille est constituée par les enfants qui en acquièrent la totalité des actions ordinaires contre un montant minimal. Vous transférez alors vos actions de la société en exploitation à la nouvelle société et vous pouvez généralement exécuter cette opération en reportant l'impôt. Vous obtenez en contrepartie des actions privilégiées avec droit de vote de la nouvelle société, dont la valeur correspond aux actions qui lui sont transférées.

Toute plus-value éventuelle provenant de l'exploitation de la société profite ainsi à vos enfants, mais vous pouvez en conserver le contrôle grâce aux actions privilégiées avec droit de vote de la société de portefeuille. Cette stratégie vous permet de vous fixer un montant de dividende et de rémunération qui répond à vos besoins en plus de continuer à diriger l'entreprise comme auparavant.

L'utilisation d'une société de portefeuille dans le cadre d'un gel successoral présente toutefois un inconvénient. Le rachat ou l'aliénation des actions privilégiées (acquises en contrepartie du transfert de vos actions) de votre vivant peut en effet entraîner la réalisation d'un gain en capital ou d'un dividende présumé. Cependant, votre exemption à vie pour gains en capital couvrira probablement une partie ou la totalité du gain en capital. De plus, vous serez peut-être obligé d'obtenir une évaluation professionnelle de la valeur de vos actions.

Gel des éléments d'actif. Vous pouvez aussi envisager de geler la valeur de vos actions en vendant les éléments d'actif de votre société existante à une nouvelle société créée par vos enfants. Cette méthode de gel entraîne beaucoup de travail et des frais considérables, et elle peut provoquer l'imposition de la taxe de vente et d'autres taxes sur les transferts. Mais il arrive parfois que le gel des éléments d'actif constitue la meilleure solution, par exemple si votre entreprise est composée de plusieurs divisions pouvant être constituées séparément, chacune pouvant alors être détenue par un enfant.

Gel par remaniement de capital. La structure actuelle du capital de votre société peut être réorganisée de façon à geler la valeur de votre succession. Lorsque la législation le permet, vous pouvez échanger la totalité de vos actions ordinaires contre certaines actions privilégiées avec droit de vote. À la suite de cette opération, vous créez une nouvelle catégorie d'actions ordinaires que vos

---

Chacune des techniques de gel mentionnées ci-dessus présente des avantages et des inconvénients.
Votre décision finale doit se fonder sur votre situation personnelle, et non pas seulement sur des considérations fiscales. À titre d'exemple, un gel successoral partiel devrait protéger davantage de l'inflation qu'un gel total.
Nous vous suggérons de consulter un conseiller professionnel pour vous guider dans votre choix et vous aider à exécuter votre planification.
Un gel successoral exige un travail soigné en raison des conséquences fiscales qui en découlent, et aussi parce qu'il n'est pas facilement réversible.

---

enfants achètent contre un montant minimal. De cette façon, vous gelez la valeur actuelle de vos actions de la société en exploitation et vos enfants bénéficient de la plus-value éventuelle de cette société grâce à leurs actions ordinaires. Ce genre de gel est relativement simple, ne vous oblige pas à la création d'une nouvelle société et vous permet de réaliser, au besoin, des revenus fixes tirés des actions privilégiées. Comme dans le cas des autres techniques de gel où aucun montant en espèces n'est touché, l'argent qui doit éventuellement vous être versé se trouve toutefois immobilisé dans la société, ce qui l'expose à un certain risque.

Vente à des tiers

Si vous possédez une entreprise, vous pourriez songer à la transférer à des tiers non liés, comme à d'autres actionnaires, à des associés ou à des employés clés, plutôt qu'à vos enfants ou votre conjoint. Ces derniers n'ont peut-être pas la capacité ou la volonté de s'occuper de l'entreprise. Les enfants habitent peut-être une région éloignée, ou ils sont pris par leur propre carrière ou bien ils ne s'intéressent simplement pas à l'exploitation de l'entreprise. De plus, il est possible que les associés ou les autres actionnaires ne veuillent pas de la participation des enfants.

La vente d'actions aux employés peut avoir pour effet d'inciter les meilleurs d'entre eux à demeurer au sein de l'entreprise, de vous décharger de certaines tâches de gestion et de vous aider à effectuer convenablement le transfert des titres de propriété. Cette vente peut être assortie d'un contrat d'emploi à long terme en votre faveur, si vous désirez poursuivre vos activités dans l'entreprise.

Assurance et convention de rachat des actions

Les contrats d'assurance dans le cadre d'une planification successorale visent à assurer la disponibilité de fonds suffisants à votre décès pour permettre l'exécution de toutes vos volontés. Ces contrats sont complexes et requièrent une planification soignée.

Si votre structure de planification s'y prête, vous voudrez probablement vous assurer que votre succession dispose de suffisamment de liquidités pour acquitter l'impôt sur tout gain en capital imposable résultant de votre décès qui excède le montant de votre exemption. De plus, vous tenez peut-être à ce que votre associé ou un autre actionnaire de la société achète votre quote-part de l'entreprise à votre décès.

Conventions de rachat des actions. Une convention de rachat est essentiellement un contrat conclu entre les actionnaires d'une société. Elle est souvent utilisée dans le cadre de la planification successorale pour s'assurer, par exemple, que les actionnaires survivants ont le droit ou l'obligation d'acheter les actions de l'actionnaire décédé. Une telle convention est avantageuse pour ces derniers, qui n'apprécient pas nécessairement qu'un étranger devienne actionnaire de la société, et pour la famille du défunt, qui pourrait autrement éprouver de la difficulté à vendre les actions.

Les règles concernant les roulements entre conjoints ne s'appliquent pas aux actions régies par une convention de rachat obligatoire. De plus, l'actionnaire décédé devra, dans sa déclaration finale, payer l'impôt sur tout gain en capital relatif aux actions si son exemption à vie pour gains en capital a été pleinement utilisée. Toutefois, lorsque la convention de rachat est structurée de façon à accorder seulement une option d'achat aux actionnaires survivants et que le conjoint survivant dispose d'une option de vente, les actions peuvent alors bénéficier du roulement au conjoint. Tout gain en capital découlant d'une vente ultérieure serait alors imposé entre les mains du conjoint bénéficiaire et serait admissible à l'exemption à vie de ce dernier.

Quelle que soit la méthode de rachat utilisée, une chose est certaine : la convention ne peut entrer en vigueur que si le mode de financement est assuré. On se sert généralement de l'assurance-vie pour financer ce genre d'opération. L'assurance-vie peut servir au financement d'une convention de rachat sous trois formes différentes :

Assurance réciproque. Dans le cadre d'une telle assurance, chaque actionnaire fait l'acquisition d'une police d'assurance sur la vie de chacun des autres actionnaires. Au décès de l'un d'entre eux, les survivants reçoivent le produit de la police en franchise d'impôt et utilisent ces fonds pour verser à la succession ou aux bénéficiaires la valeur des actions de la personne décédée. Cette méthode comporte toutefois un inconvénient ; le coût de ces assurances peut varier considérablement d'un actionnaire à l'autre, en raison de l'âge ou de l'état de santé des autres actionnaires.

Assurance détenue par la société. Selon ce genre de police, la société assure elle-même la vie de ses actionnaires et en encaisse le produit à leur décès. Cette méthode est avantageuse, car il revient à la société de payer les primes d'assurance et leur coût est réparti entre les actionnaires selon leur part dans la société. Le produit sert alors à la société pour acheter, de la succession ou du conjoint survivant, les actions de la personne décédée. Ni la personne décédée ni son conjoint ne sont habituellement imposés si l'opération est structurée comme il convient. Toutefois, le coût fiscal des actions pour les actionnaires survivants n'est pas augmenté lors du rachat, ce qui signifie en fait que le gain de l'actionnaire décédé leur est transféré. On peut compenser ce résultat en diminuant le prix de rachat pour conserver plus de fonds dans la société ou en augmentant le montant de l'assurance.

Assurance à prime partagée. Ce type d'assurance combine l'assurance réciproque et l'assurance détenue par la société. Chaque actionnaire achète une assurance-vie entière sur la vie d'un autre actionnaire et nomme la société bénéficiaire de sa valeur de rachat. Au décès d'un actionnaire, la société encaisse un montant correspondant à la valeur de rachat de la police alors que les actionnaires survivants touchent la différence entre la couverture d'assurance et la valeur de rachat, et s'en servent pour acheter les actions. L'avantage de cette méthode : la société paie la plus grande partie des primes.

Les conventions de rachat, assorties d'un financement au moyen d'une assurance-vie, devraient faire partie intégrante de toute planification successorale où on retrouve des actions de sociétés privées et des actionnaires n'ayant pas de lien de dépendance et, dans certaines situations, avec lien de dépendance. Il est essentiel de consulter un conseiller professionnel pour choisir la méthode d'assurance appropriée.

▶ DÉBUT DU PROCESSUS

La planification fiscale ne constitue pas une activité qui s'effectue une fois pour toutes. Il s'agit d'un processus dynamique qui fait appel à diverses techniques au cours des années, selon l'évolution de votre situation. Le présent chapitre a surtout porté sur les aspects fiscaux de la planification successorale, mais il en existe d'autres qui revêtent autant ou plus d'importance pour vous.

**Avant tout, ne vous pressez pas d'adopter
un plan successoral axé sur des aspects fiscaux
avant d'avoir examiné attentivement votre
situation personnelle et financière. N'oubliez pas que,
dans la vie, peu de choses se déroulent exactement
comme nous l'avions prévu. Votre planification successorale
doit donc s'insérer dans une structure suffisamment souple
pour que vous puissiez l'adapter à des événements
que vous ne sauriez prévoir à ce jour.**

CHAPITRE 11

Mesures fiscales particulières pour les résidents du Québec

N'oubliez pas la déduction pour le revenu d'emploi.

Pour éviter le recouvrement des déductions REA,
avez-vous acheté des actions de remplacement ?

Avez-vous songé à profiter des déductions
pour investissement dans les SPEQ
(société de placements dans l'entreprise québécoise) ?

Vos actions REA peuvent constituer une contribution
à votre REER

La recherche et le développement est l'objet
d'avantages fiscaux importants.

Le partage du patrimoine familial est un élément important
de votre planification fiscale et successorale.

énéralement, le gouvernement du Québec harmonise sa législation fiscale avec celle du gouvernement fédéral. Par contre, il existe des différences, notamment en ce qui a trait aux crédits d'impôt personnels. À cet égard, vous trouverez au chapitre 12 des tableaux qui résument les montants des crédits et de certaines autres particularités du système québécois.

De plus, contrairement à la législation fédérale qui accorde des crédits d'impôt pour certains éléments, ceux-ci doivent plutôt être déduits dans le calcul du revenu net ou du revenu imposable en vertu de la législation québécoise.

Enfin, le gouvernement du Québec accorde à ses résidents des avantages fiscaux qui sont offerts en parallèle avec ceux du gouvernement fédéral ou qui constituent des mesures originales, adaptées aux besoins de l'économie québécoise. Ces avantages servent essentiellement à promouvoir les investissements dans des secteurs stratégiques tels l'exploration minière, la production cinématographique, la recherche scientifique, la capitalisation des entreprises, etc.

Le présent chapitre commente certaines mesures fiscales particulières applicables aux résidents du Québec.

Déductions, crédits d'impôt, remboursement et réduction

Revenu d'emploi

La législation québécoise accorde au particulier une déduction dans le calcul du revenu d'emploi pour les sommes versées à titre de cotisations à l'assurance-chômage et pour les contributions au Régime de rentes du Québec. En vertu de la législation fédérale, ces deux éléments donnent plutôt droit à un crédit d'impôt. De plus, la législation québécoise accorde aux employés une autre déduction qui ne se retrouve pas dans la législation fédérale : **il s'agit d'une déduction de 6 % du revenu d'emploi sans toutefois excéder 750 $.**

Certaines cotisations annuelles sont également déductibles du revenu d'emploi uniquement en vertu de la législation québécoise. Il s'agit notamment de la cotisation à une association de salariés reconnue par le ministre comme ayant pour objets principaux l'étude, la sauvegarde et le développement des intérêts économiques de ses membres et de la cotisation dont le paiement est requis pour être membre d'une association artistique reconnue par le ministre.

Enfin, mentionnons que lorsque le revenu d'emploi s'exerce à l'étranger dans le cadre de certains types d'entreprises (construction, ingénierie, etc.), il donne droit à un crédit d'impôt en vertu de la législation fédérale tandis qu'une déduction est plutôt accordée dans la législation québécoise. Dans les deux cas, certaines conditions doivent être satisfaites pour avoir droit à ce traitement fiscal avantageux.

Frais de scolarité

Les frais de scolarité sont également traités différemment en vertu des deux législations. Lorsque ceux-ci sont supérieurs à 100 $, ils donnent droit à un crédit d'impôt de 17 % en vertu de la législation fédérale. Le crédit inutilisé peut également être transféré au conjoint ou à un parent jusqu'à concurrence de 680 $. En vertu de la législation québécoise, les frais de scolarité doivent plutôt être déduits dans le calcul du revenu net et par l'étudiant seulement. De plus, les frais d'examen des corporations professionnelles mentionnées dans l'annexe I du Code des professions, soit les professions d'exercice exclusif et à titre réservé, sont déductibles lorsque les examens sont requis pour devenir membre et exercer l'une ou l'autre des professions mentionnées dans cette annexe.

Dons de charité

Les dons de charité constituent un autre exemple de traitement fiscal différent pour les particuliers en vertu des deux législations.

Selon la législation fédérale, la première tranche de 250 $ donne droit à un crédit d'impôt de 17 % et tout excédent donne droit à un crédit de 29 %. La législation québécoise accorde plutôt une déduction dans le calcul du revenu imposable du particulier.

Divers

Certains éléments contenus dans la législation québécoise n'ont pas d'équivalent dans la législation fédérale.

Dans le but de compenser une partie de la taxe sur les carburants, le détenteur d'un permis pour véhicule-taxi a droit à un crédit d'impôt égal à 500 $ par permis.

Les particuliers qui résident au Québec le 31 décembre peuvent obtenir un remboursement d'impôts fonciers : ce remboursement est disponible aux locataires comme aux propriétaires. Le montant du remboursement est fonction du revenu total du particulier et de celui de son conjoint ainsi que du montant d'impôts fonciers de l'année. Pour l'année 1992, le maximum est fixé à 504 $ (704 $ pour les couples âgés de 60 ans et plus bénéficiant du supplément de revenu garanti ou de l'allocation au conjoint).

Enfin, les familles à faibles ou moyens revenus peuvent obtenir une réduction d'impôt. Il s'agit bien d'une réduction car elle permet de réduire l'impôt québécois à payer mais ne donne pas droit à un remboursement. Le montant de la réduction est fonction du revenu total du particulier, de celui de son conjoint et de celui d'un enfant à charge, s'il y a lieu. Pour l'année 1992, le maximum est fixé à 850 $ par personne ou 1 380 $ pour un couple ayant au moins un enfant à charge. Le parent d'une famille monoparentale ne partageant pas un logement autonome avec un autre adulte peut bénéficier d'une réduction de 1 055 $.

Régime d'épargne-actions du Québec

Pour favoriser les investissements dans le capital-actions des entreprises québécoises et pour diminuer le fardeau fiscal des particuliers résidant au Québec, le gouvernement québécois a introduit, en 1979, le Régime d'épargne-actions (REA). Le REA est en fait un contrat conclu avec un courtier en valeurs mobilières (ou une autre personne autorisée) en vertu duquel ce dernier se voit confier la garde des actions admissibles que son client lui indique. Au fil des ans, le REA a subi plusieurs rajustements qui l'ont rendu beaucoup moins attrayant. Il demeure malgré tout un outil de planification intéressant si vous êtes prêt à acquérir des actions sur le marché boursier.

Il ne faut cependant pas oublier que l'avantage fiscal obtenu peut fondre avec la valeur boursière des actions. Par conséquent, même lorsque les actions sont admissibles au REA, le premier critère à considérer avant d'en faire l'achat demeure leur potentiel de rendement et de croissance.

Afin de limiter les risques liés à ce genre d'investissement, vous pouvez investir par l'intermédiaire d'un fonds ou d'un groupe d'investissement REA. Cela vous permet notamment de détenir une part dans un portefeuille diversifié constitué de titres admissibles au REA sans que votre investissement soit considérable.

Avantage fiscal

Si vous résidez au Québec à la fin d'une année d'imposition et que vous avez acquis des actions admissibles au REA au cours de cette année, vous pouvez déduire le coût rajusté de ces actions de votre revenu imposable, jusqu'à concurrence de 10 % de votre revenu total. Le « revenu total » est votre revenu net figurant dans la déclaration de revenu du Québec, moins l'exemption pour gains en capital utilisée dans l'année. Pour être admissibles, les actions doivent avoir été acquises avant la fin de l'année d'imposition et incluses dans le REA avant le 1er février de l'année suivante.

La déduction permise est limitée au coût rajusté de vos actions, c'est-à-dire au pourcentage du coût des actions, sans tenir compte des frais d'emprunt, de courtage ou de garde, qui est établi en fonction de la catégorie d'actions émises et de la taille de la société émettrice. Plus la situation financière de la société est difficile, plus les actions confèrent des droits à leurs détenteurs, et plus les pourcentages sont élevés. Voici les pourcentages maximums applicables à chaque catégorie de société :

	VALEUR DES ACTIFS	% DE DÉDUCTION
Société en croissance	entre 2 et 250 millions	100 %
Société de taille moyenne	entre 250 millions et 1 milliard	75 %
Grande société	entre 1 et 2,5 milliards	50 %
Très grande société	2,5 milliards ou plus	Néant
Société à capital de risque à vocation régionale		150 %[1]

Exemple : Vous achetez dans votre REA des actions pour un montant de 4 000 $ dont 75 % du coût d'achat sont admissibles à la déduction. Pour cette année-là, votre revenu net est de 50 000 $ et vous avez réalisé un gain en capital imposable de 10 000 $ pour lequel l'exemption pour gains en capital a été utilisée.

Votre déduction REA s'élèvera au moindre des deux éléments suivants :

▓ coût rajusté des actions

4 000 $ × 75 %   3 000 $

▓ 10 % du revenu total
10 % × (50 000 $ – 10 000 $)   4 000 $

soit 3 000 $.

Afin d'inciter les gens à privilégier l'acquisition d'actions émises par des PME, le montant total pouvant être déduit relativement à l'achat d'actions de grandes sociétés a été fixé à 2 500 $ par année pour 1992 et 1993. Ainsi, si vous achetez des actions de grandes

---

1. 125 % pour les actions émises avant le 15 mai 1992

sociétés au cours d'une année pour un montant de 6 000 $, donnant droit à une déduction de 50 %, vous ne pourrez utiliser que 2 500 $ en déduction au lieu de 3 000 $. L'excédent de 500 $ ne peut être reporté à une autre année.

Depuis le 1er juillet 1991, les actions des très grandes sociétés (2,5 milliards de dollars ou plus d'actifs) ne donnent plus droit à une déduction dans le cadre du REA.

Les frais de gestion d'un REA et les frais d'emprunt pour l'achat des actions constituent des frais financiers déductibles annuellement.

Déductions additionnelles

Les actions incluses dans un REA donnent droit à une déduction additionnelle de 25 % du coût des actions lorsqu'elles sont acquises dans le cadre d'un régime d'actionnariat. Un employeur peut créer un tel régime afin d'inciter ses employés à acquérir des actions qu'il émet lors d'un appel public à l'épargne. Ce régime doit s'adresser à tous les employés et cadres ayant plus de trois mois de service et qui possèdent moins de 5 % du capital-actions de la société immédiatement avant l'acquisition d'autres actions dans le cadre du régime d'actionnariat.

Une autre déduction additionnelle est accordée pour les actions incluses dans un REA dont le produit des ventes servira à financer les activités de recherche et de développement (R & D), au Québec, de la société émettrice ou les activités de production de films certifiés québécois. Cette déduction additionnelle sera traitée plus loin dans le présent chapitre.

Recouvrement des déductions

Vous devez, pendant au moins deux années civiles complètes, conserver dans votre portefeuille REA des actions ayant un coût rajusté équivalant au montant pour lequel vous avez obtenu une déduction (en ne tenant pas compte de la déduction additionnelle pour la R & D), sinon vous êtes tenu d'inclure, dans votre revenu de l'année où cette condition n'est plus respectée, une partie ou la totalité des déductions accordées précédemment, ou encore, il vous faudra diminuer le montant de la déduction à laquelle vous pourriez autrement avoir droit dans l'année.

À titre d'exemple, si, au cours d'une année, vous faites l'acquisition de 1 000 $ d'actions déductibles à 50 % et que vous vendez ces actions au cours de l'année suivante, vous devrez acheter, avant la fin de cette année suivante, des actions de remplacement ayant un coût rajusté de 500 $ pour éviter que la déduction obtenue ne soit ajoutée à votre revenu durant cette année. Ainsi, vous pourrez vous procurer pour 500 $ d'actions donnant droit à une déduction de 100 %. Toutefois, vous ne pourrez pas profiter d'une nouvelle déduction REA pour ces actions de remplacement.

En plus des actions nouvellement émises, les actions de remplacement comprennent celles des sociétés en croissance ayant déjà donné droit à la déduction REA, si elles sont achetées sur le marché secondaire et inscrites sur la liste publiée par la Commission des valeurs mobilières du Québec.

Gain en capital et dividendes

Les dividendes reçus sur vos actions REA sont traités comme tout autre dividende reçu sur d'autres actions. À la disposition des actions, le calcul du gain ou de la perte en capital s'effectue de la façon habituelle. Le coût réel des actions n'est pas réduit par l'avantage fiscal reçu.

REA VS REER

Contrairement au REER qui permet de reporter le paiement de l'impôt, le REA présente l'avantage de fournir une économie réelle d'impôt si les conditions énumérées précédemment sont respectées. Cependant, le REER permet d'obtenir une diminution d'impôt immédiate auprès des deux administrations fiscales, alors que la déduction REA ne s'applique qu'au Québec.

Une action figurant au REA ne doit pas être incluse en même temps dans un autre régime fiscal. Toutefois, vous pouvez contribuer successivement à votre REA puis à votre REER, en utilisant les mêmes fonds, et obtenir pour la même année la déduction REA et celle qu'offre le REER. Cela est possible en raison du fait que les dates limites de contribution sont différentes. Les actions incluses dans le REA doivent être acquises avant la fin de l'année. Par contre, il est possible de contribuer au REER jusqu'à la fin de février de l'année subséquente. Ainsi, il est possible de vendre les actions REA au début de l'année suivant leur acquisition puis d'utiliser le produit de la vente pour contribuer au REER. Pour éviter le recouvrement des déductions, il faudra remplacer les actions REA avant la fin de l'année de la vente, à moins que d'autres actions conservées pendant plus de deux ans dans le portefeuille REA aient un coût rajusté suffisant pour servir d'actions de remplacement. La double déduction n'est donc que temporaire, mais elle peut être utile si vous ne disposez pas de liquidités en quantité suffisante à cette époque de l'année.

Titres convertibles

En vertu du budget du 2 mai 1991, les sociétés en croissance et les sociétés de taille moyenne peuvent émettre des débentures ou des actions privilégiées non garanties qui donnent aux acquéreurs une déduction dans le cadre du REA. Pour être admissibles, ces titres doivent notamment être convertibles en tout temps en actions ordinaires ayant droit de vote en toute circonstance et ils doivent être inscrits à la cote de la Bourse de Montréal. Il est prévu que cette mesure s'applique pour 1991, 1992 et 1993. Le taux de déduction de ces titres est de 50 % pour ceux émis par les sociétés en croissance et de 25 % pour les sociétés de taille moyenne. Aucune déduction supplémentaire ne peut être réclamée pour ces titres, notamment dans le cas d'émissions reliées à la R & D.

Régime d'investissement coopératif

Pour favoriser les investissements dans certaines coopératives québécoises, le gouvernement provincial a introduit le Régime d'investissement coopératif (RIC) qui accorde une déduction au particulier qui acquiert un titre admissible émis par une coopérative admissible. Cette déduction est permise uniquement au particulier membre ou travailleur de la coopérative.

La déduction et la période de détention de deux années sont déterminées de façon analogue à celles du REA. La déduction permise est de 100 % du coût des titres acquis tout en respectant la limite de 10 % du revenu total. Depuis le 3 mai 1991, la déduction de base est de 125 % pour les parts émises par les coopératives de petite ou moyenne taille, c'est-à-dire celles dont l'actif est de moins de 25 millions de dollars ou dont l'avoir est d'au plus 10 millions de dollars.

Lorsqu'une coopérative met sur pied un régime semblable à celui commenté dans la section REA (c'est-à-dire un régime permettant à ses employés et cadres d'acquérir des titres de la coopérative), une déduction additionnelle de 25 % est alors permise, portant ainsi la déduction totale à 125 % ou 150 % du coût des titres acquis.

Sociétés de placements dans l'entreprise québécoise

En 1985, pour pallier la faible capitalisation des sociétés privées québécoises, un autre régime d'investissement par actions a été instauré, celui des « sociétés de placements dans l'entreprise québécoise » (SPEQ). Une SPEQ est une société constituée au Québec dont les activités principales consistent à acquérir des actions d'autres sociétés privées admissibles et non liées. Ces dernières doivent exercer leurs activités surtout au Québec et dans des secteurs particuliers tels la fabrication, le tourisme, l'exportation, la protection de l'environnement, etc. La SPEQ est un véhicule de financement pour ces sociétés admissibles ; elle sert d'intermédiaire entre les investisseurs et les sociétés privées. Elle n'est pas cotée en Bourse.

Avantage fiscal

Si vous résidez au Québec le 31 décembre d'une année d'imposition et que vous achetez des actions ordinaires d'une SPEQ, vous aurez droit de déduire de votre revenu imposable, pour l'impôt du Québec, 125 % de votre coût d'achat, pourvu que ce coût corresponde à votre engagement financier. Cette déduction ne pourra cependant être permise que lorsque la SPEQ aura elle-même investi cet argent dans l'acquisition d'actions ordinaires d'une société admissible. Une déduction supplémentaire de 25 % pourra être allouée en fonction des investissements que la SPEQ fera dans une PME située à l'extérieur des grands centres urbains. De plus, si les actions de la SPEQ sont acquises dans le cadre d'un régime d'actionnariat visant à favoriser l'acquisition, par les employés, d'actions de leur employeur par l'entremise d'une SPEQ, une autre déduction supplémentaire de 25 % sera accordée. La déduction totale pourrait ainsi atteindre 175 %.

La déduction utilisée au cours d'une année donnée ne doit toutefois pas excéder 30 % de votre revenu total. La partie non réclamée une année en raison de cette limite peut être reportée aux cinq années suivantes.

Comme le REA, une déduction additionnelle sera accordée si l'argent investi sert à financer des activités de recherche et de développement. Cette déduction sera traitée plus loin dans le présent chapitre.

L'investissement dans une SPEQ n'a pas d'incidence sur les limites de contributions au REER et au REA. Contrairement au REA, vous n'êtes pas tenu de conserver vos titres durant un minimum de deux années, c'est plutôt la SPEQ qui doit respecter cette condition. Il est même possible de profiter de l'exemption supplémentaire pour gains en capital de 400 000 $ applicable à ces actions si la SPEQ constitue une « entreprise exploitée activement » et si les autres critères prévus par la loi sont respectés.

Malgré ces avantages fiscaux, l'investissement dans ce genre d'abri fiscal est encore peu utilisé compte tenu de l'absence de marché secondaire pour les titres des SPEQ.

Régime d'épargne parts permanentes des caisses

Afin d'aider les caisses d'épargne et de crédit à financer leur développement, un Régime d'épargne parts permanentes des caisses a été instauré. En vertu de ce régime, vous pouviez déduire de votre revenu imposable au Québec la totalité du coût d'achat de parts permanentes nouvellement émises d'une caisse, jusqu'à concurrence d'un maximum de 1 000 $ pour 1989 et de 2 000 $ pour les années 1990 et 1991. La déduction pour 1992 est de 50 % du coût d'achat des parts et elle est limitée à 1 000 $. Ainsi un montant total de 6 000 $ peut être déduit pour la durée du régime. Pour bénéficier de la déduction au cours d'une année donnée, vous devez acquérir les parts permanentes durant cette année ou dans les 60 premiers jours de l'année suivante. Une période minimale de détention de deux années est prévue et la déduction ne sera pas prise en compte dans le calcul des pertes nettes cumulatives sur placements.

Recherche et développement

Comme c'est le cas pour l'impôt fédéral, vous ne pouvez bénéficier personnellement des avantages fiscaux liés à la recherche et au développement (R & D) que si vous exploitez vous-même une entreprise. Toutefois, d'autres avantages fiscaux intéressants sont accessibles, en plus des déductions normales pour l'acquisition d'un titre dans un REA ou une SPEQ, lorsque le produit de l'émission d'actions sert à financer des activités de recherche et de développement effectuées au Québec par une société.

Afin de favoriser le financement de la R & D à l'aide du capital de risque externe par émission de capital-actions, le gouvernement du Québec accorde des déductions additionnelles aux investisseurs privés acquérant de telles actions. Les déductions peuvent représenter jusqu'à 50 % ou 100 % des dépenses de R & D admissibles, selon la taille de la société qui profite de ce financement et du genre de R & D, à condition que les dépenses de R & D aient été effectuées et que la société renonce à son propre crédit d'impôt lié à ces dépenses. Il s'agit en fait d'un mécanisme permettant de transférer aux investisseurs les crédits d'impôt de la société. Ces déductions additionnelles ne viennent modifier en aucune façon le REA ou le régime des SPEQ. Elles ne modifient pas le coût rajusté des actions qui doit être inclus dans le portefeuille REA ; elles ne sont pas non plus soumises aux limites annuelles applicables au régime des SPEQ et du REA. Cependant, la déduction additionnelle est limitée à un certain montant, de sorte que le total des déductions accordées à l'égard d'un titre ne dépasse pas 200 % de sa valeur. Les déductions additionnelles bénéficient d'un autre traitement de faveur puisqu'elles sont admissibles à un report sur des années subséquentes.

Société de capital de risque R & D

En plus des titres REA et des SPEQ, le gouvernement du Québec a créé un véhicule spécial pour le financement de la R & D. Il s'agit des « sociétés de capital de risque R & D ». Ce sont, en résumé, des sociétés qui doivent lever des fonds presque exclusivement pour financer les projets de R & D de PME au Québec.

Le particulier qui achète des actions d'une telle société a droit à une déduction de base de 100 % du coût de ses actions lorsque la dépense de R & D a été faite, plus une déduction additionnelle R & D de 50 % ou 100 % selon le cas, si la société qui effectue la dépense a renoncé à son crédit d'impôt. La déduction de base ne peut dépasser 30 % du revenu total, mais la partie non utilisée peut être reportée à une année ultérieure. Quant à la déduction additionnelle, aucune limite ne lui est applicable ; elle est aussi reportable sur les années subséquentes. Contrairement au REA, aucune période de détention minimale n'est prévue pour bénéficier pleinement des déductions.

Films certifiés québécois

Un véhicule d'investissement REA/films est aussi disponible. Ce véhicule bénéficie, en les adaptant, des mesures décrites ci-dessus relativement au transfert de déductions aux actionnaires d'une corporation effectuant une émission REA/R & D.

Ainsi les dépenses de main-d'œuvre admissibles, à l'égard desquelles une corporation de production renonce à un montant de crédit d'impôt, peuvent être incluses dans un compte relatif au financement de films certifiés québécois et faire l'objet d'une déduction additionnelle de 100 % par les actionnaires. Le total de la déduction accordée ne peut excéder 200 % du coût du titre. De plus, cette déduction additionnelle est incluse dans le compte d'investissements stratégiques pour l'économie, permettant ainsi à l'investisseur de ne pas être affecté par l'impôt minimum, et elle n'entre pas dans le compte des pertes nettes cumulatives sur placements (PNCP).

Exploration minière et secteurs pétrolier et gazier

L'acquisition d'actions accréditives, directement ou par l'intermédiaire d'une société en commandite, permet de profiter d'allégements fiscaux pour l'impôt du Québec. Des déductions additionnelles sont aussi prévues pour les frais d'exploration engagés au Québec jusqu'à la fin de 1993, sous réserve d'un délai de grâce de 60 jours. Ainsi, les frais d'exploration minière de surface engagés au Québec donnent droit à une déduction équivalant à 175 % du montant de tels frais, dans certains cas.

Compte d'investissements stratégiques pour l'économie

Comme nous l'avons mentionné dans l'introduction du présent chapitre, plusieurs avantages fiscaux contenus dans la législation québécoise ont pour but de promouvoir les investissements dans des secteurs stratégiques pour l'économie québécoise.

Pour inciter les particuliers à profiter de ces avantages fiscaux, la législation québécoise regroupe dans le « Compte d'investissements stratégiques pour l'économie » (CISE) diverses déductions utilisées dans l'année par le particulier.

Ces déductions comprennent :

- Régime d'épargne-actions (REA)

- Régime d'investissement coopératif (RIC)

- Sociétés de placements dans l'entreprise québécoise (SPEQ)

- Régime d'épargne parts permanentes des caisses

- Déduction additionnelle à l'égard de R & D

- Déduction additionnelle pour REA/Recherche et Développement (R & D)

- Déduction additionnelle pour SPEQ/R & D

- Déduction et déduction additionnelle des sociétés de capital de risque R & D

- Déduction additionnelle pour REA/films

- Déduction additionnelle à l'égard de ressources québécoises

Le regroupement dans le CISE comporte deux avantages. En premier lieu, le total du CISE n'intervient pas dans le calcul de la « perte nette cumulative sur placement » (PNCP) en ce qui concerne la déclaration d'impôt du Québec (le concept de PNCP est commenté dans le chapitre 7). Les déductions inscrites dans le CISE ne réduisent donc pas l'exemption pour gains en capital dont on peut se prévaloir dans la déclaration d'impôt produite au Québec. En second lieu, pour l'application des règles de l'impôt minimum de remplacement, le particulier qui effectue des investissements stratégiques bénéficie, en plus de l'exemption de base de 40 000 $, d'une exemption additionnelle pour ses investissements stratégiques jusqu'à concurrence de 15 % de son revenu total, c'est-à-dire le revenu net figurant dans la déclaration de revenu du Québec moins l'exemption pour gains en capital utilisée dans l'année.

Patrimoine familial

Depuis le 1er juillet 1989, les personnes mariées doivent tenir compte, advenant le partage du patrimoine familial (divorce, séparation de corps, annulation du mariage et décès), des règles concernant l'égalité économique des époux (Loi 146).

De façon générale, ces règles portent sur le partage de certains biens entre les époux, non pas sur une base bien par bien, mais plutôt sur la valeur nette de ceux-ci, en créant *un droit de créance*.

Les biens visés par le partage sont les résidences principale et secondaire du couple, les meubles des résidences, les véhicules automobiles utilisés pour les déplacements de la famille, ainsi que les droits accumulés pendant le mariage au titre d'un régime de retraite public ou privé. Sont exemptés : les biens ci-dessus décrits acquis par succession, legs ou donation avant ou pendant le mariage.

Dans le cadre d'une planification fiscale et successorale, la personne qui fait un legs particulier à son conjoint devrait considérer la portée du partage du patrimoine familial : en plus du legs, le conjoint aura droit à 50 % de la valeur nette des biens faisant partie du patrimoine familial.

Sociétés faisant affaires au Québec

Taux d'imposition

Dans le chapitre 8, nous avons discuté des avantages des entreprises constituées en sociétés, tant du point de vue de l'imposition que de celui des possibilités de planification qu'elles offrent. Nous avons mentionné que la structure des taux d'imposition des sociétés varie en fonction de la province où le revenu est gagné ainsi qu'en fonction du genre et du montant du revenu réalisé.

Le taux de base de l'impôt québécois applicable aux sociétés faisant affaires au Québec est de 16,25 %. Cependant, le revenu d'entreprise exploitée activement bénéficie d'une réduction. Généralement, lorsque le revenu d'une société a bénéficié de la « déduction accordée aux petites entreprises » (DPE) dans la déclaration d'impôt fédérale, la législation québécoise lui accorde une réduction de 10,5 % (12,5 % avant le 1er juillet 1992). Par contre, lorsque le revenu d'entreprise exploitée activement n'a pas profité de cette déduction fédérale, la réduction accordée en vertu de la législation québécoise est alors de 7,35 % (9,35 % avant le 1er juillet 1992).

Le tableau suivant illustre les taux d'imposition réels applicables aux sociétés faisant affaires au Québec.

	REVENU D'ENTREPRISE EXPLOITÉE ACTIVEMENT				TOUT AUTRE REVENU
	Admissible à la DPE		Non admissible à la DPE		
	(1)	(2)	(1)	(2)	
Taux de base	16,25 %	16,25 %	16,25 %	16,25 %	16,25 %
Réduction accordée	12,50	10,50	9,35	7,35	—
Taux réel	3,75	5,75	6,90	8,90	16,25
Taux moyen pour l'année terminée le 31 décembre 1992	4,75 %		7,90 %		16,25 %

(1) Avant le 1er juillet 1992
(2) Après le 30 juin 1992

Exonération d'impôt

En vue de stimuler la création de nouvelles entreprises au Québec, la législation québécoise permet une exonération d'impôt sur le revenu pour certaines sociétés. Cette exonération d'impôt pour les trois premières années d'imposition des nouvelles sociétés s'applique uniquement au revenu d'entreprise exploitée activement admissible à la déduction pour petite entreprise.

Une société est admissible à l'exonération pour une année d'imposition si :

▓ elle a été constituée après le 1er mai 1986 ;

▓ elle ne résulte pas d'une fusion de plusieurs sociétés ;

▓ l'année est l'une de ses trois premières années d'imposition ;

▓ elle produit sa déclaration d'impôt au plus tard six mois après la fin de sa première année d'imposition.

Par contre, elle n'est pas admissible à l'exonération pour l'année si, entre autres, elle

- était associée à une autre société ;
- n'était pas une « corporation privée dont le contrôle est canadien » ;
- exploitait une entreprise de services personnels ;
- exploitait une entreprise admissible à titre de membre d'une société de personnes.

Recherche et développement

Dans le but de stimuler la recherche et le développement (R & D) au Québec, la législation québécoise accorde plusieurs crédits d'impôt remboursables à toute société qui effectue de telles dépenses.

Ainsi, le crédit de base est de 20 % des salaires versés au Québec dans le cadre de dépenses de R & D effectuées au Québec. Ce crédit est majoré lorsqu'une société satisfait à certains critères ou lorsque les dépenses sont engagées à des fins particulières :

- taux de 40 % à une société dont l'actif est inférieur à 25 000 000 $ ou dont l'avoir net des actionnaires est d'au plus 10 000 000 $;
- taux de 40 % de la totalité des dépenses de R & D effectuées au Québec dans le cadre :
  - d'un contrat de recherche universitaire ou avec un centre de recherche public prescrit ;
  - d'un projet de recherche pré-compétitive ;
  - d'un projet mobilisateur reconnu par le gouvernement et ayant obtenu la certification du Fonds de développement technologique (FDT) (et possibilité d'obtenir des subventions égales à 50 % des autres dépenses) ;
  - d'un projet de consortium de R & D ;
  - d'un projet d'innovation technologique environnementale ayant obtenu la certification du FDT (et possibilité d'obtenir des subventions égales à 40 %, 50 % ou 100 % des autres dépenses).

Formation

Dans le but d'inciter les sociétés à voir à la formation de leur personnel, la législation québécoise accorde plusieurs crédits d'impôt

247

remboursables à toute société qui effectue des dépenses de formation admissibles. Le crédit est majoré pour les petites et moyennes entreprises (PME) dont l'actif est inférieur à 25 000 000 $ ou dont l'avoir net des actionnaires est d'au plus 10 000 000 $.

Les dépenses admissibles comprennent généralement les éléments suivants : les dépenses d'élaboration d'un plan de développement des ressources humaines (PDRH), les frais de formation encourus auprès d'institutions reconnues et, à certaines conditions, les salaires versés aux employés pendant leur période de formation, ainsi que leurs frais de déplacement, s'il y a lieu.

Pour les PME, les taux du crédit d'impôt correspondent à 30 % du coût du PDRH et à 20 % des autres dépenses de formation, alors que pour les grandes sociétés, ils correspondent respectivement à 20 % et à 10 % de ces mêmes dépenses. Par ailleurs, ces taux sont haussés de 20 % dans le cas des dépenses de formation admissibles effectuées par les PME et de 10 % dans le cas des dépenses effectuées par les grandes sociétés. Le budget du Québec du 14 mai 1992 prévoit que la hausse de ces taux s'appliquera aux dépenses effectuées avant le 1er janvier 1995.

CHAPITRE

Remboursement de la TPS et de la TVQ aux salariés et aux associés

Êtes-vous un inscrit aux fichiers de la TPS et de la TVQ ?

Si vous ne l'êtes pas, saviez-vous que vous pouvez réclamer un remboursement de la TPS et TVQ payée sur certains de vos achats.

Vous pouvez réclamer le remboursement si vous avez déduit, dans le calcul de votre revenu imposable, des dépenses telles que frais de représentation, de bureau et autres.

Vous pouvez également réclamer un remboursement si vous détenez une automobile, un instrument de musique ou un aéronef pour lequel vous avez réclamé une allocation du coût en capital dans le calcul de votre revenu aux fins d'impôt.

N'oubliez pas de joindre à votre déclaration de revenus le formulaire GST370F (au fédéral) et le formulaire VD358 (au Québec).

Comme vous le savez, tous les Canadiens doivent acquitter une taxe de 7 % sur la majorité des biens et des services qu'ils consomment (la TPS). Également, une taxe de 8 % sur les biens meubles achetés et de 4 % sur les immeubles et services consommés (TVQ) doit être payée au Québec depuis le 1er juillet 1992.

Principe

Seuls les inscrits ont généralement droit à un remboursement de la TPS et de la TVQ payées. Puisque ce ne sont pas tous les contribuables qui peuvent bénéficier de ce régime de remboursement de la TPS et de la TVQ et pour que ces taxes ne représentent pas un coût additionnel, certaines personnes, tels les salariés et les associés de sociétés de personnes, peuvent, sous certaines conditions, obtenir un remboursement de la TPS et de la TVQ payées même s'ils ne sont pas inscrits. Ce remboursement s'obtient en joignant un formulaire spécifique à la déclaration fiscale et n'est disponible qu'à l'égard des dépenses déductibles dans le calcul de leur revenu imposable. Le remboursement de TPS est calculé sur une fraction égale à 7/107 des dépenses nettes (probablement de 8/108 ou 4/104 pour la TVQ).

N'oublions pas que le remboursement de TPS-TVQ reçu par un contribuable devra être ajouté dans le calcul de son revenu pour l'année d'imposition au cours de laquelle le remboursement est reçu. À titre d'exemple, les montants donnant droit à un remboursement de TPS-TVQ pour l'année 1991, mais reçus en 1992, doivent être inclus dans le revenu de 1992.

Qui a droit au remboursement ?

Seuls les salariés d'un employeur inscrit et les associés d'une société de personnes qui est un inscrit peuvent obtenir un remboursement. À titre d'exemple, le salarié d'un organisme à but non lucratif aura droit à un remboursement, seulement si l'organisme est un inscrit. De plus, l'inscrit ne doit pas avoir droit à un remboursement de la TPS et de la TVQ à l'égard de la dépense admissible en cause.

Les salariés les plus susceptibles d'obtenir ce remboursement sont les vendeurs à commission et autres, ainsi que les salariés et associés ayant des frais afférents à un véhicule moteur.

Un employé ne peut réclamer le crédit de TPS si son employeur est une institution financière désignée. À titre d'exemple, un vendeur à commission d'une firme de courtage ou d'une compagnie d'assurance-vie n'est pas admissible à un remboursement de la TPS sur des dépenses déduites dans le calcul de son revenu. Cette restriction n'existe pas pour la TVQ.

Quelles sont les dépenses admissibles ?

Le remboursement est accordé au contribuable uniquement à l'égard des dépenses déductibles, en ce qui conserne l'impôt sur le revenu, dans le calcul du revenu d'emploi ou du revenu provenant de la société. Parmi les dépenses qui donneraient normalement droit à un remboursement, notons les frais de représentation, les frais de publicité, les cotisations professionnelles, les dépenses de bureau, les frais de location, les fournitures diverses et les frais d'automobile, telle la déduction pour amortissement. La déduction pour amortissement n'est incluse dans les dépenses admissibles que si elle est applicable à une automobile (et autre véhicule moteur), à un instrument de musique ou à un aéronef.

À titre d'exemple, les frais relatifs à du matériel informatique ne seraient pas admissibles à un remboursement. Si le remboursement se rapporte au coût en capital d'un bien, le remboursement réduit le coût en capital du bien au moment où le remboursement est reçu.

Il est à noter que les dépenses donnant droit au remboursement doivent d'abord être réduites de toute indemnité ou de tout remboursement reçu par le salarié ou par l'associé de son employeur ou de la société. Un contribuable ne peut de ce fait obtenir un remboursement de TPS ou de TVQ si, ultimement, la dépense ou une partie de celle-ci n'est pas supportée par l'employé ou l'associé. À cette fin, une modification récente proposée à la loi exigera que l'employé ou l'associé obtienne une attestation de son employeur selon laquelle l'inscrit n'a pas versé au salarié ou à l'associé une indemnité à l'égard des dépenses visées par la demande.

En ce qui concerne la TVQ, compte tenu que plusieurs dépenses déduites dans le calcul du revenu ne donnent pas droit au remboursement, notamment plusieurs dépenses reliées à une automobile (incluant les frais d'opération et l'amortissement), les frais de téléphone et autres services de télécommunication ainsi que les frais de représentation, le salarié ou l'associé ne pourra obtenir un remboursement de la TVQ payée que sur certaines dépenses bien limitées.

Production de la demande

Généralement, les demandes de remboursement sont présentées en même temps que la déclaration de revenus du salarié ou de l'associé pour l'année civile où les dépenses sont engagées et elles nécessistent la production du formulaire GST 370F pour la TPS et du formulaire VD 358 pour la TVQ. La demande de remboursement peut toutefois être présentée dans les quatre ans suivant la fin de l'année civile visée par la remboursement. Dans le calcul du remboursement, lorsqu'on se réfère à la contrepartie pour une dépense, celle-ci correspond au montant payé (qui lui inclut par ailleurs le montant de TVQ payé). Un associé peut réclamer le remboursement de TPS ou TVQ sur la base de l'année civile plutôt que sur la base de l'exercice de la société si l'associé déduit les montants de ses dépenses de l'impôt sur le revenu sur la base de l'année civile.

Exemple

CALCUL DU REMBOURSEMENT

	DÉPENSES DU VENDEUR	REMBOURSEMENT DE TPS CALCULÉ SUR	REMBOURSEMENT DE TVQ CALCULÉ SUR
Frais de représentation	800 $	800 $	–
Frais de bureau :			
Électricité	400	400	–
Impôts fonciers	200	–	–
Assurance	300	–	–
Fournitures	100	100	100
Frais d'automobile :			
DPA (déduction pour amortissement)	1 000	1 000	–
Intérêts	200	–	–
Assurance	400	–	–
Frais de fonctionnement	150	150	–
Frais de réparation	150	150	150
	3 700 $	2 600 $	250 $

Remboursement :

■ Le vendeur a droit à un remboursement de TPS de 170 $, soit 7/107 de 2 600 $, et à un remboursement de TVQ de 18,52 $, soit 8/108 de 250 $ (si les fournitures sont des biens meubles).

■ Les impôts fonciers, les frais d'assurance et les frais d'intérêts n'étant pas assujettis à la TPS, aucun remboursement n'est accordé à leur égard.

■ Une partie du remboursement de TPS (105 $) a trait aux dépenses et doit être incluse dans le revenu du salarié en ce qui a trait à l'impôt sur le revenu, tandis qu'une autre partie correspondant à 65 $ réduit le coût en capital sur lequel la déduction pour amortissement peut être réclamée. Le remboursement de 18,52 $ de TVQ doit être inclus dans le revenu.

■ Compte tenu des limitations au remboursement de la TVQ, aucun remboursement n'est disponible pour les dépenses suivantes : frais de représentation, de bureau et d'automobile (sauf pour les frais de réparation et d'entretien).

13

Taux d'imposition et crédits d'impôt personnels 1992

TAUX D'IMPÔT FÉDÉRAL 1992

Revenu imposable	Impôt
29 590 $ ou moins	0 $ + 17 % sur les 29 590 $ suivants
29 590 $	5 030 $ + 26 % sur les 29 590 $ suivants
59 180 $	12 724 $ + 29 % sur l'excédent

Cette table ne tient pas compte de la surtaxe fédérale de 4,5 % sur le total de l'impôt fédéral et de la surtaxe de 5 % sur l'impôt fédéral excédant 12 500 $.

TAUX D'IMPÔT FÉDÉRAL SUR LE REVENU 1992 Y COMPRIS LA SURTAXE

Revenu imposable	Impôt
29 590 $ ou moins	0 $ + 17,77 % sur les 29 590 $ suivants
29 590 $	5 257 $ + 27,17 % sur les 29 590 $ suivants
59 180 $	13 296 $ + 30,31 % sur les 3 015 $ suivants
62 195 $	14 210 $ + 31,75 % sur l'excédent

MESURES FISCALES EN MATIÈRE D'IMPÔT SUR LE REVENU DES PARTICULIERS RÉSIDANT AU QUÉBEC

IMPÔT FÉDÉRAL 1992 – RÉSIDENT DU QUÉBEC SEULEMENT

Revenu imposable	Impôt
29 590 $ ou moins	0 $ + 14,96 % sur les 29 590 $ suivants
29 590 $	4 427 $ + 22,88 % sur les 29 590 $ suivants
59 180 $	11 197 $ + 25,52 % sur les 3 015 $ suivants
62 195 $	11 966 $ + 26,97 % sur l'excédent

Note : Cette table tient compte des surtaxes fédérales et de l'abattement de 16,5 % applicable aux résidents du Québec.

IMPÔT DU QUÉBEC 1992

Revenu imposable	Impôt
7 000 $ ou moins	0 $ + 16 % sur les 7 000 $ suivants
7 000 $	1 120 $ + 19 % sur les 7 000 $ suivants
14 000 $	2 450 $ + 21 % sur les 9 000 $ suivants
23 000 $	4 340 $ + 23 % sur les 27 000 $ suivants
50 000 $	10 550 $ + 24 % sur l'excédent

CRÉDITS D'IMPÔT PERSONNELS 1992
VALEUR DES CRÉDITS DU QUÉBEC

	$
De base	1 156
De personne vivant seule	206 (1)
De personne mariée	1 156 (2)
De personne âgée de 65 ans ou plus	440 (2) (3)
D'enfant à charge (4)	
général	
1er enfant	510 (2)
2e enfant et suivants	441 (2)
pour études postsecondaires	323 (2) (5)
pour famille monoparentale	255 (2) (6)
D'autres personnes à charge	
général	441 (2) (7)
atteintes d'une infirmité	1 156 (2) (8)
De personne atteinte d'une déficience	
physique ou mentale	440 (2) (3)
De membre d'un ordre religieux	792

Notes:

(1) Crédit disponible à un particulier qui n'a pas droit au crédit pour personne mariée et qui maintient un établissement domestique autonome dans lequel aucune autre personne que lui-même ou une personne visée par le crédit d'impôt pour enfant n'a vécu pendant l'année.

(2) Pour tous les crédits d'impôt du Québec demandés à l'égard d'une personne à charge ou d'un conjoint, le montant des besoins essentiels reconnus est réduit

du revenu net de la personne à charge ou du conjoint, dollar pour dollar, avant d'y appliquer le taux de 20 %. Lorsque des crédits d'impôt supplémentaires sont demandés (p. ex., crédits demandés pour les études post-secondaires en plus du crédit de base pour personne à charge ou personne mariée, plus transfert de crédit d'un conjoint pour personne âgée de 65 ans ou plus), le revenu net n'est déduit qu'une seule fois du total des montants représentant les besoins essentiels reconnus.

(3) Dans certains cas, le crédit pour une personne atteinte d'une déficience physique ou mentale non réclamé par un conjoint ou une autre personne à charge peut être transféré alors que le crédit pour personne âgée de 65 ans ou plus non réclamé par un conjoint peut également être transféré.

(4) Enfant de moins de 18 ans pendant l'année ou aux études à plein temps.

(5) Crédit par trimestre, maximum de deux trimestres.

(6) Crédit disponible à un particulier qui n'est pas marié ou, s'il est marié, ne vit pas avec son conjoint, ne subvient pas aux besoins et n'est pas à la charge de ce conjoint. De plus, le particulier ne vit maritalement avec aucune personne et il maintient un établissement domestique autonome où il habite et subvient aux besoins d'une personne visée par le crédit d'impôt pour enfant à charge. Ce crédit s'ajoute au crédit pour le premier enfant à charge.

(7) Toute personne d'au moins 18 ans à la première journée de l'exercice et unie au contribuable par les liens du sang, du mariage ou de l'adoption.

(8) Ce crédit ne peut s'ajouter au crédit d'impôt général pour autres personnes à charge.

AUTRES CRÉDITS ET DÉDUCTIONS – QUÉBEC

▓ Déduction pour emploi : le moindre de 6 % du revenu d'emploi ou 750 $.

▓ Crédit de 20 % du revenu de pension admissible, maximum 200 $.

▓ Les contributions au RRQ et à l'assurance-chômage ne donnent pas droit à un crédit d'impôt mais elles sont déductibles dans le calcul du revenu net.

▓ Déduction pour les dons de charité jusqu'à concurrence de 20 % du revenu net.

▓ Les frais de scolarité sont aussi déductibles dans le calcul du revenu net. De plus, la déduction pour frais de scolarité ne peut être réclamée par une personne autre que l'étudiant.

▓ Les frais médicaux donnent droit à un crédit de 20 % au Québec (17 % au fédéral).

TAUX D'IMPÔT PROVINCIAL 1992 (1)
PARTICULIER RÉSIDANT HORS DU QUÉBEC

	Taux %
Alberta (2) (3) (4)	46,0
Colombie-Britannique (3) (5)	52,0
Île-du-Prince-Édouard (3) (10)	59,5
Manitoba (2) (3) (6)	52,0
Nouveau-Brunswick (3) (7)	60,0
Nouvelle-Écosse (3) (8)	59,5
Ontario (2) (3) (9)	54,5
Saskatchewan (2) (3) (11)	50,0
Terre-Neuve	64,5
Territoires du Nord-Ouest	44,0
Yukon	45,0
Non-résidents du Canada	52,0

(1) Les taux sont exprimés en un pourcentage de l'impôt fédéral de base. Ce sont ceux en vigueur à la date de publication.

(2) Plusieurs provinces prévoient des réductions d'impôt pour les personnes à revenus moins élevés, dont l'Alberta, le Manitoba, l'Ontario et la Saskatchewan.

(3) Ces taux ne tiennent pas compte des surtaxes et de l'impôt au taux uniforme.

(4) L'Alberta prélève un impôt au taux uniforme de 0,5 % sur le revenu imposable et une surtaxe de 8 % (qui ne s'applique pas à l'impôt au taux uniforme) sur un montant d'impôt excédant 3 500 $.

(5) La Colombie-Britannique impose une surtaxe de 10 % sur un montant d'impôt provincial excédant 5 300 $ et une autre surtaxe de 10 % sur l'impôt provincial excédant 9 000 $. Un crédit d'impôt non remboursable de 50 $ s'applique en réduction de la seconde surtaxe pour chacune des personnes à charge.

(6) Au Manitoba, un impôt au taux uniforme de 2 % est calculé sur le revenu net. De plus, une surtaxe de 2 % est calculée sur le revenu net excédant 30 000 $ (c.-à-d. qu'il existe un crédit de base de 600 $ et des crédits supplémentaires peuvent s'appliquer).

(7) Une surtaxe de 8 % s'applique à l'impôt du Nouveau-Brunswick exédant 13 500 $.

(8) La Nouvelle-Écosse impose une surtaxe de 10 % sur un montant d'impôt supérieur à 10 000 $.

(9) La surtaxe de l'Ontario est de 7 % sur l'impôt provincial supérieur à 5 500 $ et ne dépassant pas 10 000 $. Elle est de 14 % sur l'impôt provincial supérieur à 10 000 $.

(10) L'Île-du-Prince-Édouard impose une surtaxe de 10 % sur un montant d'impôt provincial supérieur à 12 500 $.

(11) La Saskatchewan prélève un impôt au taux uniforme de 2 % sur le revenu net. Une surtaxe provinciale de 15 % s'applique à l'impôt provincial (y compris la taxe au taux uniforme) excédant 4 000 $. De plus, une surtaxe de 5 % s'applique à l'impôt provincial de base plus la taxe au taux uniforme.

TAUX D'IMPÔT SUR LE REVENU DES PARTICULIERS COMBINÉS (FÉDÉRAL ET PROVINCIAL) 1992 (5)

Revenu imposable (A)	(B)	Alberta (1) (2) (3) Taux prov. de 46,0 % Impôt sur (A)	Taux sur excédent (B) – (A)	Colombie-Britannique (1) Taux prov. de 52,0 % Impôt sur (A)	Taux sur excédent (B) – (A)	Île-du-Prince Édouard (1) Taux prov. de 59,5 % Impôt sur (A)	Taux sur excédent (B) – (A)	Manitoba (1) (2) (3) Taux prov. de 52 % Impôt sur (A)	Taux sur excédent (B) – (A)
0 $	6 456 $	0 $	0,00 %	0 $	0,00 %	0 $	0,00 %	0 $	0,00 %
6 457	7 000	0	17,77	0	26,61	0	27,88	0	17,77
7 001	7 066	96	17,77	144	26,61	151	27,88	96	17,77
7 067	7 189	108	17,77	162	26,61	170	27,88	108	17,77
7 190	7 795	130	17,77	195	26,61	204	27,88	130	17,77
7 796	8 348	238	17,77	356	26,61	373	27,88	238	30,61
8 349	9 292	336	17,77	503	26,61	527	27,88	407	30,61
9 293	9 514	503	17,77	754	26,61	790	27,88	696	30,61
9 515	10 000	543	30,21	813	26,61	852	27,88	764	30,61
10 001	14 000	690	30,21	942	26,61	988	27,88	912	30,61
14 001	16 407	1 900	30,21	2 007	26,61	2 103	27,88	2 137	30,61
16 408	21 500	2 628	26,09	2 647	26,61	2 774	27,88	2 873	30,61
21 501	23 000	3 956	26,09	4 002	26,61	4 194	27,88	4 432	28,61
23 001	29 590	4 347	26,09	4 401	26,61	4 612	27,88	4 861	28,61
29 591	30 000	6 066	39,63	6 154	40,69	6 449	42,64	6 746	42,69
30 001	39 204	6 228	39,63	6 321	40,69	6 624	42,64	6 921	44,69
39 205	43 730	9 876	39,63	10 066	40,69	10 548	42,64	11 034	44,69
43 731	50 000	11 670	40,59	11 908	40,69	12 478	42,64	13 057	44,69
50 001	53 280	14 214	40,59	14 459	40,69	15 152	42,64	15 859	44,69
53 281	53 667	15 546	40,59	15 794	40,69	16 550	42,64	17 325	44,69
53 668	59 180	15 703	40,59	15 951	42,04	16 715	42,64	17 498	44,69
59 181	62 194	17 941	45,21	18 270	46,89	19 067	47,56	19 962	49,39
62 195	77 044	19 304	46,66	19 683	48,34	20 500	49,01	21 451	50,84
77 045	78 771	26 233	46,66	26 862	48,34	27 778	49,01	29 000	50,84
78 772	82 360	27 039	46,66	27 697	49,85	28 625	49,01	29 878	50,84
82 361	91 532	28 714	46,66	29 486	49,85	30 384	49,01	31 702	50,84
91 533	96 676	32 994	46,66	34 058	49,85	34 879	50,74	36 365	50,84
96 677	Excédent	35 394	46,66	36 623	49,85	37 489	50,74	38 980	50,84

TAUX D'IMPÔT SUR LE REVENU DES PARTICULIERS COMBINÉS (FÉDÉRAL ET PROVINCIAL) 1992 (5) (suite)

Revenu imposable		Nouveau-Brunswick (1) Taux prov. de 60 %		Nouvelle-Écosse (1) Taux prov. de 59,5 %		Ontario (1) (2) Taux prov. de 54,5 %		Québec (4) Voir page 257	
(A)	(B)	Impôt sur (A)	Taux sur excédent (B) − (A)	Impôt sur (A)	Taux sur excédent (B) − (A)	Impôt sur (A)	Taux sur excédent (B) − (A)	Impôt sur (A)	Taux sur excédent (B) − (A)
0 $	6 456 $	0 $	00,00 %	0 $	00,00 %	0 $	00,00 %	0 $	00,00 %
6 457	7 000	0	27,97	0	27,88	0	17,77	0	14,96
7 001	7 066	152	27,97	151	27,88	96	17,77	81	14,96
7 067	7 189	170	27,97	170	27,88	108	17,77	91	14,96
7 190	7 795	204	27,97	204	27,88	130	17,77	109	33,96
7 796	8 348	374	27,97	373	27,88	238	17,77	315	33,96
8 349	9 292	529	27,97	527	27,88	336	45,54	503	33,96
9 293	9 514	793	27,97	790	27,88	766	27,03	824	33,96
9 515	10 000	855	27,97	852	27,88	826	27,03	899	33,96
10 001	14 000	991	27,97	988	27,88	957	27,03	1 064	33,96
14 001	16 407	2 109	27,97	2 103	27,88	2 039	27,03	2 423	35,96
16 408	21 500	2 782	27,97	2 774	27,88	2 689	27,03	3 288	35,96
21 501	23 000	4 207	27,97	4 194	27,88	4 066	27,03	5 120	35,96
23 001	29 590	4 626	27,97	4 612	27,88	4 471	27,03	5 659	37,96
29 591	30 000	6 469	42,77	6 449	42,64	6 252	41,34	8 160	45,88
30 001	39 204	6 644	42,77	6 624	42,64	6 422	41,34	8 348	45,88
39 205	43 730	10 580	42,77	10 548	42,64	10 227	41,34	12 571	45,88
43 731	50 000	12 516	42,77	12 478	42,64	12 098	41,34	14 648	45,88
50 001	53 280	15 198	42,77	15 152	42,64	14 690	41,34	17 524	46,88
53 281	53 667	16 601	42,77	16 550	42,64	16 046	42,33	19 062	46,88
53 668	59 180	16 766	42,77	16 715	42,64	16 210	42,33	19 244	46,88
59 181	62 194	19 125	47,71	19 067	47,56	18 544	47,22	21 829	49,52
62 195	77 044	20 563	49,16	20 500	49,01	19 967	48,67	23 321	50,97
77 045	78 771	27 862	49,16	28 778	50,74	27 194	48,67	30 890	50,97
78 772	82 360	28 712	49,16	29 655	50,74	28 035	48,67	31 770	50,97
82 361	91 532	30 476	49,16	31 476	50,74	29 782	49,77	33 600	50,97
91 533	96 676	34 984	49,16	36 129	50,74	34 347	49,77	38 275	50,97
96 677	Excédent	37 513	50,55	38 739	50,74	36 907	49,77	40 896	50,97

261

TAUX D'IMPÔT SUR LE REVENU DES PARTICULIERS COMBINÉS (FÉDÉRAL ET PROVINCIAL) 1992 (5) (suite)

Revenu imposable (A)	(B)	Saskatchewan (1) (2) (3) Taux prov. de 50 % Impôt sur (A)	Taux sur excédent (B) – (A)	Terre-Neuve Taux prov. de 64,5 % Impôt sur (A)	Taux sur excédent (B) – (A)	Territoires du Nord-Ouest Taux de 44 % Impôt sur (A)	Taux sur excédent (B) – (A)
0 $	6 456 $	0 $	0,00 %	0 $	0,00 $	0 $	0,00 %
6 457	7 000	0	17,77	0	28,73	0	25,25
7 001	7 066	99	17,77	156	28,73	137	25,25
7 067	7 189	111	28,79	175	28,73	154	25,25
7 190	7 795	146	28,79	210	28,73	185	25,25
7 796	8 348	321	28,79	384	28,73	338	25,25
8 349	9 292	480	28,79	543	28,73	477	25,25
9 293	9 514	752	28,79	814	28,73	715	25,25
9 515	10 000	816	28,79	878	28,73	772	25,25
10 001	14 000	955	33,79	1 018	28,73	894	25,25
14 001	16 407	2 307	28,79	2 167	28,73	1 904	25,25
16 408	21 500	3 000	28,79	2 858	28,73	2 512	25,25
21 501	23 000	4 466	28,79	4 322	28,73	3 797	25,25
23 001	29 590	4 898	28,79	4 753	28,73	4 176	25,25
29 591	30 000	6 795	42,92	6 646	43,94	5 839	38,61
30 001	39 204	6 971	42,92	6 826	43,94	5 998	38,61
39 205	43 730	10 921	45,17	10 870	43,94	9 551	38,61
43 731	50 000	12 966	45,17	12 859	43,94	11 299	38,61
50 001	53 280	15 798	45,17	15 614	43,94	13 720	38,61
53 281	53 667	17 280	45,17	17 055	43,94	14 986	38,61
53 668	59 180	17 454	50,11	17 225	49,01	15 136	38,61
59 181	62 194	19 946	51,56	19 648	50,46	17 265	43,07
62 195	77 044	21 456	51,56	21 126	50,46	18 563	44,52
77 045	78 771	29 111	51,56	28 619	50,46	25 173	44,52
78 772	82 360	30 002	51,56	29 490	50,46	25 942	44,52
82 361	91 532	31 853	51,56	31 302	50,46	27 540	44,52
91 533	96 676	36 581	51,56	35 930	50,46	31 623	44,52
96 677	Excédent	39 233	51,56	38 525	50,46	33 913	44,52

TAUX D'IMPÔT SUR LE REVENU DES PARTICULIERS COMBINÉS (FÉDÉRAL ET PROVINCIAL) 1992 (5) (suite)

| Revenu imposable | | Yukon | | Non-résidents | |
| | | Taux de 45 % | | Taux de 52 % | |
(A)	(B)	Impôt sur (A)	Taux sur excédent (B) − (A)	Impôt sur (A)	Taux sur excédent (B) − (A)
0 $	6 456 $	0 $	0,00 %	0 $	0,00 %
6 457	7 000	0	25,42	0	26,61
7 001	7 066	138	25,42	144	26,61
7 067	7 189	155	25,42	162	26,61
7 190	7 795	186	25,42	195	26,61
7 796	8 348	340	25,42	356	26,61
8 349	9 292	480	25,42	503	26,61
9 293	9 514	720	25,42	754	26,61
9 515	10 000	777	25,42	813	26,61
10 001	14 000	900	25,42	942	26,61
14 001	16 407	1 917	25,42	2 007	26,61
16 408	21 500	2 529	25,42	2 647	26,61
21 501	23 000	3 823	25,42	4 002	26,61
23 001	29 590	4 204	25,42	4 401	26,61
29 591	30 000	5 879	38,87	6 154	40,69
30 001	39 204	6 038	38,87	6 321	40,69
39 205	43 730	9 616	38,87	10 066	40,69
43 731	50 000	11 375	38,87	11 908	40,69
50 001	53 280	13 812	38,87	14 459	40,69
53 281	53 667	15 087	38,87	15 794	40,69
53 668	59 180	15 238	38,87	15 951	40,69
59 181	62 194	17 381	43,36	18 195	45,39
62 195	77 044	18 688	44,81	19 563	46,84
77 045	78 771	25 341	44,81	26 518	46,84
78 772	82 360	26 115	44,81	27 327	46,84
82 361	91 532	27 724	44,81	29 008	46,84
91 533	96 676	31 833	44,81	33 304	46,84
96 677	Excédent	34 138	44,81	35 713	46,84

263

Notes :

* Les chiffres ont été arrondis au dollar près.

(1) Les surtaxes provinciales s'appliquent comme suit :

Province	Taux
Alberta	8 % du montant d'impôt provincial (à l'exclusion de l'impôt au taux uniforme) excédant 3 500 $
Colombie-Britannique	10 % du montant d'impôt provincial excédant 5 300 $ et une surtaxe additionnelle de 10 % sur l'impôt provincial excédant 9 000 $
Î.-P.-É.	10 % du montant d'impôt provincial excédant 12 500 $
Manitoba	Surtaxe au taux uniforme de 2 % du revenu net excédant 30 000 $
Nouveau-Brunswick	8 % du montant d'impôt provincial excédant 13 500 $
Nouvelle-Écosse	10 % du montant d'impôt provincial excédant 10 000 $
Ontario	7 % du montant d'impôt provincial excédant 5 500 $ sans dépasser 10 000 $ et 14 % sur l'impôt provincial excédant 10 000 $
Saskatchewan	5 % du montant d'impôt provincial (y compris l'impôt au taux uniforme) et une surtaxe additionnelle de 15 % du montant d'impôt provincial (y compris l'impôt au taux uniforme) excédant 4 000 $

(2) Une réduction d'impôt est accordée aux personnes à faibles revenus. Cette réduction diminue graduellement lorsque le revenu augmente, ce qui, en certains cas, augmente le taux marginal d'imposition. Nous avons tenu compte uniquement des réductions qui s'appliquent à tous les particuliers.

– En Saskatchewan, la réduction de base de 200 $ pour taxe de vente (les autres réductions sont basées sur l'âge et la situation familiale) élimine l'impôt provincial jusqu'à ce que le revenu imposable atteigne entre 7 067 $ et 10 000 $. La réduction diminue ensuite progressivement et elle est complètement annulée lorsque le revenu imposable atteint 14 001 $.

– En Alberta, la réduction d'impôt provincial jusqu'à ce que le revenu imposable atteigne 9 515 $. La réduction diminue ensuite progressivement et elle est complètement annulée lorsque le revenu imposable atteint 16 408 $.

– Au Manitoba, la réduction d'impôt élimine l'impôt provincial jusqu'à ce que le revenu imposable atteigne 7 796 $. La réduction diminue ensuite progressivement et elle est complètement annulée lorsque le revenu imposable atteint 21 500 $.

– En Ontario, la réduction d'impôt élimine l'impôt provincial jusqu'à ce que le revenu imposable atteigne 8 349 $. La réduction diminue ensuite progressivement et elle est complètement annulée lorsque le revenu imposable atteint 9 293 $.

(3) En Alberta, un impôt au taux uniforme de 0,5 % s'applique sur le revenu imposable. Au Manitoba et en Saskatchewan, un impôt au taux uniforme de 2 % s'applique sur le revenu net. Dans ces deux derniers cas, nous avons présumé que le revenu net égale le revenu imposable.

(4) Pour faciliter la comparaison, nous avons présumé que les revenus imposables fédéral et provincial sont les mêmes. Les résidents du Québec ont droit à un abattement de 16,5 % de l'impôt fédéral.

(5) Ces taux tiennent compte de la surtaxe fédérale et, pour déterminer la tranche d'imposition à laquelle s'appliquent les taux, le crédit d'impôt personnel fédéral de 1 098 $ a été pris en considération.

TAUX MARGINAUX SUR LES GAINS EN CAPITAL - 1992 (1)

Revenu imposable	Alberta	Colombie-Britannique	Manitoba	Nouveau-Brunswick	Nouvelle-Écosse	Terre-Neuve	Territoires du Nord-Ouest
21 501 $ – 23 000 $	19,56 %	19,95 %	21,45 %	20,97 %	20,91 %	21,55 %	18,93 %
23 001 – 29 590	19,56	19,95	21,45	20,97	20,91	21,55	18,93
29 591 – 30 000	29,72	30,52	32,02	32,08	31,98	32,96	28,96
30 001 – 39 204	29,72	30,52	33,52	32,08	31,98	32,96	28,96
39 205 – 43 730	29,72	30,52	33,52	32,08	31,98	32,96	28,96
43 731 – 50 000	30,44	30,52	33,52	32,08	31,98	32,96	28,96
50 001 – 53 280	30,44	30,52	33,52	32,08	31,98	32,96	28,96
53 281 – 53 667	30,44	30,52	33,52	32,08	31,98	32,96	28,96
53 668 – 59 180	30,44	31,53	33,52	32,08	31,98	32,96	28,96
59 181 – 62 194	33,91	35,17	37,04	35,78	35,67	36,76	32,30
62 195 – 77 044	35,00	36,26	38,13	36,87	36,76	37,84	33,39
77 045 – 78 771	35,00	36,26	38,13	36,87	38,05	37,84	33,39
78 772 – 82 360	35,00	37,39	38,13	36,87	38,05	37,84	33,39
82 361 – 91 532	35,00	37,39	38,13	36,87	38,05	37,84	33,39
91 533 – 96 677	35,00	37,39	38,13	36,87	38,05	37,84	33,39
96 678 et excédent	35,00	37,39	38,13	37,91	38,05	37,84	33,39

TAUX MARGINAUX SUR LES GAINS EN CAPITAL - 1992 (1) (suite)

Revenu imposable	Île-du-Prince Édouard	Ontario	Québec	Saskatchewan	Yukon	Non-résidents
21 501 $ – 23 000 $	20,91 %	20,27 %	26,97 %	21,59 %	19,06 %	19,95 %
23 001 – 29 590	20,91	20,27	28,47	21,59	19,06	19,95
29 591 – 30 000	31,98	31,01	34,41	32,19	29,15	30,52
30 001 – 39 204	31,98	31,01	34,41	32,19	29,15	30,52
39 205 – 43 730	31,98	31,01	34,41	33,88	29,15	30,52
43 731 – 50 000	31,98	31,01	34,41	33,88	29,15	30,52
50 001 – 53 280	31,98	31,01	35,16	33,88	29,15	30,52
53 281 – 53 667	31,98	31,75	35,16	33,88	29,15	30,52
53 668 – 59 180	31,98	31,75	35,16	33,88	29,15	30,52
59 181 – 62 194	35,67	35,41	37,14	37,58	32,52	34,04
62 195 – 77 044	36,76	36,50	38,23	38,67	33,60	35,13
77 045 – 78 771	36,76	36,50	38,23	38,67	33,60	35,13
78 772 – 82 360	36,76	36,50	38,23	38,67	33,60	35,13
82 361 – 91 532	36,76	37,33	38,23	38,67	33,60	35,13
91 533 – 96 677	38,05	37,33	38,23	38,67	33,60	35,13
96 678 et excédent	38,05	37,33	38,23	38,67	33,60	35,13

(1) Les taux comprennent l'impôt fédéral, la surtaxe fédérale, les différents impôts provinciaux (y compris les surtaxes et les impôts au taux uniforme) et l'abattement fédéral de 16,5 % pour l'impôt du Québec.

TAUX MARGINAUX SUR LES DIVIDENDES – 1992 (1)

Revenu imposable	Alberta	Colombie-Britannique	Manitoba	Nouveau-Brunswick	Nouvelle-Écosse	Terre-Neuve	Territoires du Nord-Ouest
21 501 $ – 23 000 $	7,52 %	7,17 %	9,67 %	7,54 %	7,52 %	7,75 %	6,81 %
23 001 – 29 590	7,52	7,17	9,67	7,54	7,52	7,75	6,81
29 591 – 30 000	24,45	24,78	27,28	26,05	25,97	26,76	23,51
30 001 – 39 204	24,45	24,78	29,78	26,05	25,97	26,76	23,51
39 205 – 43 730	24,45	24,78	29,78	26,05	25,97	26,76	23,51
43 731 – 50 000	25,04	24,78	29,78	26,05	25,97	26,76	23,51
50 001 – 53 280	25,04	24,78	29,78	26,05	25,97	26,76	23,51
53 281 – 53 667	25,04	24,78	29,78	26,05	25,97	26,76	23,51
53 668 – 59 180	25,04	25,60	29,78	26,05	25,97	26,76	23,51
59 181 – 62 194	30,82	31,67	35,65	32,21	32,12	33,10	29,08
62 195 – 77 044	31,80	32,65	36,63	33,19	33,10	34,08	30,06
77 045 – 78 771	31,80	32,65	36,63	33,19	34,26	34,08	30,06
78 772 – 82 360	31,80	33,66	36,63	33,19	34,26	34,08	30,06
82 361 – 91 532	31,80	33,66	36,63	33,19	34,26	34,08	30,06
91 533 – 96 677	31,80	33,66	36,63	33,19	34,26	34,08	30,06
96 678 et excédent	31,80	33,66	36,63	34,13	34,26	34,08	30,06

TAUX MARGINAUX SUR LES DIVIDENDES – 1992 (1) (suite)

Revenu imposable	Île-du-Prince Édouard	Ontario	Québec	Saskatchewan	Yukon	Non-résidents
21 501 $ – 23 000 $	7,52 %	7,29 %	19,20 %	9,82 %	6,85 %	7,17 %
23 001 – 29 590	7,52	7,29	21,70	9,82	6,85	7,17
29 591 – 30 000	25,97	25,18	31,60	27,48	23,67	24,78
30 001 – 39 204	25,97	25,18	31,60	27,48	23,67	24,78
39 205 – 43 730	25,97	25,18	31,60	29,05	23,67	24,78
43 731 – 50 000	25,97	25,18	31,60	29,05	23,67	24,78
50 001 – 53 280	25,97	25,18	32,85	29,05	23,67	24,78
53 281 – 53 667	25,97	25,78	32,85	29,05	23,67	24,78
53 668 – 59 180	25,97	25,78	32,85	29,05	23,67	24,78
59 181 – 62 194	32,12	31,88	36,15	35,21	29,28	30,65
62 195 – 77 044	33,10	32,86	37,13	36,19	30,26	31,63
77 045 – 78 771	33,10	32,86	37,13	36,19	30,26	31,63
78 772 – 82 360	33,10	32,86	37,13	36,19	30,26	31,63
82 361 – 91 532	33,10	33,61	37,13	36,19	30,26	31,63
91 533 – 96 677	34,26	33,61	37,13	36,19	30,26	31,63
96 678 et excédent	34,26	33,61	37,13	36,19	30,26	31,63

(1) Les taux comprennent l'impôt fédéral, la surtaxe fédérale, les différents impôts provinciaux (y compris les surtaxes et les impôts au taux uniforme) le crédit d'impôt fédéral pour dividendes (et du Québec) et l'abattement fédéral de 16,5 % pour l'impôt du Québec. Le crédit d'impôt fédéral pour dividendes est de 13 1/3 % du dividende majoré. Le crédit d'impôt provincial (Québec) pour dividendes est de 8,87 % du dividende majoré.

CRÉDITS D'IMPÔT PERSONNELS COMBINÉS (FÉDÉRAL ET PROVINCIAL) 1992 (1)

Crédit d'impôt	Fédéral	Alb.	C.-B.	Î.-P.-É.	Man.	N.-B.	N.-É.	Ont.	Qué. (12)	Sask.	T.-N.	T.N.-O.	Yukon	N.-R.
De base	1 098 $	1 652 $	1 718 $	1 800 $	1 718 $	1 805 $	1 800 $	1 745 $	2 122 $	1 696 $	1 855 $	1 630 $	1 641 $	1 718 $
De personne vivant seule									206					
De personne mariée (2)	915	1 376	1 431	1 500	1 431	1 505	1 500	1 454	1 961	1 413	1 546	1 358	1 367	1 431
De personne de 65 ans ou plus	592	891	926	971	926	974	971	941	961	915	1 000	879	885	926
Équivalent de personne mariée (2)	915	1 376	1 431	1 500	1 431	1 505	1 500	1 454	805	1 413	1 546	1 358	1 367	1 431
Enfants à charge de moins de 19 ans (3)														
– général 1er et 2e (4)	71	107	111	116	111	117	116	113	572	110	120	105	106	111
3e enfant et suivants(5)	142	214	222	233	222	234	233	226	566	219	240	211	212	222
– pour études post-secondaires (6)									323					
– pour famille mono-parentale									255					
Autres personnes à charge														
– 18 ans ou plus														
– plus de 18 ans et infirme (7)	269	405	421	441	421	443	441	428	441	416	455	400	402	421
Personne infirme	720	1 083	1 126	1 180	1 126	1 184	1 180	1 144	1 393	1 112	1 216	1 069	1 076	1 126
Pour études, par mois (8)	14	20	21	22	21	22	22	22	1 073	21	23	20	20	21
Revenu de pension (9)	170	256	266	279	266	280	279	270	12	263	287	252	254	266
Contributions – RRQ et RPC (10) (max. 696 $)	118	178	185	194	185	195	194	188	350	183	200	176	177	185
Contributions – assurance-chômage (10) (max. 1 107,60 $)	188	283	295	309	295	310	309	299	104	291	318	280	281	295
Frais de scolarité (%) (10)	17	25,59	26,61	27,88	26,61	27,97	27,88	27,03	166	26,27	28,73	25,25	25,42	26,61
Frais médicaux (%) (11)	17	25,59	26,61	27,88	26,61	27,97	27,88	27,03	14,96	26,27	28,73	25,25	25,42	26,61
Dons de charité (10)									34,96					
– jusqu'à 250 $ (%)	17	25,59	26,61	27,88	26,61	27,97	27,88	27,03	14,96	26,27	28,73	25,25	25,42	26,61
– excédent (%)	29	43,65	45,39	47,56	45,39	47,71	47,56	46,11	25,52	44,81	49,01	43,07	43,36	45,39

Notes :

(1) Les crédits tiennent compte de la surtaxe fédérale de 4,5 %, mais non des surtaxes provinciales. Les montants sont arrondis au dollar près.

(2) Le crédit fédéral est réduit lorsque le revenu net du conjoint ou de la personne à charge se situe entre 538 $ et 5 918 $, et il est complètement éliminé lorsque ce revenu excède 5 918 $. En ce qui concerne l'impôt du Québec, le crédit est réduit de 20 % du revenu net du conjoint.

(3) Enfants âgés de moins de 19 ans à la fin de l'année. Au Québec, les personnes à charge comprennent les enfants de moins de 18 ans à un moment quelconque de l'année et ceux de 18 ans et plus qui sont étudiants à temps plein.

(4) Le crédit fédéral est réduit si le revenu net de l'enfant se situe entre 2 690 $ et 3 107 $, et il est complètement éliminé lorsque ce revenu excède 3 107 $ (3 525 $ pour le troisième enfant et les enfants additionnels). Pour l'impôt du Québec, le crédit est réduit dès que le revenu de l'enfant n'est pas nul et le crédit combiné est de 503 $ pour le deuxième enfant (572 $ pour le premier).

(5) Le crédit fédéral est réduit si le revenu net de l'enfant se situe entre 2 690 $ et 4 273 $, et il est complètement éliminé lorsque ce revenu excède 4 273 $. En ce qui concerne l'impôt du Québec, le crédit est réduit de 20 % du revenu net de l'enfant.

(6) Crédit pour chaque trimestre, maximum de deux trimestres.

(7) Ce crédit ne s'ajoute pas aux autres crédits pour autres personnes à charge.

(8) Crédit pour chaque mois d'études postsecondaires ou universitaires à plein temps.

(9) Le crédit est réduit lorsque le revenu de pension est inférieur à 1 000 $. Le crédit est de 17 % du revenu de pension admissible (20 % au Québec) jusqu'à un maximum de 170 $ (200 $ au Québec).

(10) Pour l'impôt du Québec, il existe une déduction dans le calcul du revenu au lieu d'un crédit d'impôt ; par conséquent, seule la partie fédérale est reflétée dans l'impôt du Québec. Pour les RRQ/RPC et l'assurance-chômage, le crédit fédéral est égal à 17 % des contributions pour l'exercice, jusqu'à concurrence des montants maximaux indiqués.

(11) Le crédit est égal à 17 % (20 % au Québec) de la portion des frais médicaux qui excède le moindre de 1 615 $ et 3 % du revenu net.

(12) Les crédits tiennent compte de l'abattement fédéral de 16,5 %.

CALCUL DE L'IMPÔT À PAYER POUR LES PARTICULIERS - 1992

Calcul du revenu total	Fédéral	Provincial
Revenu d'emploi	50 000 $	50 000 $
Autres revenus		
Allocations familiales	837	837
Revenu en intérêts	1 000	1 000
Revenu total	51 837	51 837
Calcul du revenu imposable		
Déduction du revenu total		
Déduction pour emploi	S/O	(750)
Régime de rentes du Québec	S/O	(696)
Assurance-chômage	S/O	(1 108)
Cotisations à un REP	(2 000)	(2 000)
Primes à un REER	(1 500)	(1 500)
Dons de charité	S/O	(500)
Total des déductions	(3 500)	(6 554)
Revenu imposable	48 337 $	45 283 $
Sommaire de l'impôt et des crédits		
Impôt de base	9 905 $	9 465 $
Moins : Crédit RRQ et assurance-chômage	(307)	S/O
Crédit de base	(1 098)	(1 156)
Crédit de personne mariée	(915)	(1 156)
Crédit pour enfants à charge	(142)	(951)
Crédit pour dons de charité	(115)	S/O
	7 328	6 202
Surtaxe fédérale	330	S/O
Abattement du Québec	(1 209)	S/O
Impôt à payer	6 449 $	6 202 $
Impôt total à payer	12 651 $	

Hypothèses :
1) Particulier marié
2) Conjoint sans revenu
3) Deux enfants à charge de moins de 18 ans, qui n'ont aucun revenu
4) Dons de charité : 500 $

INDEX

BUREAUX AU CANADA

SAMSON BÉLAIR/DELOITTE & TOUCHE		DELOITTE & TOUCHE	
Alma	(418) 668-8325	Calgary, Scotia Centre	(403) 267-1700
Amos	(819) 732-8273	Calgary, Kensington	(403) 267-1800
Baie-Comeau	(418) 589-5761	Charlottetown	(902) 566-2566
Chibougamau	(418) 748-2684	Cornwall	(613) 932-5421
Chicoutimi	(418) 549-6650	Dartmouth	(902) 468-2000
Dolbeau	(418) 276-0133	Edmonton	(403) 421-3611
Farnham	(514) 293-5327	Fredericton	(506) 458-8105
Granby	(514) 372-3347	Guelph	(519) 824-1190
Grand-Mère	(819) 538-1721	Halifax	(902) 422-8541
Hull	(819) 770-3221	Hamilton	(416) 523-6770
Jonquière	(418) 542-9523	Hawkesbury	(613) 632-4178
La Baie	(418) 544-7313	Kitchener	(519) 576-0880
La Malbaie	(418) 665-3965	Langley	(604) 534-7477
Lac Etchemin	(418) 625-5921	London	(519) 679-1880
Laval	(514) 668-8910	Markham	(416) 475-4100
Longueuil	(514) 670-4270	Mississauga	(416) 275-4000
Matagami	(819) 739-2589	Moncton	(506) 857-8400
Matane	(418) 566-2637	New Westminster	(604) 664-6200
Montréal	(514) 393-7115	North York	(416) 229-2100
Québec	(418) 624-3333	Oshawa	(416) 579-8202
Rimouski	(418) 724-4136	Ottawa	(613) 236-2442
Roberval	(418) 275-2111	Prince Albert	(306) 763-7411
Rouyn-Noranda	(819) 762-0958	Prince George	(604) 564-1111
Saint-Hyacinthe	(514) 774-4000	Regina	(306) 525-1600
Senneterre	(819) 737-2614	Saint John	(506) 632-1080
Sept-Iles	(418) 968-1311	Sarnia	(519) 336-6133
Shawinigan	(819) 537-7281	Saskatoon (Midtown Plaza)	(306) 652-7071
Sherbrooke	(819) 564-0384	Saskatoon (PCS Tower)	(306) 244-8900
St-Félicien	(418) 679-4711	St.Catharines	(416) 688-1841
St-Georges	(418) 228-6676	St.John's	(709) 576-8480
Trois-Pistoles	(418) 851-2232	Sydney	(902) 564-4517
Trois-Rivières	(819) 691-1212	Toronto	(416) 601-6150
Val d'Or	(819) 825-4462	Vancouver	(604) 669-4466
		Victoria	(604) 360-5000
		Waterloo	(519) 747-3207
		Windsor	(519) 258-8833
		Winnipeg	(204) 942-0051

Collection LES AFFAIRES

Un plan d'affaires gagnant (2ᵉ édition)   **24,95 $**
par Paul Dell'Aniello   141 pages 1989

5 must pour rester en affaires   **18,95 $**
par Paul Dell'Aniello   190 pages 1988

Comment faire sa publicité soi-même (2ᵉ édition)   **24,95 $**
par Claude Cossette   184 pages 1989

Faites dire OUI à votre banquier   **24,95 $**
par Paul Dell'Aniello   250 pages 1991

Les pièges du franchisage :
comment les éviter   **24,95 $**
par Me Jean H. Gagnon   182 pages 1989

Le marketing direct   **34,95 $**
par Paul Poulin   200 pages 1989

1001 trucs publicitaires   **34,95$**
par Luc Dupont   288 pages 1990

La créativité : une nouvelle façon d'entreprendre   **24,95$**
par Claude Cossette   200 pages 1990

Patrons et adjoints :
les nouveaux associés   **24,95 $**
par André A. Lafrance et Daniel Girard   160 pages 1989

Le Canada des années 90 :
effondrement ou renaissance ?   **24,95 $**
par Kimon Valaskakis   300 pages 1990

Comment réduire vos impôts   **16,95 $**
Samson Bélair/Deloitte & Touche   280 pages 1992

Guide de planification financière   **27,95 $**
Samson Bélair/Deloitte & Touche   240 pages 1990

Planification fiscale   **19,95 $**
Samson Bélair/Deloitte & Touche   287 pages 1991

À la recherche de l'humain   **19,95 $**
par Jean-Marc Chaput   248 pages 1992

Comment acheter une entreprise   **24,95 $**
par Jean H. Gagnon   232 pages 1991

Objectif Qualité Totale : un processus d'amélioration continue   **34,95 $**
par H. James Harrington   272 pages 1992

Crédit et recouvrement au Québec : Manuel de référence   **55,00 $**
par Lilian Beaulieu   360 pages 1992

Vendre aux entreprises   **34,95 $**
par Pierre Brouillette   356 pages 1992

Collection INFORMATIQUE & BUREAUTIQUE

Comment choisir et utiliser son télécopieur
Pierre Cadieu

14,95 $
128 pages 1991

Comment choisir, installer et dépanner
micro-ordinateur et périphériques
Formanitel

34,95 $
290 pages 1989

Guide d'achat d'un micro-ordinateur
IBM et Macintosh
Formanitel

19,95$
120 pages 1990

Collection ENTREPRENDRE

Autodiagnostic :
l'outil de vérification de votre gestion
Levasseur, Bruley et Picard

16,95 $
146 pages 1991

Relancer son entreprise
par Brigitte Tremblay et Marie-Jeanne Fragu

24,95 $
162 pages 1992

Votre PME et le droit
par Michel A. Solis

16,95 $
138 pages 1991

Correspondance d'affaires : règles d'usages
françaises et anglaises et 85 lettres modèles
B. Tremblay, M. Bartlett et D. Michaud

24,95 $
176 pages 1991

Les secrets de la croissance :
4 défis pour l'entrepreneur
sous la direction de Marcel Lafrance

19,95 $
176 pages 1991

Comment trouver son idée d'entreprise :
Découvrez les bons filons
Sylvie Laferté

16,95 $
132 pages 1992

L'entreprise familiale : la relève ça se prépare
Yvon G. Perreault

16,95 $
161 pages 1992

Devenez entrepreneur :
Pour un Québec plus entrepreneurial
Paul-A. Fortin

27,95 $
360 pages 1992

Entrepreneurship technologique
R.A. Blais et J-M. Toulouse

29,95 $
410 pages 1992

HORS COLLECTION

La bourse, investir avec succès
par Gérard Bérubé

34,95 $
420 pages 1990

Les fonds communs de placement
Grosvenor

12,95 $
218 pages 1988

Achevé d'imprimer sur les presses
de l'imprimerie INTERGLOBE Inc.
Beauceville-Est (Québec)
DÉCEMBRE 1992